LLYFR MAWR
Straeon
O BEDWAR BAN BYD

Cyflwyna Huw John Hughes y gyfrol hon i

Gwern, Nanw, Deio a Siôn
am flynyddoedd o hwyl a sbort a sbri

Hawlfraint y fersiwn gwreiddiol
The Lion Storyteller Awesome Book of Stories
© 2016 Lion Hudson
Hawlfraint testun © 1998, 2002, 2009, 2011,
2016 Bob Hartman
Hawlfraint darluniau © 2009, 2011 Krisztina
Kállai Nagy

Delwedd y clawr: © angel_1978/iStock

Cyhoeddwyd yn fyd eang gan
Lion Hudson plc
Wilkinson House, Jordan Hill Road,
Oxford OX2 8DR, England
www.lionhudson.com

Testun Cymraeg © Huw John Hughes 2017
Golygydd Cyffredinol: Aled Davies
Golygydd iaith: Mair Jones Parry
Cysodi: Rhys Llwyd

Cyhoeddwyd gan:
Cyhoeddiadau'r Gair
Ael y Bryn, Chwilog,
Pwllheli, Gwynedd
LL53 6SH.
www.ysgolsul.com

ISBN 9781859948415

Argraffwyd yn Serbia

LLYFR MAWR
Straeon
O BEDWAR BAN BYD

Bob Hartman a Krisztina Kállai Nagy
Addasiad Cymraeg gan Huw John Hughes

CYHOEDDIADAU'R
GAIR

Cynnwys

Cyflwyniad

Mae cynnwys y gyfrol hon yn dod o bob rhan o'r byd. Efallai fod rhai o'r straeon yn wybyddus i chi. Ond gobeithiaf y bydd llawer mwy ohonyn nhw'n rhai newydd ac y byddwch yn rhannu yn fy mhleser o'u darganfod am y tro cyntaf a hefyd yn eu gwerthfawrogi, fel y gwnes i, gan fod ein dyheadau a'n gwerthoedd mor debyg waeth beth fo'n diwylliant, ein natur a'n hil.

Rwyf wedi dewis a dethol straeon fydd yn cymell y nodweddion dynol gorau. Credaf o ddifrif y gall straeon annog plant i fod yn fwy caredig, tyner a thrugarog, a dyna obeithion eraill y gyfrol hon.

Rwyf hefyd yn gobeithio, fel y byddwch yn darllen y straeon eich hunan neu eu darllen i blant, y byddan nhw'n dod yn gyfeillion i chi fel maen nhw wedi dod yn gyfeillion i mi. Fedra i ddim gwarantu hyn, wrth gwrs. Dydi straeon ddim yn gweithio fel yna. Felly rydw i'n ddigon hapus i gael y cyfle i gyflwyno'r straeon yn y gyfrol hon a gweld beth fydd yn digwydd.

Efallai y byddwch yn gwneud ffrindiau newydd.

Mae cryn wahaniaeth rhwng dweud a darllen stori. Pan fydd y storïwr yn dweud stori, y stori ei hun ydi'r bont rhyngddo a'r gwrandawyr. Y storïwr ei hun fydd yn gallu amrywio, ymhelaethu a chrynhoi. Wrth ddarllen stori, y storïwr ydi'r bont rhwng yr awdur a'r gwrandawyr. Mae'n rhaid iddo adael i'r stori lefaru ond fe all roi llawer o fynegiant yn y geiriau a'r digwyddiadau ac amrywio lleisiau'r gwahanol gymeriadau. Cyn darllen stori mae'n rhaid cofio:

- creu awyrgylch diddos a chlyd.
- amrywio lleisiau'r gwahanol gymeriadau.
- peidio â mynd ati i chwilio am neges/ystyr/gwers bob tro. Diddori a mwynhau ydi'r nod.

Peidiwch â gor-foesoli! Os ydych am drafod cynnwys y stori yna gwnewch hynny yng nghyd-destun y gwahanol ddigwyddiadau a chymeriadau'r stori. Yn stori'r Llwynog a'r Frân er enghraifft, gofynnwch sut un oedd y llwynog? Sut cafodd o'r darn caws yn y diwedd? Beth oedd ei gastiau? Edrychwch ar y stori trwy lygaid y creaduriaid. Rhowch gyfle i'r gwrandawyr bwyso a mesur a gofyn cwestiynau. Ond os nad ydyn nhw eisiau eu trafod, yn enwedig mewn sefyllfa un i un, yna peidiwch â mynnu cael atebion. Efallai ymhen dyddiau y bydd y gwrandäwr yn dod yn ôl at y stori. Diddori a mwynhau a gadael i'r stori lefaru yw'r nod.

Y gobaith wrth gyflwyno'r gyfrol yw y byddwch chi a'r gwrandawyr yn cael hwyl. Hwyl ar yr aelwyd. Hwyl amser gwely. Hwyl yn y dosbarth yn yr ysgol neu'r Ysgol Sul. A bydd yr hwyl yn eich helpu i ddod i adnabod eich hunan a dod â chi yn nes at eich gilydd. Mwynhewch.

Huw John Hughes

Y Llygoden a'r Llew

Sgrialodd y llygoden i'r chwith.

Sgrialodd y llygoden i'r dde.

Sgrialodd y llygoden rownd y graig, o dan y ddeilen a heibio i geg dywyll, dywyll yr ogof.

Yna stopiodd y llygoden fach yn stond.

Roedd rhywbeth wedi cythru yn ei chynffon.

Crychodd ei thrwyn ac ysgydwodd ei wisgers a throi'n ôl i edrych. Y rhywbeth hwnnw oedd y llew!

'Dwyt ti ddim hyd yn oed yn damaid i aros pryd,' meddai gan ddylyfu gên a chodi'r llygoden gerfydd ei chynffon a'i hongian o flaen ei geg. 'Ond rwy'n siŵr y byddi'n ddigon blasus.'

'Rydw i'n fwy na thamaid i aros pryd!' gwichiodd y llygoden fach. 'Rydw i'n ddewr, yn fedrus ac yn gryfach nag wyt ti'n feddwl. Ac os gwnei di adael i mi fynd mi fydda i'n siŵr o fod o help i ti ryw ddiwrnod. Llawer mwy defnyddiol na rhyw ddarn o asgwrn a ffwr fyddi di'n ei lowcio ac yna'n anghofio'r cwbl amdano.'

Dyma'r llew yn dechrau rhuo chwerthin. Roedd ei anadl boeth yn ddigon i chwythu'r llygoden fach i ffwrdd.

'Defnyddiol! I mi?' chwarddodd y llew. 'Choelia i ddim. Ond mi rwyt ti'n ddewr, mi ddyweda i hynny amdanat ti. Ac yn haerllug, mi wn. Felly mi ydw i am adael i ti fynd. Ond gwylia dy gynffon. Efallai na fydda i mor garedig y tro nesaf.'

Sgrialodd y llygoden i'r chwith.

Sgrialodd y llygoden i'r dde.

Sgrialodd y llygoden nerth ei thraed.

A ffwrdd â hi i'r goedwig.

Prin bod wythnos wedi mynd heibio pan ddaeth y llew allan o'i ogof i chwilio am fwyd.

Edrychodd y llew i'r chwith.

Edrychodd y llew i'r dde.

Ond pan lamodd y llew ymlaen syrthiodd yn syth i fagl yr heliwr!

Lapiodd y rhaffau'n dynn amdano. Roedd wedi'i ddal yn sownd.

Y munud hwnnw daeth y llygoden fach heibio.

'Mi ddeudais i y buaswn yn gallu bod o help,' gwichiodd y llygoden fach. 'Felly mi ydw i am ddangos i ti.'

Doedd y llew ddim yn barod am unrhyw fath o jôc. Clywai sŵn troed yr heliwr. 'Sut?' sibrydodd. 'Sut yn y byd y medri di fy helpu rŵan?'

'Bydd ddistaw,' meddai'r llygoden. 'A gadael i mi wneud y gwaith.'

Dechreuodd y llygoden gnoi. A brathu. A chnoi. Ac mewn dim roedd y rhaffau'n ddigon llac i'r llew wthio allan gyda nerth ei ysgwyddau cryfion.

Felly, fel yr oedd yr heliwr yn ymddangos yn y llecyn agored yn y goedwig, llamodd y llew i ganol y goedwig, gyda'i ffrind newydd yn hongian wrth ei fwng cyrliog.

Dyma gyrraedd yr ogof fel roedd yr haul yn machlud dros y bryniau.

'Diolch i ti, fy ffrind,' meddai'r llew wrth y llygoden. 'Rwyt ti'n greadur medrus a dewr. Rwyt ti wedi bod o help mawr i mi. Mwy nag oeddwn i'n ddisgwyl. O hyn ymlaen, does dim rhaid i ti ofni.'

Gwenodd y llygoden fach.

Yna sgrialodd i'r chwith.

Sgrialodd i'r dde.

A sgrialodd i dywyllwch y nos.

11

Jac Wirion

Un bore Llun, anfonodd mam Jac ef i weithio i'r saer. Gweithiodd Jac yn galed. Ar ddiwedd y dydd rhoddodd y saer geiniog newydd ddisglair iddo.

Ar ei ffordd adref taflai Jac y geiniog i fyny i'r awyr. Fel roedd yn croesi'r bont dros y nant gollyngodd y geiniog ac aeth ar goll yn nŵr yr afon.

Pan ddywedodd Jac ei stori wrth ei fam, ysgydwodd ei phen. 'O'r hogyn gwirion,' meddai. 'Pam na fuaset ti'n rhoi'r geiniog yn dy boced? Mae'n rhaid i ti gofio gwneud hynny yfory.'

Bore dydd Mawrth, anfonodd mam Jac ef i weithio i'r ffermwr. Gweithiodd yn galed drwy'r dydd. Ar ddiwedd y dydd rhoddodd y ffermwr jwgaid o lefrith iddo.

Cofiodd Jac beth oedd ei fam wedi'i ddweud wrtho. Rhoddodd y llefrith ym mhoced ei got fawr. Ond ar ei ffordd adref dechreuodd y llefrith sblasio a thasgu o'r jwg dros got Jac.

Pan ddywedodd Jac ei stori wrth ei fam, ysgydwodd hi ei phen. 'O'r hogyn gwirion,' meddai. 'Pam na fuaset ti'n cario'r jwg ar dy ben? Mae'n rhaid i ti gofio gwneud hynny yfory.'

Bore dydd Mercher anfonodd mam Jac ef i weithio i'r pobydd. Gweithiodd Jac yn galed drwy'r dydd. Ar ddiwedd y dydd rhoddodd y pobydd gath ddu, hardd iddo.

Cofiodd Jac beth ddywedodd ei fam wrtho. Yn araf deg rhoddodd y gath i eistedd ar ei ben. Ond ar y ffordd adref roedd y gath yn ofnus. Neidiodd oddi ar ben Jac ar gangen un o'r coed a gwrthododd ddod i lawr.

Pan ddywedodd Jac wrth ei fam, ysgydwodd hi ei phen. 'O'r hogyn gwirion,' meddai. 'Pam na fuaset ti'n clymu darn o linyn o gwmpas coler y gath a'i thynnu ar dy ôl? Mae'n rhaid i ti gofio gwneud hynny yfory.'

Bore dydd Iau anfonodd mam Jac ef i weithio i'r cigydd. Gweithiodd Jac yn galed drwy'r dydd. Ar ddiwedd y dydd rhoddodd y cigydd ddarn da o goes cig oen iddo.

Cofiodd Jac beth ddywedodd ei fam wrtho. Clymodd ddarn o linyn o gwmpas y cig a'i lusgo tu ôl iddo am adref. Ond erbyn iddo gyrraedd adref roedd y darn cig oen yn faw i gyd. Doedd o'n da i ddim. Dim ond i'w daflu i ffwrdd.

Pan ddywedodd Jac wrth ei fam, ysgydwodd ei phen a dweud, 'O'r hogyn gwirion, gwirion. Pam na fuaset ti'n cario'r darn cig ar dy ysgwyddau? Mae'n rhaid i ti addo gwneud hynny yfory.'

Addawodd Jac. Bore dydd Gwener anfonodd mam Jac ef i weithio i'r dyn oedd yn gofalu am y stablau. Gweithiodd Jac yn galed drwy'r dydd. Ar ddiwedd y dydd rhoddodd y dyn ful bach iddo.

Edrychodd Jac ar y mul. Cofiodd Jac eiriau ei fam. Cymerodd un ochenaid fawr a chododd y mul i fyny ar ei ysgwyddau!

Ar ei ffordd adref aeth heibio i dŷ gŵr cyfoethog. Roedd gan y gŵr cyfoethog ferch brydferth nad oedd erioed wedi chwerthin yn ei bywyd.

Ond pan welodd Jac druan yn cario'r mul ar ei gefn dechreuodd biffian chwerthin. Yna dyma hi'n chwerthin a chwerthin dros y lle.

Roedd y dyn cyfoethog wrth ei fodd. Rhoddodd ei ferch yn wraig i Jac. Rhoddodd hefyd ffortiwn fawr i'r ddau.

Pan ddywedodd Jac y stori wrth ei fam wnaeth hi ddim ysgwyd ei phen. O na, dyma hi'n gafael yn dynn ynddo. Rhoddodd gusan iddo a gwaeddodd dros y lle, 'Hwre!' Wnaeth hi byth wedyn ei alw yn 'hogyn gwirion'.

Yr Eneth Oedd yn Chwarae efo'r Sêr

Un tro, roedd geneth a doedd hi ddim eisiau dim ond un peth yn y byd i gyd yn grwn. Chwarae efo'r sêr yn yr awyr.

Bob nos, cyn iddi fynd i gysgu, byddai'n syllu o ffenest ei stafell wely ar y sêr yn dawnsio uwch ei phen. Breuddwydiai y byddai rhyw ddydd yn cael cyfle i ddawnsio efo'r sêr.

Un noson, penderfynodd fod ei dymuniad yn mynd i ddod yn wir. Cododd o'i gwely. Aeth i lawr y grisiau ac allan â hi drwy'r drws ffrynt. Dechreuodd gerdded i chwilio am ffordd i fynd i fyny at y sêr.

Roedd y lleuad yn llawn. Roedd hi'n noson gynnes a golau. A chyn pen dim ymddangosodd y sêr. Dyna lle'r oedden nhw'n adlewyrchu ar wyneb y llyn bychan.

'Esgusodwch fi,' sibrydodd wrth y llyn, 'fedrwch chi ddweud wrtha i y ffordd i'r sêr?'

'Hawdd iawn,' meddai'r llyn gan ysgwyd a chrychu. 'Mae'r sêr yn disgleirio yn fy llygaid bron bob nos. Maen nhw mor ddisglair fel yr ydw i'n cael trafferth i gysgu. Os wyt ti am eu darganfod yna mae croeso i ti neidio i mewn.'

A dyna wnaeth y ferch fach. Nofiodd yn ôl a blaen o gwmpas y llyn bychan. Ond doedd hi ddim yn gallu gweld yr un seren. Dringodd allan o'r llyn yn drist. Ffarweliodd â'r llyn, a ffwrdd â hi'n diferu o wlyb i lawr y llwybr.

Cyn hir, daeth i gae bychan. A dyna lle'r oedd sêr bychain yn dawnsio fel goleuadau disglair ar y gwlith. Ac yn dawnsio efo'r sêr roedd y tylwyth teg. Roedden nhw'n curo'u dwylo ac yn ysgwyd eu hadenydd i rythm telyn, pib a drwm.

'Esgusodwch fi,' galwodd ar y tylwyth teg. 'Yr unig beth ydw i eisiau ei wneud ydi chwarae efo'r sêr. Fyddai ots gennych chi petawn i'n ymuno efo chi?'

'Na fyddai wrth gwrs,' galwodd y tylwyth teg yn ôl. 'Mi gei di ddawnsio efo ni faint fynni di.' Ac felly dechreuodd yr eneth fach ddawnsio. Dawnsiodd rownd a rownd nes ei bod hi bron yn chwil. Ond wnaeth hi ddim dawnsio efo'r sêr. Na, efo dim un. Doedd y sêr ddim yno. Dim ond adlewyrchiad oedden nhw ar y gwlith.

Pan ddeallodd yr eneth fach beth oedd wedi digwydd, dechreuodd grio. Peidiodd y tylwyth teg â dawnsio a dod ati.

'Mi ydw i wedi nofio a nofio,' meddai dan grio. 'Mi ydw i wedi dawnsio a dawnsio. Ac eto dydw i ddim wedi dod o hyd i'r sêr.'

Roedd y tylwyth teg yn teimlo drosti a dyma nhw'n ceisio ei helpu. Dyma nhw'n rhoi pos bach iddi. 'Gofyn i Bedair Coes dy gario di at Dim Coes o Gwbl,' medden nhw wrthi. 'Yna gofyn i Dim Coes o Gwbl dy gario i'r Grisiau Heb Ris o Gwbl. Yno fe fyddi'n darganfod y sêr.'

Aeth y tylwyth teg yn ôl i ddawnsio. Aeth yr eneth fach ar ei ffordd i chwilio am y sêr. Ymhen dipyn gwelodd geffyl.

'Esgusodwch fi,' meddai'n foneddigaidd. 'Rwyf ar fy ffordd i chwilio am y sêr. Fedrwch chi roi reid i mi?'

Gweryrodd y ceffyl ac ysgwyd ei ben blewog. 'Fedra i ddim dy helpu,' eglurodd. 'Rydw i yma i helpu'r tylwyth teg a'r tylwyth teg yn unig.'

'A,' gwenodd yr eneth fach. 'Felly ti ydi Pedair Coes. Mae'r tylwyth teg wedi sôn amdanat ti. Felly mae'n rhaid i mi ofyn i ti fynd â fi at Dim Coes o Gwbl.'

'Wel, mae hynna'n gwneud synnwyr!' gweryrodd y ceffyl. 'Dringa i fyny ar fy nghefn, ac mi fyddwn ni yno cyn pen dim o amser.' A ffwrdd â nhw. Trwy'r goedwig a dros y caeau. Y carnau'n curo a'r mwng yn chwythu tua'r gorllewin a'r gorllewin a'r gorllewin, nes cyrraedd y môr.

'Fedra i ddim dy gario di ddim pellach,' eglurodd y ceffyl. 'Mae'n rhaid i ti aros yma ar y traeth nes daw Dim Coes o Gwbl heibio.'

Roedd gan yr eneth fach gymaint o gwestiynau i'w gofyn. Pwy oedd Dim Coes o Gwbl? Sut oedd o'n edrych? Sut byddai hi'n dod o hyd iddo? Ond cyn iddi gael cyfle i ofyn un cwestiwn, trodd y ceffyl ar ei garnau a charlamu i ffwrdd. Edrychodd yr eneth fach i fyny i'r awyr. Roedd y sêr cyn belled ag yr oedden nhw wedi bod erioed.

15

Beth bynnag, yn sydyn, dyma rywbeth yn mynd sblash. Yna sblosh-sblash. Yna sblosh-sblash-sblosh. Edrychodd yr eneth i'r môr a dyna lle'r oedd pysgodyn – pysgodyn mawr, pysgodyn anferth, cawr o bysgodyn.

'Tybed?' meddyliodd. A galwodd, 'Dim Coes o Gwbl? Ti ydi o, Dim Coes o Gwbl?' A llamodd y pysgodyn anferth allan o'r dŵr a glanio ar ymyl y traeth.

'I ble wyt ti eisiau i mi dy gario di, ferch fach?' gofynnodd y pysgodyn anferth.

'I'r Grisiau Heb Ris o Gwbl,' meddai'r ferch fach. A ffwrdd â nhw. Esgyll yn clepian a gŵn nos yn diferu, yn torri trwy'r tonnau hallt, tua'r gorllewin a'r gorllewin a'r gorllewin. Yna stopiodd y pysgodyn yn stond.

'Dyma ni wedi cyrraedd,' byrlymodd y pysgodyn. 'Dyma'r Grisiau Heb Ris.'

Ond fedrai'r eneth fach weld dim byd.

'Tyrd i lawr oddi ar fy nghefn,' mynnodd y pysgodyn. 'Mi fydd pob dim yn iawn.'

Felly daeth yr eneth fach i lawr. I lawr oddi ar gefn y pysgodyn ac i le oedd yn debyg i fôr anferth, diddiwedd. Ond cyn i'w thraed allu cyffwrdd y dŵr, daeth gwylan wen, glaerwen heibio a hedfan oddi tani. Camodd yn uwch, a dyna lle'r oedd gwylan wen, glaerwen arall, felly aeth yn uwch. A gyda phob cam roedd gwylan yno i'w dal. Pan oedd hi wedi dringo mor uchel fel na allai'r un wylan hedfan, daeth y cymylau i'w helpu. O'r diwedd fesul cam dyma gario'r eneth fach i fyd y sêr!

Dyma'r sêr yn ymestyn eu breichiau cynnes a disglair i'w chroesawu. Treuliodd

weddill y noson yn dawnsio eu dawnsfeydd pefriol a chwarae eu gemau euraidd. Pan oedd yr eneth fach wedi blino'n lân dyma nhw'n ei lapio yn y cwmwl a gadael iddi gysgu.

'Tyrd unwaith eto! Tyrd unrhyw bryd!' meddai'r sêr â'u llygaid yn pefrio a'u hwynebau'n disgleirio.

Breuddwydiodd yr eneth fach am y tylwyth teg, y gwynt a'r sêr. Ond pan ddeffrodd, roedd hi yn ôl yn ei hystafell a'r cwmwl oedd o dan ei phen yn ddim ond gobennydd esmwyth. Ai breuddwyd oedd y cyfan? Dim ond breuddwyd? Ond pam oedd ymyl ei gŵn nos yn wlyb? A pham oedd ei gwallt yn arogli o ddŵr hallt y môr? Ac o ble daeth rhawn y ceffyl oedd yn ei llaw?

Gwenodd yr eneth fach. Tynnodd y blanced yn dynn at ei gên. Yna gwnaeth un dymuniad arall. Caeodd ei llygaid. Breuddwydiodd unwaith eto.

Noson o Dri Mis

Tyfai'r coed pîn yn dalsyth. Ond roedd y mynyddoedd tu ôl iddyn nhw'n uwch byth. Ac mewn llannerch ynghanol y coed, daeth yr anifeiliaid at ei gilydd.

Dyma eu harweinydd, y corflaidd, yn dechrau udo ar y graig wastad, 'A-www,' fel bod pawb yn ei glywed.

'Ffrindiau,' meddai, 'mae'n rhaid i ni ddod i benderfyniad pwysig. Meddyliwch yn galed. Cymerwch eich amser. Ac yna atebwch fy nghwestiwn. Faint o hyd ddylai pob diwrnod fod?'

Edrychodd yr anifeiliaid ar ci gilydd. Dyma nhw'n dcchrau rhochian, gwichian a rhuo. Penderfyniad anodd iawn. Yna dyma nhw'n tawelu. A dyma nhw'n dechrau meddwl o ddifrif.

Ar ôl cryn amser dyma'r arth frown yn codi un bawen dew, flewog ac yn araf dyma hi'n siglo ei phedwar ewin miniog.

'Mi ydw i'n meddwl,' meddai gan ddylyfu gên. 'Mi ydw i'n meddwl y dylai pob diwrnod fod yn dri mis o hyd. A'r nos i fod yn dri mis. Os gwnawn ni hynny,' meddai gan ddylyfu gên unwaith yn rhagor, 'mi fedrwn ni gael mwy na digon o amser i gysgu.'

Roedd yr anifeiliaid wedi rhyfeddu o glywed ateb yr arth frown. Dcchreuodd y rhochian, y gwichian a'r rhuo unwaith eto. Ond y tro hwn y wiwer fach resog oedd uchaf ei chloch.

'Paid â bod mor wirion,' dechreuodd brepian. 'Petawn i yn cysgu am dri mis, mi fuaswn wedi marw o eisiau bwyd! Yn fy marn i, mi ddylem ni gadw pethau fel maen nhw. Un diwrnod yn cael ei ddilyn gan un nos.'

Cytunodd y dylluan a'r wenci a llawer o'r anifeiliaid eraill.

Ond roedd yr arth frown yn benderfynol. Mewn dim o amser roedd y goedwig yn llawn o synau anifeiliaid yn dadlau â'i gilydd.

'Digon. A-www. Digon!' udodd y corflaidd. 'Mi wnawn ni

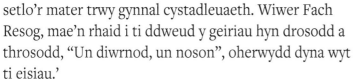

setlo'r mater trwy gynnal cystadleuaeth. Wiwer Fach Resog, mae'n rhaid i ti ddweud y geiriau hyn drosodd a throsodd, "Un diwrnod, un noson", oherwydd dyna wyt ti eisiau.'

'Λ thithau, Arth Frown, mae'n rhaid i ti ddweud, "Diwrnod am dri mis, noson am dri mis" drosodd a throsodd, oherwydd dyna wyt ti eisiau. A'r cyntaf i ddweud y peth anghywir, hwnnw fydd wedi colli. Nawr, lleisiau'n barod, cymerwch eich lleoedd a gadewch i'r gystadleuaeth ddechrau.'

Sgrialodd y wiwer fach resog i fyny canghennau'r goeden bîn, dal. Gosododd yr arth frown ei hun yn solet ar y llawr a phwyso'n erbyn bôn y goeden. A dyma'r ornest yn dechrau.

'Un diwrnod, un noson, un diwrnod, un noson,' parablodd y wiwer fach resog, yn gyflymach ac yn gyflymach yn ei llais distaw, main.

'Diwrnod am dri mis, noson am dri mis,' ailadroddodd yr arth yn araf deg. Ond roedd yn teimlo'n gysglyd a blinedig a theimlai hi'n anodd iawn canolbwyntio.

'Un diwrnod, un noson, un diwrnod, un noson, un diwrnod, un noson,' parablodd y wiwer fach resog yn gyflymach a chyflymach nag erioed. A'r unig beth allai'r arth wneud oedd gwrando ar ei llais cwynfanus ei hun. A dyna'r pryd y digwyddodd. Yn lle dweud, 'Diwrnod am dri mis, noson am dri mis,' meddai'r arth yn fyngus, 'Un diwrnod, un noson.' A'r munud hwnnw roedd yr ornest drosodd!

'Mae Wiwer Fach Resog wedi ennill. A-www!' udodd y corflaidd. 'Ac felly un dydd ac un nos amdani am byth.'

Ond doedd Arth Frown ddim yn hapus. Gwrthododd ildio. 'Rydw i angen tri mis i gysgu,' rhuodd, 'ac mi ydw i'n benderfynol o gael tri mis hefyd!'

Safodd i fyny ac ysgwyd ei phawen flin i gyfeiriad y wiwer fach resog.

Sbonciodd Wiwer Fach Resog o'i chyrraedd, ond llwyddodd yr arth i grafu cefn y wiwer fach â'i phedwar ewin. Pwdodd yr arth. Cuddiodd ei hun yn yr ogof ac aeth i drwmgwsg hir dros y gaeaf.

A hyd y dydd heddiw fe welir olion crafiadau'r arth frown ar gefn pob wiwer fach resog. A phob gaeaf mae pob arth yn mynd i gysgu am noson o dri mis.

Arion a'r Dolffin

Pan fyddai Arion yn canu'r delyn byddai pawb yn gwrando.

Byddai'r dynion Groegaidd yn rhoi eu celfi o'r neilltu. Byddai'r merched Groegaidd yn rhoi eu llestri o'r neilltu. Byddai'r plant Groegaidd yn rhoi eu teganau o'r neilltu. A hyd yn oed yr adar yn yr awyr, yr anifeiliaid yn y caeau a'r pysgod yn y môr yn stopio sgrechian, sgriffian a sblasio er mwyn gwrando ar ei ganeuon hyfryd.

Er mai bachgen ifanc oedd Arion doedd neb tebyg iddo am ganu'r delyn mor ddawnus a chanu mor swynol. Roedd y brenin ei hun wedi dweud hynny! Felly doedd o ddim yn syndod pan benderfynodd Arion adael ei wlad enedigol a hwylio am Ynys Sisili. Gobeithiai y byddai'n dod yn enwog a chyfoethog rhyw ddydd.

Do'n wir, fe ddigwyddodd hynny.

Roedd pawb yn gwrando pan oedd Arion yn canu'r delyn.

Roedd dynion Sisili yn rhoi eu celfi o'r neilltu. Byddai merched Sisili yn rhoi eu llestri o'r neilltu. Byddai plant Sisili yn rhoi eu teganau o'r neilltu. Ac ynghyd â'r adar, y pysgod a'r anifeiliaid, roedden nhw i gyd yn rhyfeddu at ganeuon y bachgen o wlad Groeg. Roedd pobl Sisili wedi pentyrru rhoddion o emau ac aur ac arian i Arion. Felly, gŵr ifanc cyfoethog oedd ar fwrdd y llong ar ei thaith yn ôl i'w wlad ei hun.

Gwyddai capten y llong bopeth am Arion. Ond doedd ganddo fawr o ddiddordeb yn ei ganu. Roedd ganddo fwy o ddiddordeb yn yr aur. Felly, ar ôl iddyn nhw hwylio ymhell o'r lan, gorchmynnodd i'r morwyr afael yn Arion a'i lusgo i ochr y llong.

'Rwyt ti'n ŵr ifanc cyfoethog, Arion,' chwarddodd y capten, 'ond ddim yn hir iawn. Mae'r morwyr yn mynd i dy ladd a thaflu dy gorff dros ochr y llong. Ac wedyn ni fydd piau'r trysor.'

'Gapten annwyl,' meddai Arion, 'os ydych yn mynd i'm lladd a diweddu fy mywyd a dwyn fy ffortiwn does 'na ddim fedra i wneud i'ch stopio. Ond wnewch chi adael i mi gael un dymuniad cyn i mi farw? Ga i ganu'r delyn am y tro olaf?'

Cododd y capten ei ysgwyddau. 'Pa ddrwg wnaiff hyn?' A dyma daflu'r delyn at y cerddor.

Dechreuodd Arion ganu'r delyn. Dechreuodd ganu. Ac, yn ôl y disgwyl, roedd pawb yn clustfeinio.

Rhoddodd y morwyr eu rhaffau o'r neilltu. Rhoddodd y capten ei gleddyf o'r neilltu. Roedd hyd yn oed y gwylanod uwchben a'r pysgod yn y môr wedi stopio plymio a nofio er mwyn gwrando ar gân hyfryd y bachgen ifanc.

Fel roedd y gân yn diweddu, gafaelodd Arion yn dynn yn ei delyn a thaflodd ei hun dros ochr y cwch i'r môr mawr glas.

'Peidiwch â phoeni amdano, hogia,' galwodd y capten. 'Fedr neb nofio i'r lan o fan'ma. Bydd y siarcod yn gwneud yn saff o hynny. Dowch i ni edrych yn fanwl ar ei drysor!'

Yn y cyfamser roedd Arion yn dechrau suddo. Doedd o ddim yn medru gafael yn ei delyn a nofio. I lawr â fo. Roedd y bachgen yn suddo yn is ac yn is.

Ond yn sydyn stopiodd! Ac yn hytrach na suddo'n is ac yn is, dechreuodd godi, i fyny ac i fyny. Yn uwch ac yn uwch, nes roedd ei ben uwchben y tonnau. Gallai anadlu unwaith eto.

Edrychodd Arion i lawr ac er mawr syndod iddo dyna lle'r oedd o ar gefn dolffin. Mae'n amlwg fod y dolffin wedi clywed cân swynol Arion ac felly'n benderfynol nad oedd y cantor yn mynd i foddi.

Gwasgodd Arion ei goesau o gwmpas ochrau'r dolffin. Yna gafaelodd yn dynn o amgylch gwddf y dolffin. Cariodd y dolffin Arion drwy'r tonnau yr holl ffordd yn ôl i wlad Groeg.

Diolchodd Arion i'w ffrind newydd. Yna ffarweliodd y ddau.

Llamodd y dolffin allan o'r môr gan glapio ei ffarwel. Aeth Arion ar ei ffordd. Gyda'i delyn dan ei fraich aeth yn syth i weld y brenin.

Pan gyrhaeddodd y palas roedd y brenin yn brysur. Yn wir roedd yn sgwrsio efo'r morwyr oedd wedi dwyn trysor Arion. Felly, gofynnodd Arion i'r gwarchodwr gadw'n dawel tra roedd o'n cuddio tu ôl i'r golofn garreg yn gwrando ar y sgwrs.

'Roedd yn ddigwyddiad trist, Eich Mawrhydi,' eglurodd y capten. 'Daeth y storm ar ein gwarthaf fel anifail gwyllt. A chyn i ni fedru gwneud dim roedd Arion druan a'i drysor wedi'u sgubo dros ochr y cwch i'r môr.'

Ysgydwodd y brenin ei ben. Roedd yn drist. 'Fedra i ddim credu hyn,' meddai. 'Fydda i byth yn cael clywed tannau'r delyn na'r llais swynol byth eto.'

Ond fel roedd y brenin yn siarad, dyma nodau'r delyn yn dod o gefn y neuadd. Ac wedyn dyma lais swynol Arion i'w glywed.

Rhoddodd y milwyr eu gwaywffyn o'r neilltu. Dyma'r brenin yn rhoi ei deyrnwialen frenhinol o'r neilltu. A syrthiodd y morwyr ar cu gliniau.

Ymddangosodd Arion o'r tu ôl i'r golofn garreg a cherddodd yn bwyllog tuag at orsedd y brenin. Curodd y brenin ei ddwylo'n hapus.

'Rwyt ti'n fyw,' gwaeddodd. 'Wnest ti ddim boddi. Beth yn union wnaeth dy arbed di o'r storm ofnadwy?'

'Doedd 'na ddim storm, Eich Mawrhydi,' eglurodd Arion.

Yna eglurodd y cwbl am gynlluniau drwg y capten wrth y brenin.

Anonwyd milwyr i'r cwch ac, yn wir, dyna lle'r oedd trysor Arion. Bu'n rhaid i'r capten a'r criw fynd i'r carchar. Cafodd Arion ei drysor yn ôl. Gorchmynnodd y brenin i'r cerflunwyr wneud cerflun o'r bachgen ar gefn y dolffin. A hynny er mwyn cofio am byth y ffordd ryfeddol y cafodd ei arbed o ddyfroedd y môr.

Y Gwningen a'r Teigr yn Achub y Byd

Roedd y Teigr yn anferth. Roedd y Teigr yn ffyrnig. Roedd ganddo bawennau miniog, dannedd mwy miniog byth a chroen hardd gyda stribedi oren a du drosto. Ond er ei fod yn edrych yn brydferth, doedd y Teigr ddim yn alluog.

Bychan oedd y Gwningen. A doedd hi ddim yn ffyrnig o gwbl. Roedd ganddi glustiau hirion, cynffon bwt ac ymennydd oedd yr un mor sydyn â'i choesau hirion, cryf.

Dim ond un peth yn fwy na dim arall yn y byd oedd y Teigr eisiau ei wneud. Bwyta'r Gwningen!

A mwy na dim byd arall yn y byd doedd y Gwningen ddim eisiau cael ei bwyta.

Un diwrnod, pan oedd y Gwningen yn cnoi tamaid blasus o lygad y dydd i ginio ymddangosodd y Teigr yn sydyn.

Rhedodd ar ôl y Gwningen drwy'r jyngl, ar draws y caeau ac i geunant isel, creigiog.

Doedd dim ffordd allan. Roedd y Gwningen wedi'i dal. Felly dyma hi'n stopio defnyddio ei choesau cyflym. Yn hytrach dyma hi'n dechrau defnyddio ei hymennydd. Dyma hi'n taflu ei hun, a'i phawennau ar led, yn erbyn carreg anferth ym mhen draw'r ceunant. Disgwyliodd i'r Teigr ymddangos.

'Rŵan, mi ydw i wedi dy ddal di!' rhuai'r Teigr. 'Ac mi ydw i bron yn medru blasu stiw cwningen.'

'Mi gei di fy mwyta os wyt ti eisiau,' meddai'r Gwningen, yn araf. 'Ond mae'n rhaid i ti, yn gyntaf, fy nhynnu oddi ar y garreg enfawr yma rydw i yn ei dal.'

'A beth sydd o'i le ar hynny?' gofynnodd y Teigr mewn dipyn o benbleth.

'Wel,' meddai'r Gwningen, 'mae'r garreg enfawr yma yn dal y byd i gyd yn ei le. Mi welais i'r garreg yn dechrau rholio i ffwrdd ac yn ffodus roeddwn i yma i'w stopio. Ond, os bydda i'n symud cam, mi fydd yn siŵr o ddechrau rholio unwaith eto. A bydd yn mynd â'r byd i gyd gyda hi.'

'O diar annwyl!' meddai'r Teigr. 'Doeddwn i ddim yn gwybod hynny.'

'Mi wn i beth wna i,' gwenodd y Gwningen. 'Pam na wnei di ddal y garreg tra bydda i'n mynd i chwilio am help?'

'Ar bob cyfrif,' meddai'r Teigr braidd yn boenus. 'Dydyn ni ddim eisiau gweld y byd yn rholio i ffwrdd.'

Felly aeth y Gwningen ar wib. Ond nid i chwilio am help. Aeth yn syth i'w thwll i guddio gan chwerthin yr holl ffordd. Bellach roedd hi'n berffaith ddiogel yn ei thwll bach clyd.

Y Bugail a'r Dywysoges Glyfar

Gallai'r dywysoges Vendla siarad unrhyw iaith. Unrhyw iaith yn y byd i gyd!

Almaeneg, Ffrangeg.

Eidaleg, Pwyleg.

Tsieineaidd, Zwlw, Saesneg.

Roedd hi'n deall yr ieithoedd hyn i gyd. Pob un.

Roedd ei thad, y brenin, yn falch iawn ohoni. Mor falch ohoni fel y rhoddodd sialens i'r holl ddynion ifanc yn ei deyrnas.

'Os ydych chi eisiau priodi fy merch,' cyhoeddodd, 'mae'n rhaid i chi yn gyntaf siarad efo hi mewn iaith nad yw hi'n ei deall. Pwy bynnag fydd yn gallu gwneud hynny, fe'i caiff hi'n wraig iddo. Methu, yna mi fyddwch chi'n cael eich taflu i'r môr!'

Bu llawer o ddynion ifanc yn cystadlu. Dynion doeth. Dynion cyfoethog. Dynion hardd. Ond, yn anffodus, roedd pob un ohonyn nhw wedi cael eu taflu i'r môr.

Ac yna, un diwrnod, penderfynodd Timo, llanc o fugail, ei bod hi'n amser iddo chwilio am wraig.

'Maen nhw'n dweud fod y dywysoges yn eithaf prydferth,' meddyliodd. 'Felly mi ydw i am roi cynnig arni i'w chael hi'n wraig i mi.'

Doedd Timo ddim yn ddoeth nac yn gyfoethog nac yn hardd. Breuddwydiwr oedd

Timo. Byddai'n crwydro drwy'r goedwig ac ar draws y caeau yn siarad efo'r adar ac yn sibrwd efo'r anifeiliaid.

Cychwynnodd Timo ar ei daith i'r palas. Doedd o ddim wedi mynd ymhell pan glywodd sŵn. Sŵn trydar. Sŵn switian aderyn bach. Ond doedd y sŵn ddim yn dod o ganghennau'r coed. Na, roedd y sŵn yn dod o rywle ar y llawr.

Dilynodd Timo y sŵn. Ysgubodd y canghennau a'r hen ddail marw. A dyna lle'r oedd o. Cyw aderyn y to wedi torri'i adain.

'O, y peth bach,' meddai Timo. 'Rwyt ti'n lwcus iawn nad wyt ti wedi cael dy lowcio gan lwynog neu gath. Pam na ddoi di efo mi am ychydig?'

Gafaelodd Timo yn dyner yn yr aderyn bach a'i roi yn ei fag lledr.

Cerddodd Timo ymlaen ac ymhen dim clywodd sŵn arall. Sŵn crafu a chripian. Heb os, sŵn y wiwer oedd yna.

'Rydw i wedi cael fy nal. Rydw i'n sownd mewn magl!' meddai'r wiwer. 'Wnaiff rhywun fy helpu?'

Roedd Timo yno mewn chwinciad. Datododd y weiren bigog oddi ar goes y wiwer. Yna rhoddodd hi yn ei fag lledr efo aderyn y to.

'Mi gei di orffwys rŵan,' sibrydodd wrth y wiwer, 'nes bydd dy goes di'n well.'

Unwaith eto ymlaen yr aeth Timo tua phalas y brenin. Ond cyn bo hir clywodd sŵn arall. Sŵn crawcian uwch ei ben.

'Beth sydd, Mr Brân?' galwodd Timo.

'Rydw i wedi colli fy ngwraig,' crawciodd y frân. 'Roedd helwyr y brenin yn hela yn y goedwig, ac mae gen i ofn eu bod nhw wedi'i dal hi. Rydw i wedi bod yn hedfan o gwmpas am oriau ond fedra i yn fy myw ei gweld hi.'

'Pam na ddoi di efo mi?' meddai Timo. 'Mi ydw i ar fy ffordd i balas y brenin. Mi gei di neidio i'r bag lledr a ffwrdd â ni.'

Derbyniodd y frân flinedig gynnig Timo ar ei hunion. Cyn pen dim roedd y llanc o fugail a'i ffrindiau cudd wrth ddrysau'r palas.

'Pwy sydd yna?' gwaeddodd y gwyliwr.

'Timo, y llanc o fugail. Rwyf wedi dod yma i briodi'r dywysoges.'

'Wedi dod yma i'th daflu i'r môr, wyt ti'n feddwl!' chwarddodd y gwyliwr. 'Mae dynion llawer doethach a llawer cyfoethocach na thi wedi eu taflu i'r môr cyn hyn.'

'Efallai wir,' nodiodd Timo. 'Ond doedden nhw ddim yn gwybod beth ydw i'n ei wybod, sef iaith na fydd y Dywysoges Vendla yn ei deall.'

Gadawodd y gwyliwr i Timo fynd i mewn i'r palas, ac yna aeth ag ef i weld y brenin.

'Eich Mawrhydi,' ymgrymodd Timo, 'rwyf wedi dod atoch yn barod ar gyfer y sialens. Rydw i'n credu fy mod yn gwybod iaith na fydd eich merch yn ei deall.'

Roedd y brenin yn ei chael hi'n anodd peidio â chwerthin am ei ben.

'Dim ond llanc o fugail tlawd wyt ti,' chwarddodd. 'Mae fy merch wedi astudio pob iaith yn y byd i gyd yn grwn. Mae'r môr yn oer iawn yr adeg hon o'r flwyddyn. Wyt ti'n siŵr dy fod yn barod i dderbyn fy sialens?'

'Wrth gwrs,' nodiodd Timo. 'Rwyf eisiau gweld y dywysoges.'

Galwodd y brenin ar ei ferch. Yn wir hi oedd y ferch harddaf oedd Timo wedi'i gweld erioed. Ymgrymodd i'r dywysoges. Yna rhoddodd ei law i mewn yn ei fag lledr a dechreuodd grafu pen aderyn y to.

'Switian-switian-switian,' meddai aderyn y to.

Edrychodd Timo ar y dywysoges Vendla. 'Fedri di ddweud beth mae hynna'n ei feddwl?' gofynnodd.

Edrychodd y Dywysoges Vendla braidd yn bryderus. 'Na... na,' meddai hi'n araf deg. 'Fedra i ddim.'

'Mae'n golygu: "Diolch i ti am f'achub i, Timo. Mae f'adain yn well o lawer rŵan." '

Rhoddodd Timo ei law yn y bag lledr unwaith eto, a'r tro hwn dyma fo'n goglais y wiwer o dan ei gên.

'Scrig-scrag-scrig-scrag,' meddai'r wiwer. A'r tro hwn eto, dim ond ysgwyd ei phen wnaeth y dywysoges.

'Mae hwn yn hawdd,' meddai Timo. 'Mae'n golygu: "Diolch am f'achub o drap yr heliwr." '

Rhoddodd Timo ei law unwaith eto yn y bag

lledr, ond cyn iddo gael gafael yn y frân, safodd y brenin ar ei draed. Gwaeddodd, 'Digon yw digon! Rhag dy gywilydd di, fy merch. Mi gest ti'r athrawon gorau yn y byd. Ac eto mae'r bugail anwybodus hwn yn gwybod mwy nag wyt ti!'

'Sori, fy nhad,' dechreuodd y dywysoges wylo, 'efallai nad ydw i mor glyfar ag oeddet ti'n feddwl.'

'O na, dywysoges,' meddai Timo. 'Rwyt ti'n alluog iawn. Rwyt ti'n ddigon galluog i sylweddoli nad wyt ti'n gwybod pob peth. Dyna ydi man cychwyn bod yn ddoeth. Rwy'n dy edmygu'n fwy byth.'

Gwenodd y brenin pan glywodd y geiriau hyn. Penderfynodd fod Timo a Vendla i gael priodi'r diwrnod hwnnw. Dechreuodd pob un yn y palas guro dwylo. Daeth Timo i fyw i'r palas. A chyda help aderyn y to, y wiwer a'r frân a'i holl ffrindiau yn y goedwig dysgodd iaith yr anifeiliaid i Vendla. A bu'r ddau fyw'n hapus byth wedyn.

Y Crwban yn Bwydo'r Anifeiliaid

Tywynnai'r haul yn grasboeth. Roedd y ddaear yn sych grimp. Dim glaw ers misoedd. Ac erbyn hyn dim bwyd. Roedd yr anifeiliaid i gyd yn newynu.

Dyma'r Llew, brenin yr holl anifeiliaid, yn galw ei ffrindiau tenau a blinedig at ei gilydd dan gysgod coeden dal, gnotiog.

'Mae'r hen chwedlau'n dweud fod hon yn goeden hud,' rhuodd, 'ac felly'n gallu rhoi digonedd o fwyd i ni. Ond mae'n rhaid i ni wybod beth yw ei henw cudd. A dim ond un person sy'n gwybod beth ydi'r enw hwnnw. Yr hen ŵr sy'n byw ar gopa'r mynydd.'

'Felly mae'n rhaid i ni fynd i'w weld,' rhuodd yr Eliffant, 'a hynny ar frys. Cyn i ni i gyd farw.'

'Mi ydw i am fynd,' meddai'r Crwban yn araf deg. A dyma bob un ohonyn nhw'n stopio a rhythu.

'Paid â bod yn wirion,' rhuodd y Llew. 'Wel, disgwyl am hydoedd fuasem ni wrthyt ti! Na, mi anfonwn ni'r Sgwarnog i chwilio am enw'r goeden. Mi fydd hi'n ôl mewn chwinciad.'

Aeth y Sgwarnog nerth ei thraed i fyny'r mynydd, ei chlustiau hirion yn gorwedd ar ochr ei phen. Llamodd. Pranciodd. Rhedodd. A chyn pen dim roedd wyneb yn wyneb â'r hen ŵr.

'Os gweli'n dda wnei di ddweud enw'r goeden hud wrtha i,' crefodd. 'Mae'r anifeiliaid i gyd yn newynu.'

Edrychodd yr hen ŵr. Gwrandawodd yr hen ŵr. A dywedodd yr hen ŵr un gair. Un gair yn unig: 'Wngelema.'

'Diolch i ti,' atebodd y Sgwarnog. A ffwrdd â hi nerth ei thraed i lawr y mynydd.

Llamodd.

Pranciodd.

Rhedodd. Ac ar hyd y
ffordd roedd yn ail-ddweud
enw'r goeden wrthi'i hunan:
'Wngelema, Wngelema, Wngelema.'

Ond, fel yr oedd hi'n cyrraedd gwaelod y
mynydd, carlamodd – CLEC! – yn syth i ochr nyth
morgrug a tharo'i hun yn anymwybodol.

Roedd hi mor anymwybodol, pan stryffaglodd yn ôl at yr
anifeiliaid eraill roedd wedi anghofio'n llwyr enw'r goeden.

'Mae'n rhaid i ni anfon rhywun arall,' rhuodd y Llew. 'Rhywun sy'n
mynd i gofio'r enw.'

'Mi ydw i am fynd,' meddai'r Crwban unwaith eto.

A dyma'r anifeiliaid i gyd yn dechrau chwerthin.

'Mi fyddwn ni i gyd wedi llwgu i farwolaeth erbyn yr amser y doi di'n ôl,'
chwarddodd y Llew. 'Na, mi wnawn ni anfon yr Eliffant.'

Prysurodd yr Eliffant i fyny ochr y mynydd, a'i drwnc hir yn symud yn ôl a blaen.
Trampiodd. Trampiodd. Trampiodd. Cyn pen dim roedd wyneb yn wyneb â'r hen
ŵr.

'Os gweli'n dda wnei di ddweud wrtha i beth ydi enw'r goeden hud,' ymbiliodd.
'Mae'r anifeiliaid i gyd yn newynu.'

Edrychodd yr hen ŵr yn ddryslyd. 'Rydw i eisoes wedi dweud wrth y Sgwarnog,'
meddai. 'Ond mi alla i ddweud wrthyt ti hefyd.' A dywedodd y gair: 'Wngelema.'

'Diolch i ti,' meddai'r Eliffant. Carlamodd i lawr ochr y mynydd.

Trampiodd. Trampiodd. Trampiodd. Gan ddweud wrtho'i hun: 'Wngelema,
Wngelema, Wngelema.' Ond yn union fel y digwyddodd i'r Sgwarnog, roedd o ar
gymaint o frys fel na welodd nyth y morgrug. A syrthiodd – CLEC! – yn syth i ochr y
nyth a tharo'i ben yn anymwybodol. Anghofiodd yntau yr enw cudd.

'Mae hyn yn ffwlbri!' rhuodd y Llew. 'Oes 'na rywun yn rhywle fedr gofio un enw
syml?'

'Mi fedra i,' meddai'r Crwban yn ddistaw bach.

A dyma'r anifeiliaid eraill i gyd yn ysgwyd eu pennau.

'Digon yw digon!' rhuodd y Llew. 'Mae'n amlwg y bydd rhaid i mi fy hun fynd i fyny'r
mynydd.'

Felly, brasgamodd y Llew i fyny'r mynydd i siarad efo'r hen ŵr. Ond ar ei
ffordd yn ôl syrthiodd yntau hefyd ac yn syth i nyth y morgrug. Llwyddodd i
gyrraedd yr anifeiliaid eraill ond roedd yntau hefyd wedi anghofio'r enw.

'Beth wnawn ni rŵan?' cwynodd y Jiráff.

29

'Beth am i mi fynd?' meddai'r Crwban, yn benderfynol o geisio helpu. A chyn i neb gael dweud gair roedd ar ei ffordd i fyny'r mynydd.

Cymerodd ei amser yn hamddenol braf. Dyma fo'n cymryd camau bach. Dyma fo'n trotian. Dyma fo'n ymlwybro. Un cam ar y tro. O'r diwedd, dyma fo'n cyrraedd yr hen ŵr.

'Os gweli'n dda wnei di roi enw'r goeden hud i mi,' meddai'n araf. 'Mae fy ffrindiau i gyd yn newynu.'

Edrychodd yr hen ŵr yn flin iawn ar y Crwban. 'Rydw i eisoes wedi rhoi'r enw i'r Sgwarnog, yr Eliffant a'r Llew. Mi ddyweda i'r enw unwaith eto. Ond os na fedri gofio'r enw y tro hwn, fydda i ddim yn ei ddweud byth eto!'

A dywedodd y gair: 'Wngelema.'

'Diolch,' meddai'r Crwban, mor gwrtais ag y medrai. 'Rwy'n addo na fydda i ddim yn anghofio'r enw.' A chychwynnodd ar ei daith i lawr y mynydd.

Dyma fo'n trotian. Dyma fo'n ymlwybro. Un cam bach ar y tro gan ailadrodd yr enw yn araf deg, 'Wngelema. Wngelema. Wngelema.' A phan ddaeth at nyth y morgrug cerddodd yn hamddenol o'i gwmpas. Doedd o ddim yn mynd i frysio. Dim brys o gwbl. Pan ddychwelodd dyma'r anifeiliaid i gyd yn closio o'i gwmpas.

'Wyt ti'n gwybod yr enw?' gofynnodd yr anifeiliaid iddo. 'Wyt ti'n cofio'r enw?'

'Wrth gwrs,' gwenodd y Crwban. 'Dydi o ddim yn anodd o gwbl.' Yna edrychodd ar y goeden hud a dywedodd y gair, 'Wngelema.'

Y munud hwnnw, ymddangosodd ffrwythau aeddfed, blasus ar ganghennau'r goeden a syrthio i lawr wrth draed yr anifeiliaid llwglyd. Dyma nhw'n dechrau bloeddio. Dyma nhw'n dechrau curo dwylo. A dyma fynd ati i fwyta a bwyta nes roedden nhw'n llawn. Y diwrnod hwnnw. A'r diwrnod wedyn a thrwy'r cyfnod o newyn.

A phan oedd y newyn drosodd dyma orseddu'r Crwban yn frenin newydd. A byth ar ôl hynny ni wnaeth neb chwerthin am ben y Crwban.

Poli a'r Llyffant

Hen wraig filain oedd llysfam Poli. Roedd mam Poli wedi marw pan oedd hi'n eneth fach. A doedd y wraig oedd ei thad wedi'i phriodi ddim yn hoff o Poli. Ddim yn hoff o gwbl. Poli oedd yn gorfod gwneud y gwaith caletaf o gwmpas y tŷ. Ac os nad oedd Poli yn gwneud ei gwaith yn berffaith, byddai'n cael ei chosbi. Ond rocdd tad Poli yn caru'r wraig gymaint fel nad oedd o'n barod i wneud dim i'w rhwystro.

Un diwrnod, dyma'r llysfam filain yn galw ar Poli. Ac, meddai'n chwyrn, 'Eneth,' (doedd hi byth yn galw Poli wrth ei henw) 'dos â'r rhidyll hwn i'r ffynnon. Llenwa fo â dŵr a thyrd â fo'n syth yn ôl i mi.'

Gwyddai Poli fod hyn yn amhosib. Roedd y rhidyll yn llawn o dyllau ac ni allai byth ei lenwi â dŵr. Fyddai'r un creadur byw yn gallu gwneud.

Ddywedodd Poli yr un gair. Dim ond ysgwyd ei phen. Aeth ar ei hunion i'r ffynnon. Pan gyrhaeddodd yr unig beth allai ei wneud oedd eistedd ar ochr y ffynnon ac wylo.

'Crawc-crawc,' daeth llais o'r ffynnon. 'Crawc-crawc.'

Sychodd Poli ei dagrau â'i llawes ac edrychodd i lawr i'r ffynnon.

Ac yno roedd llyffant. Y mwyaf, y tewaf a'r anwylaf o'r holl lyffantod oedd hi erioed wedi'i weld.

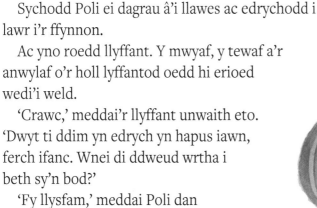

'Crawc,' meddai'r llyffant unwaith eto. 'Dwyt ti ddim yn edrych yn hapus iawn, ferch ifanc. Wnei di ddweud wrtha i beth sy'n bod?'

'Fy llysfam,' meddai Poli dan snwffian, ac anghofiodd bob rhybudd i beidio â siarad â llyffantod dieithr. 'Mae hi eisiau i mi lenwi'r rhidyll hwn yn llawn o ddŵr. Mae'n amhosib, rwy'n gwybod. Ond os na wna i hyn bydd yn fy nghosbi'r munud y cyrhaedda i adref.'

'Dydi o ddim yn amhosib o gwbl!' crawciodd y llyffant. 'Mi wna i ddweud

wrthyt ti sut i wneud os gwnei di addo un peth i mi.'

'Unrhyw beth!' meddai Poli mewn llais dagreuol.

'Mae'n rhaid i ti wneud pob dim rydw i'n ofyn i ti a hynny am un noson gyfan!
Crawc.'

Wel, cais od iawn, ond roedd Poli'n barod am unrhyw help. A beth bynnag, doedd
y llyffant hwn ddim yn gwybod lle'r oedd hi'n byw.

'Iawn,' cytunodd Poli. 'Rŵan, wnei di ddweud wrtha i, os gweli di'n dda.'

'Crawc. Cymer ychydig o fwsogl ac ychydig o ddail wedi crino a'u rhoi nhw yn y
tyllau. Felly, fydd y dŵr ddim yn rhedeg ohono.'

Gwnaeth Poli'n union fel y dywedodd y llyffant ac, yn siŵr i chi, roedd o'n
gweithio'n iawn!

'Diolch yn fawr i ti,' gwenodd Poli. 'Rwyt ti wedi arbed fy mywyd!'

'Crawc,' gwenodd y llyffant yn ôl. 'Cofia d'addewid i mi.' A neidiodd ar ei fol yn ôl i
ddŵr y ffynnon.

Prysurodd Poli am adref. Roedd ei llysfam wedi rhyfeddu. Ac am unwaith wnaeth
hi ddim chwilio am unrhyw beth oedd o'i le efo gwaith Poli.

Ond ymhellach ymlaen y noson honno, fel roedd Poli'n gorffen ei swper, daeth
cnoc ar y drws.

'Poli,' gwaeddodd ei thad. 'Mae 'na lyffant yma i dy weld di.'

Llyncodd Poli'r cegaid o fwyd oedd hi'n ei gnoi ac yna cododd yn
araf a cherddodd tua'r drws ffrynt. Roedd y llyffant tew, caredig
yn wlyb diferu ar y mat wrth y drws.

'Felly, Poli ydi dy enw di?' crawciodd y llyffant. 'Enw
hyfryd. Fyddet ti'n hidio petawn i – crawc – yn dod i
mewn?'

Doedd Poli ddim yn hapus iawn. Ond cofiodd
ei haddewid. Galwodd arno i ddod i mewn ac yna
meddai'n sydyn, 'Ond rydyn ni ar ganol ein swper.'

'O, mae popeth yn iawn,' meddai'r llyffant gan
chwipio'i dafod dew allan, 'buaswn wrth fy modd
efo tamaid i aros pryd. Crawc.'

Aeth Poli yn ôl i'r ystafell fwyta a'r llyffant
yn sboncio'n hapus tu ôl iddi. Ar y dechrau
roedd ei llysfam yn edrych yn filain arni ac
yna llithrodd gwên faleisus dros ei hwyneb.
Dyma gyfle da i wneud hwyl am ben ei
llysferch hardd.

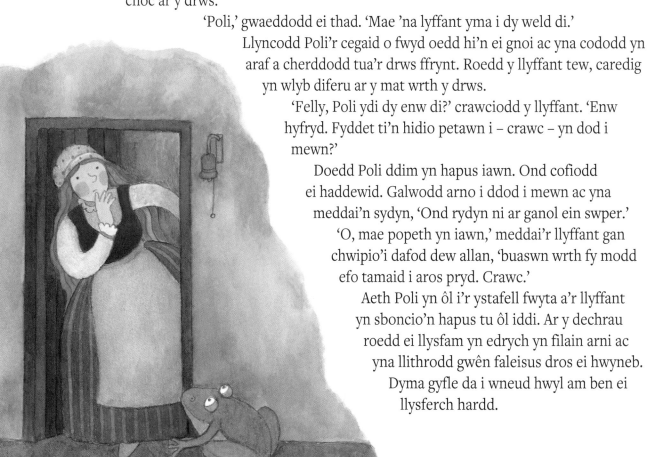

'O, rwy'n gweld fod gennyt ffrind newydd,' meddai dan grechwenu. 'Mae'n gweddu i'r dim i ti.'

'Crawc,' meddai'r llyffant. 'Mae'n anodd iawn gweld i lawr fan'ma. Ga i sboncio ar dy lin?'

Beth allai Poli'i wneud? Roedd hi wedi addo. Cododd y llyffant (roedd yn llysnafeddog iawn) a'i roi ar ei glin.

Chwarddodd ei llysfam. A phiffian chwerthin. A bloeddiodd. Roedd hyn yn ddigri iawn.

Yna gofynnodd y llyffant am rywbeth arall.

'Mae'r bwyd yn arogli'n dda iawn. Crawc. Tybed fuaswn i'n cael llond fy ngheg?'

Erbyn hyn roedd y llysfam yn g'lana chwerthin. 'Cei, cei,' chwarddodd dros y lle. 'Gad i mi dy weld yn bwydo dy ffrind bach, y llyffant tew!'

Dechreuodd Poli ochneidio ac ysgwyd ei phen. Yna cododd ychydig o'i swper oddi ar y plât a'i roi i'r llyffant.

'MMMM,' meddai'r llyffant. 'Blasus iawn. Crawc.'

'Efallai y buasai'r llyffant bach tew yn hoffi diod, hefyd,' pryfociodd ei llysfam.

'Na, dim diolch,' crawciodd y llyffant. 'Ond mae gen i un cais arall. Os gwn i wnaiff Poli roi cusan i mi yn fan 'ma ar fy moch!'

Pesychodd y llysfam, yna tagodd ac yna chwerthin yn afreolus.

Cochodd Poli at ei chlustiau.

'Roeddwn yn credu dy fod yn ffrind i mi,' sibrydodd wrth y llyffant.

'Mi ydw i. Crawc. Coelia di fi. Mae ffrindiau yn cadw at eu haddewidion.'

'Ydyn, maen nhw,' meddai Poli. Caeodd ei llygaid a chusanodd y llyffant ar ei foch werdd, lysnafeddog...

Ond pan agorodd Poli ei llygaid, roedd y llyffant wedi diflannu! A dyna lle'r oedd y gŵr ifanc harddaf yn y byd yn eistedd lle'r oedd y llyffant wedi bod.

'Rwyt ti wedi llwyddo,' gwaeddodd, a neidiodd oddi ar ei glin a dechreuodd ddawnsio ar hyd y lle. 'Rwyt ti wedi cael gwared â'r felltith. Ac mi ydw i yn rhydd! Ddoi di efo mi i'r castell heno ac fe gei di fod yn dywysoges i mi?'

Edrychodd Poli ar ei thad a'i llysfam. Roedd ei thad wedi dychryn. Ond roedd y llysfam gas wedi stopio chwerthin.

'Dof siŵr iawn,' meddai o'r diwedd. 'Wrth gwrs y dof. Buaswn wrth fy modd. Ond beth amdanyn nhw?'

'Wel,' meddai'r tywysog gan ddechrau gyda'r llysfam. 'Mae gennym lawer o ffynhonnau a chegin yn llawn o ridyllau. Rwy'n siŵr y byddai hi'n gallu helpu.'

'Na, peidiwch â phoeni,' meddai'r llysfam dan ei gwynt. 'Mi arhoswn ni yma.'

'Ie,' cytunodd y tad. 'Ewch chi ill dau i ffwrdd a mwynhewch eich hunain.'

Ac felly y bu. Priododd Poli'r tywysog a mynd i fyw i'r castell. A bu'r eneth a gadwodd ei haddewid i'r llyffant tew, cyfeillgar fyw yn hapus weddill ei bywyd. Crawc-crawc.

Y Gwningen a'r Teigr yn mynd i Bysgota

Roedd hi'n hwyr. Yn hwyr iawn. Eisteddai'r Gwningen ar lan yr afon yn pysgota. Chwythai awel y nos. Cynhyrfodd ychydig ar ddŵr yr afon. Tywynnai'r lleuad ar len y dŵr fel pêl felen, ddisglair.

Yn sydyn, dyma'r Teigr yn rhuthro drwy goed y jyngl gan anadlu anadl boeth i lawr cefn y Gwningen.

'Dyma fi wedi dy ddal di o'r diwedd,' chwyrnodd. 'Fedri di ddim dianc y tro hwn.'

Crynodd y Gwningen drwyddi. Efallai fod y Teigr yn iawn y tro hwn. Yna gwelodd adlewyrchiad y lleuad ar y dŵr. Cafodd syniad.

'O diar,' mwmiodd dan ei gwynt. 'Rwyt ti wedi cyrraedd ar adeg braidd yn anghyfleus, Teigr. Wyt ti'n gweld y darn caws yna yn y dŵr? Yn y fan acw. Roeddwn i'n mynd i'w dynnu o waelod y dŵr.' A phwyntiodd at adlewyrchiad y lleuad! Os oedd yna un peth oedd y Teigr yn ei hoffi'n fwy na chwningen i'w fwyta, caws oedd hwnnw.

'Gad i mi gael honna!' chwyrnodd unwaith eto. A chythrodd yn y wialen bysgota o bawennau'r gwningen. Ond pan dynnodd y lein bysgota doedd dim arni.

'Edrych beth wyt ti wedi'i wneud!' dwrdiodd y Gwningen. 'Yn dy frys, rwyt ti wedi gadael i'r caws fynd. Ond rwy'n dal i fedru ei weld i lawr acw. Efallai y byddet ti'n gallu plymio i mewn i'r dŵr a'i dynnu allan efo dy bawennau cryfion...'

'Ardderchog,' rhuodd y Teigr. 'A phan fydda i'n dychwelyd mi fydd gen i gwningen a chaws i swper!'

Felly, neidiodd i mewn i'r dŵr. A chyn gynted ag roedd y Teigr wedi mynd 'SBLASH' rhedodd y Gwningen am ei hoedl am adref.

Roedd yn rhydd.

Roedd yn ddiogel.

Roedd yn berffaith glir o grafangau'r Teigr.

A'r hyn a gafodd y Teigr oedd trochiad go iawn. Roedd yn wlyb at ei groen.

Y Carw Bach Doeth

Un tro roedd yna bobydd. Pobydd tew a chyfoethog oedd yn pobi'r bara gorau yn y fro. Ond roedd gan y pobydd – y pobydd tew a chyfoethog – broblem. Felly aeth i weld y brenin.

'Eich Mawrhydi,' eglurodd y pobydd. 'Mae gen i broblem. Drws nesaf i'r siop fara mae 'na dŷ bychan. Ac yn y tŷ bychan hwn mae 'na deulu yn byw. Mam a thad a dau o blant bach. Maen nhw'n dlawd, wyddoch chi, ond bob dydd am rai blynyddoedd erbyn hyn, maen nhw wedi mwynhau arogl hyfryd fy nheisennau. Ydych chi'n credu y dylen nhw dalu ychydig o arian am y pleser hwnnw?'

Dechreuodd y brenin rwbio'i farf a meddyliodd. Roedd hwn yn gwestiwn anodd iawn. Felly galwodd ei wŷr doeth a'i ddewiniaid ato. Galwodd ei gynghorwyr ato er mwyn rhannu'r broblem efo nhw. Roeddent hwythau yn crafu eu barfau hefyd. Doedd gan yr un ohonyn nhw ateb.

'Mi wn i beth wnawn ni,' meddai'r brenin o'r diwedd. 'Mae'n rhaid i ni alw ar y carw bach doeth!'

Roedd y carw bach, oedd yn byw yn y jyngl heb fod ymhell o balas y brenin, yn un o'r creaduriaid doethaf yn y fro.

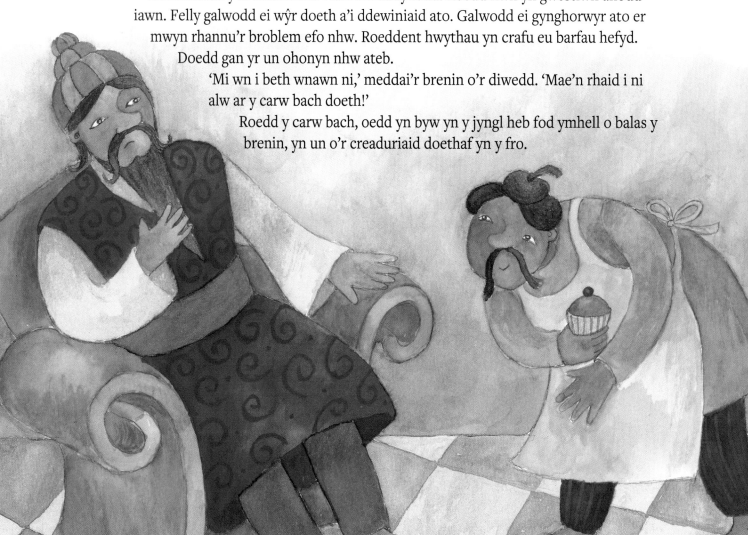

Roedd rhaid iddo fod gan ei fod yn un o'r creaduriaid lleiaf a byddai wedi cael ei lyncu flynyddoedd yn ôl oni bai ei fod yn ddoeth a bod ganddo synnwyr cyffredin.

Anfonwyd un o ymgynghorwyr y brenin i chwilio am y carw bach a dweud wrtho am broblem y pobydd.

Daeth y carw bach draw ar ei union. Ymgrymodd o flaen y brenin. Gwenodd wên slei, ac meddai, 'Eich Mawrhydi, rwyf wedi ystyried problcm y pobydd yn ofalus iawn. Ac yn awr mae gen i ateb. Mae'n rhaid talu i'r pobydd!'

Edrychodd yr ymgynghorwyr ar ei gilydd mewn syndod. Ond yr unig beth allai'r pobydd ei wneud oedd gwenu.

'A mwy na hynny,' aeth y carw bach yn ei flaen, 'gan fod arogl ei deisennau bendigedig yn bleser sy'n ddigon da i frenin, bydd rhaid talu gwobr y brenin i'r pobydd sef mil o ddarnau aur!'

Dychrynodd yr ymgynghorwyr am eu bywydau. Roedd y pobydd uwchben ei ddigon. 'Ond yn anffodus,' meddai'r carw bach, 'fedr y teulu hwn ddim fforddio talu'r fath swm o arian. Felly mi wna i dalu i'r pobydd – yma yn awr yn y llys – os bydd Eich Mawrhydi mor garedig â rhoi benthyg yr arian hwn i mi.'

Dechreuodd y brenin rwbio'i farf unwaith eto. Doedd o ddim yn gwybod beth oedd gan yr anifail bach i fyny'i lawes ond roedd o'n barod i ymddiried ynddo. Felly dywedodd wrth y trysorydd am ddod â mil o ddarnau aur iddo.

Pan gyrhaeddodd y bag mawr yn llawn o arian, gofynnodd y carw bach i bob un eistedd. 'Mae'n rhaid i ni fod yn siŵr fod pob darn yma,' meddai. A dechreuodd y carw bach gyfrif yn ofalus.

'Un darn aur,' cyfrodd. Yna taflodd y darn aur ar y llawr marmor nes oedd o'n tincial fel cloch fechan aur.

'Dau ddarn aur,' aeth yn ei flaen. A dyna'r darn hwnnw'n tincial ar y llawr.

'Tri, pedwar, pump o ddarnau aur,' aeth ymlaen gan daflu pob un ar y llawr, ac felly yr aeth yn ei flaen, yr holl ffordd hyd at fil, nes oedd yr holl ystafell yn llawn o sŵn darnau aur yn tincial ac yn cloncian.

Pan oedd y carw bach wedi gorffen, neidiodd y pobydd o'i sedd, yn eiddgar i gasglu'r trysor. Ond cyn iddo gael cyfle i godi un darn, cododd y carw bach un o'i garnau bychan.

'Aros di am funud bach,' meddai. 'Does dim angen i ti godi'r holl ddarnau hyn, oherwydd rwyt ti wedi cael dy dalu eisoes.'

Arhosodd y pobydd mewn penbleth.

Crafodd y brenin ei ben.

A dyma'r ymgynghorwyr i gyd yn dweud, 'HY?'

Eglurodd y carw bach, 'Roeddet ti'n dweud fod ar y teulu tlawd arian i ti am y pleser o arogli dy gacennau er nad oedden nhw wedi cael blasu'r un briwsionyn. Rydw innau wedi talu i ti yn yr un ffordd. Er na fyddi'n gallu gwario yr un o'r darnau aur hyn, rwyt ti wedi cael y pleser o'u clywed yn cael eu cyfrif. Gwrando ar sŵn y darnau aur yn tincial am gael arogli'r cacennau. Mae'n ymddangos yn ddigon teg i mi.'

Trodd y pobydd yn ffyrnig at y brenin. Dim ond gwenu wnaeth y brenin.

'Mae'n ymddangos yn ddigon teg i minnau, hefyd.' Yna, meddai, heb wên ar ei wyneb, 'O hyn allan byddai'n dda i'r teulu tlawd gael profi llai o dy farusrwydd a mwy o dy garedigrwydd.'

Plygodd y pobydd ei ben ac ymgrymodd. Yna sleifiodd allan o'r palas mewn cywilydd. Ond ni ddaeth byth yn ôl.

Curodd yr ymgynghorwyr eu dwylo. Rhyfeddodd y dewiniaid. Bloeddiodd y gwŷr doeth, 'Hwre!'

Dychwelodd y carw bach yn ôl i'r jyngl, yn dal i fod y creadur doethaf yn y fro.

Y Pedwar Ffrind

Ar ôl diwrnod hir a phoeth roedd hi'n dechrau nosi. Casglodd y pedwar ffrind o gwmpas y pwll dŵr.

'Noswaith dda i chi i gyd,' galwodd y Gigfran, yn uchel yng nghanghennau'r goeden.

'Dim ond gobeithio eich bod chi i gyd yn iawn,' ychwanegodd y Llygoden Fawr, wrth iddi grafangu o'i thwll yn y dorlan.

'Yn dda iawn, wir,' meddai Crwban y Dŵr, gan ddylyfu gên ac arnofio'n hamddenol i lan y dŵr.

'Ac yn hapus iawn i gael bod ymhlith ffrindiau,' ychwanegodd yr Afr, gan blygu'i phen i yfed.

A dyna lle bu'r pedwar ffrind yn siarad, chwerthin a chwarae ar lan y dŵr. Yna aeth pob un ei ffordd ei hun am y nos gan roi addewid i ddychwelyd y noson ganlynol.

Ond pan gyrhaeddodd y noson wedyn roedd un ar goll.

'Cyfarchion un ac oll,' galwodd y Gigfran, yn uchel yng nghanghennau'r goeden.

'A sut mae pawb heno?' galwodd y Llygoden Fawr, wrth iddi grafangu o'i thwll yn y dorlan.

'Da iawn, wir,' meddai Crwban y Dŵr, gan ddylyfu gên ac arnofio'n hamddenol i lan y dŵr. Ond pan ddaeth hi'n amser i'r Afr ddweud gair, doedd yr Afr ddim yno!

'Efallai ei bod hi'n hwyr,' galwodd y Gigfran, gan hedfan i ymuno â'r lleill.

'Efallai ei bod wedi aros gyda'i theulu,' awgrymodd y Llygoden Fawr, gan gerdded yn ôl a blaen o flaen ei thwll.

'Efallai ei bod wedi cyfarfod yr Heliwr!' meddai Crwban y Dŵr, gan dynnu'i ben yn ôl i'w gragen.

'Wel, os ydi hynny wedi digwydd,' meddai'r Gigfran, 'mae'n rhaid i mi fynd i chwilio amdani. Cofiwch ein bod ni'n bedwar ffrind. Ac rydym ni wedi addo helpu'n gilydd.'

Felly hedfanodd y Gigfran, yn uchel uwchben y jyngl.

Edrychodd i'r chwith ac i'r dde.

Edrychodd i fyny ac edrychodd i lawr.

Ac o'r diwedd gwelodd yr hyn oedd hi wedi bod yn chwilio amdano. Dyna lle'r oedd yr Afr, wedi'i dal yn rhwyd yr Heliwr.

'Helpwch fi. Os gwelwch chi'n dda, helpwch fi,' galwodd yr Afr. 'Mae'r Heliwr wedi mynd i archwilio'r rhwydi eraill. Ond pan fydd o'n dychwelyd mi fydd yn siŵr o'm lladd.'

Yn gyflymach nag oedd hi wedi hedfan o'r blaen, hedfanodd y Gigfran yn ôl at y pwll dŵr.

'Efallai y bydd hyn yn boenus,' eglurodd wrth y Llygoden Fawr. 'Ond rwyf am dy godi gyda fy nghrafangau a mynd â thi at yr Afr. Mae hi wedi'i dal yn rhwyd yr Heliwr. Dim ond dy ddannedd miniog di all ei gollwng yn rhydd.'

Felly, cythrodd y Gigfran yn y Llygoden Fawr â'i chrafangau a'i chario dros y coed i'r lle'r oedd yr Afr.

Doedd y Llygoden Fawr erioed wedi bod mor ofnus yn ei bywyd. Ond pan welodd ei ffrind druan, anghofiodd bopeth am ei hofn. Aeth ati ar ei hunion i gnoi drwy'r rhwydau.

Yn y cyfamser, roedd Crwban y Dŵr yn nofio'n ôl a blaen braidd yn ddiamynedd ar draws y pwll dŵr.

'Mae fy ffrind mewn trybini,' meddai wrtho'i hun, 'ac mae'n rhaid i mi wneud yr hyn fedra i i'w helpu.'

Felly, dringodd o'r pwll a hercian ymlaen ar draws llawr y jyngl, i'r cyfeiriad roedd y Gigfran wedi hedfan.

'Brysia!' crawciodd y Gigfran, gan wylio'n ofalus rhag i'r Heliwr ddychwelyd. 'Mi fydd yn ôl chwap!'

'Mi ydw i'n cnoi cyn gynted ag y medra i,' mwmiodd y Llygoden Fawr trwy gegaid o'r rhwyd. 'Ond mae'r rhain yn rhaffau cryfion.'

Gwyliodd y Gigfran.

Brathodd y Llygoden Fawr.

Daliodd yr Afr yn dynn yn erbyn y rhwyd ac yna CLEC, roedd hi'n rhydd!

Ar hyn, llamodd yr Heliwr drwy'r llwyni tu ôl iddyn nhw. Safodd y tri yn eu hunfan mewn ofn.

'Helo, bawb,' pwffiodd Crwban y Dŵr, allan o wynt. 'Beth fedra i wneud i helpu?'

'Crwban y Dŵr,' crawciodd y Gigfran. 'Beth wyt ti'n wneud yma?'

'Rydym ni eisoes wedi llwyddo i gael yr Afr yn rhydd,' eglurodd y Llygoden Fawr. 'Ac mae'n hen bryd i ni hel ein traed oddi yma.'

'Ond rwyt ti mor araf deg,' cwynodd yr Afr. 'Sut yn y byd mawr medri di fynd oddi yma?'

'Mi gawn ni weld yn ddigon buan,' cyhoeddodd y Gigfran, 'dyma'r Heliwr yn dod.'

Rhedodd y pedwar ffrind drwy'r llwyni i bob cyfeiriad. Aeth y Gigfran i'r awyr. Rhedodd y Llygoden Fawr i guddio dan fonyn coeden. Aeth yr Afr nerth ei thraed drwy'r jyngl. A'r unig beth allai Crwban y Dŵr wneud oedd tynnu ei goesau i mewn i'w gragen gan obeithio na welai'r Heliwr mohono.

Ond roedd gan yr Heliwr lygaid da.

'Mae'r Afr wedi mynd!' meddai. 'Ond dydi hynny ddim ots. Dyma grwban y dŵr tew, blasus. I'r dim i swper heno.' Gafaelodd ynddo a'i ollwng i mewn i'w sach.

Gwyliai'r Gigfran y cyfan, ac aeth ar ei hunion i chwilio am yr Afr. Sibrydodd yn ei chlust a chyn iddi gael gorffen ei stori, cytunodd, 'Mi wna i.'

Yna, yn hytrach na rhedeg ymhell oddi wrth yr Heliwr, dyma hi'n rhedeg yn syth amdano. Gwelodd yr Heliwr hi. A dyma'r ras yn cychwyn.

Roedd yr Afr yn rhy gyflym iddo. Rhy gyflym o lawer. Taflodd yr Heliwr ei ffon hir ar y llawr. Yna taflodd ei got. Yna taflodd y sach. Yn y sach roedd Crwban y Dŵr. Gwnaeth hyn i gyd er mwyn cael mwy o gyflymder.

'Mi ddo i'n ôl atat ti ymhellach ymlaen!' gwaeddodd. Ac aeth ar ôl yr Afr, oedd wedi'i arwain cyn belled ag y medrai oddi wrth y Crwban cyn dechrau rhedeg nerth ei thraed i ffwrdd.

Yn y cyfamser, daeth y Gigfran o hyd i'r Llygoden Fawr. Dyma'r ddwy'n mynd ati i gnoi a phigo'r sach. Cyn pen dim roedd yna dwll mawr ynddo. Twll digon mawr i'r Crwban wingo ei ffordd allan.

Y noson wedyn, daeth y pedwar ffrind at ei gilydd, fel arfer, wrth y pwll dŵr.

'Noswaith dda i chi i gyd!' crawciodd y Gigfran, i fyny'n uchel yng nghanghennau'r goeden.

'Sut mae pawb,' gofynnodd y Llygoden Fawr, 'ar ôl ein hanturiaeth fawr?'

'Da iawn, diolch,' meddai'r Crwban gan ddylyfu gên. 'Hapus i fod yn fyw.'

'Ac yn fwy hapus nag arfer,' ychwanegodd yr Afr, 'i fod ymhlith ffrindiau mor dda.'

41

Y Llo Tarw Dewr

Un tro roedd bachgen ac roedd ganddo lo tarw. Dyna lle'r oedden nhw'n rhedeg a rasio. Cicio a thynnu. Roedden nhw'n gwneud bob dim efo'i gilydd. Roedden nhw'n ffrindiau mawr.

Ond tyfodd y bachgen a thyfodd y llo tarw hefyd. Un diwrnod, penderfynodd llystad milain y bachgen ei bod hi'n amser i fynd â'r tarw i'r farchnad.

Dychrynodd y bachgen drwyddo. Felly, y noson honno, dyma gychwyn efo'r llo tarw a hynny er mwyn achub bywyd ei ffrind a gwneud ei ffortiwn.

Buon nhw'n cerdded am noson a diwrnod. Drwy goedwigoedd, trefi a chaeau. Ac yna, ar ddiwedd y dydd, dyma'r bachgen yn gofyn am dorth gan hen ffermwr caredig.

'Dyma ti,' meddai wrth y tarw. 'Hanner i mi a hanner i ti.'

'Na, mi gei di'r cwbl,' atebodd y tarw. 'Rydw i'n ddigon hapus yn bwyta'r gwair.'

'O na,' meddai'r bachgen. 'Mi ydan ni'n ffrindiau, ac mi fyddwn ni'n ffrindiau am byth. Ac mae ffrindiau yn rhannu pob dim rhyngddyn nhw.'

Rhywbeth tebyg oedd hi y diwrnod wedyn. Cerdded trwy'r caeau, y trefi a'r

coedwigoedd. Ac yna ar ddiwedd y dydd dyma nhw'n gofyn am ddarn o gaws gan hen dincer digon blinedig.

'Dyma ti,' meddai'r bachgen wrth y tarw. 'Hanner i mi a hanner i ti.'

'Na, mi gei di'r cwbl,' meddai'r tarw unwaith eto. 'Rydw i'n ddigon hapus yn cnoi'r meillion.'

'O na,' meddai'r bachgen. 'Mi ydan ni'n ffrindiau ac mi fyddwn ni'n ffrindiau am byth. Ac mae ffrindiau yn rhannu pob dim rhyngddyn nhw.'

Ar y trydydd diwrnod, dyma nhw'n cerdded ymhellach byth. Cerdded trwy'r caeau, coedwigoedd a threfi. Ar ddiwedd y dydd, dyma nhw'n gofyn am feipen ffres i siopwr bychan tew.

'Dyma ti,' meddai'r bachgen unwaith eto. 'Hanner i mi a hanner i ti.' Ond y tro hwn ddywedodd y tarw yr un gair.

'Beth sydd?' gofynnodd y bachgen. 'Rwyt ti wedi bod yn ddistaw drwy'r dydd.'

'Mi ges i freuddwyd neithiwr,' sibrydodd y tarw. 'Breuddwyd drist a dychrynllyd. Yfory fyddwn ni ddim yn cerdded trwy'r coedwigoedd, caeau a threfi. Mi fyddwn ni'n mynd i'r coedwigoedd gwyllt. Byddwn yn cyfarfod â theigr, llewpard a draig. Mi fydda i'n ymladd y ddau gyntaf a'u gorchfygu. Yna mi fydda i'n ymladd y ddraig. Ond bydd y ddraig yn fy lladd i.'

'Na!' gwaeddodd y bachgen gan afael yn dynn o gwmpas gwddf y tarw. 'Wnaiff hynna ddim digwydd. Wna i ddim gadael i hynna ddigwydd.'

'Ond mae'n rhaid i ti,' meddai'r tarw. 'Oherwydd dyna'r unig ffordd y byddi di'n dod o hyd i dy ffortiwn. Pan fydda i farw mae'n rhaid i ti dorri fy nghorn de i ffwrdd. Bryd hynny mi fydd yn fwy pwerus nag erioed. Gelli di ei ddefnyddio i ladd y ddraig.'

'Na!' meddai'r bachgen. 'Dydw i ddim yn mynd i wneud hynny.'

'Ond mae'n rhaid i ti,' meddai'r tarw unwaith eto. 'Ti ydi fy ffrind ac mi fyddi'n ffrind i mi am byth. Ac mae ffrindiau yn rhannu popeth sydd ganddyn nhw.'

Chysgodd y bachgen na'r tarw ddim winc y noson honno. A bore trannoeth dyma nhw'n dechrau cerdded, cymryd un cam digon trist ar y tro, tua'r goedwig wyllt.

'Dyma'r lle,' meddai'r tarw, o'r diwedd. 'Dyma'r lle a welais yn fy mreuddwyd. Yn awr dringa'r goeden a chuddia dy hun. Ac mi wnaf fy ngorau i ofalu amdanat.'

Roedd y bachgen newydd gyrraedd pen y goeden pan ymddangosodd y teigr, ei lygaid yn fflachio a'i ddannedd miniog yn amlwg.

Chwyrnodd y tarw. Rhuodd y teigr. Ac mewn dim roedden nhw'n ymladd am eu bywydau, ond roedd cyrn y tarw yn finiog ac roedd ei garnau'n ormod i'r teigr, a chyn hir cerddodd yn gloff yn ôl i'r goedwig.

Doedd y tarw ddim wedi cael amser i lyfu ei glwyfau pan ymddangosodd y llewpard. Rhuodd y tarw. Chwyrnodd y llewpard. Doedd yntau chwaith ddim yn ddigon cryf i'r tarw. Poerodd, crafangodd a brathodd. Ond yn y diwedd trodd ar ei sawdl, wedi'i anafu a'i gleisio yn union fel y teigr.

Roedd y bachgen ar fin gweiddi, 'Hwre!' pan deimlodd y goeden yn ysgwyd oddi tano. Ac nid y goeden yn unig, ond y llawr hefyd. A dyna pryd yr ymddangosodd y ddraig. Ei cheg yn fflam, ei chynffon yn chwifio o un ochr i'r llall. Roedd hi cyn daled â'r goeden.

Chwyrnodd y tarw, curodd ei garnau a rhuthro am yr anghenfil. Ond i ddim pwrpas. Cododd y ddraig ei gwddf hir, taro â'i chrafanc anferth, a syrthiodd y tarw druan i'r llawr. Syrthio ac i beidio â chodi byth eto.

Ysgydwodd y ddraig ei phen cennog gan ruo ac yna ymlwybrodd i ffwrdd i'r goedwig. Ac ar ôl iddi fynd daeth y bachgen i lawr o'r goeden a dechreuodd wylo dros ei ffrind annwyl.

'Wna i byth dy anghofio,' meddai gan dorri corn de y tarw. 'Mi wna i ddefnyddio'r corn hwn yn union fel y dywedaist. Rwy'n addo y byddi'n falch ohonof.'

Gyda'r corn wedi'i roi yn ei wregys, cychwynnodd y bachgen ar ei daith drwy'r coed. Cerddodd yn drist. Cerddodd yn ofalus, yn barod i ymosod ar unrhyw greadur ddeuai heibio. Ond yr hyn a welodd oedd geneth.

Geneth brydferth wedi'i chlymu wrth hen goeden dderw.

'Helpa fi,' gwaeddodd yr eneth. 'Os gweli'n dda, wnei di fy helpu! Mae fy nhad, y brenin, wedi fy ngadael i yma i gael fy mwyta gan y ddraig. Mae'n dweud mai dyna'r unig ffordd i rwystro'r anghenfil rhag ymosod ar y dref.'

Teimlai'r bachgen dros y dywysoges. Ond fel roedd yn ei datglymu teimlodd y ddaear yn ysgwyd unwaith eto. Ac yna gyda fflach ei chynffon a rhuad enfawr, ymddangosodd y ddraig!

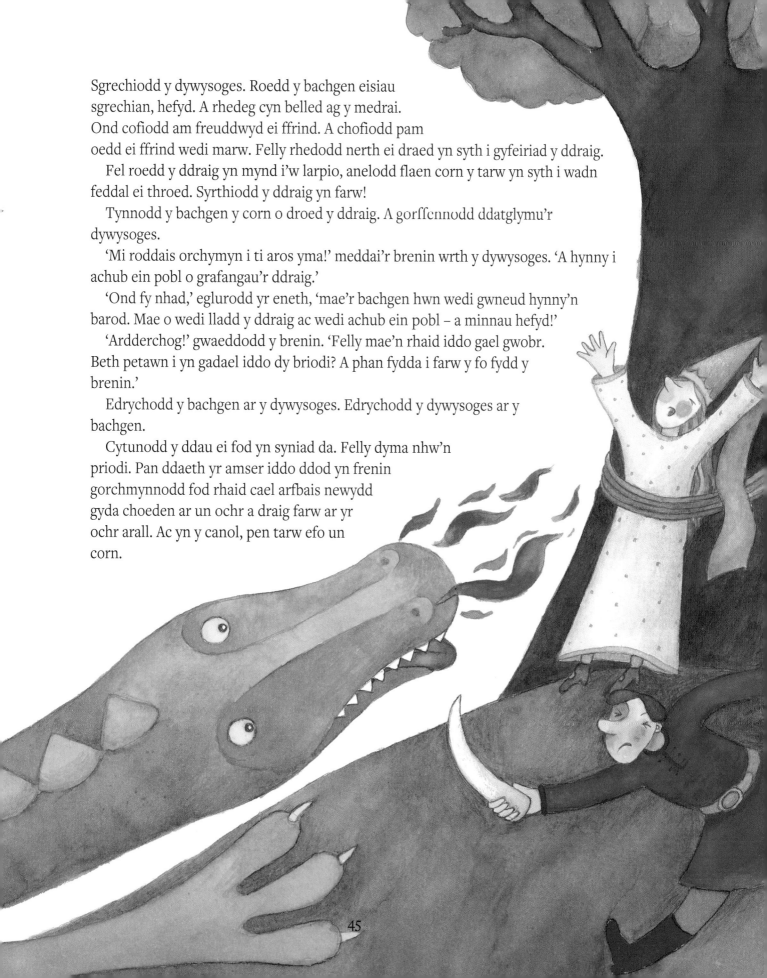

Sgrechiodd y dywysoges. Roedd y bachgen eisiau
sgrechian, hefyd. A rhedeg cyn belled ag y medrai.
Ond cofiodd am freuddwyd ei ffrind. A chofiodd pam
oedd ei ffrind wedi marw. Felly rhedodd nerth ei draed yn syth i gyfeiriad y ddraig.

Fel roedd y ddraig yn mynd i'w larpio, anelodd flaen corn y tarw yn syth i wadn
feddal ei throed. Syrthiodd y ddraig yn farw!

Tynnodd y bachgen y corn o droed y ddraig. A gorffennodd ddatglymu'r
dywysoges.

'Mi roddais orchymyn i ti aros yma!' meddai'r brenin wrth y dywysoges. 'A hynny i
achub ein pobl o grafangau'r ddraig.'

'Ond fy nhad,' eglurodd yr eneth, 'mae'r bachgen hwn wedi gwneud hynny'n
barod. Mae o wedi lladd y ddraig ac wedi achub ein pobl – a minnau hefyd!'

'Ardderchog!' gwaeddodd y brenin. 'Felly mae'n rhaid iddo gael gwobr.
Beth petawn i yn gadael iddo dy briodi? A phan fydda i farw y fo fydd y
brenin.'

Edrychodd y bachgen ar y dywysoges. Edrychodd y dywysoges ar y
bachgen.

Cytunodd y ddau ei fod yn syniad da. Felly dyma nhw'n
priodi. Pan ddaeth yr amser iddo ddod yn frenin
gorchmynnodd fod rhaid cael arfbais newydd
gyda choeden ar un ochr a draig farw ar yr
ochr arall. Ac yn y canol, pen tarw efo un
corn.

Y Teigr yn Sownd

Un diwrnod, yn hollol ddamweiniol, daeth y Teigr ar draws y twll lle'r oedd y Gwningen yn cuddio. Roedd eisiau rhuo o lawenydd. Ond yn hytrach swatiodd yn ddistaw bach. Gwyliodd ac arhosodd i weld pryd y byddai'r Gwningen yn gadael ei thwll bach clyd.

Yna, o'r diwedd, pan welodd y Gwningen yn sboncio ar ei ffordd i'r jyngl, llamodd y Teigr tua'r twll ac edrychodd i mewn. Gwyddai'n union beth oedd yn mynd i'w wneud.

Rhoddodd ei bawen flaen i lawr y twll. Yna rhoddodd yr ail. Yna dyma fo'n gwasgu ei ben i mewn. Yna ei ysgwyddau ac yna'i gorff rhesog hir. Yna, yn y diwedd tynnodd ei goesau ôl cryfion i mewn. Gwenodd.

'Mi arhosa i yma,' chwarddodd y Teigr. 'Mi arhosa i'n ddistaw bach. A phan fydd y Gwningen yn dychwelyd, mi llynca i hi mewn eiliad!'

Ond yn anffodus roedd y Teigr wedi anghofio un peth. Rhywbeth y sylwodd y Gwningen arno y munud y daeth hi'n agos at ei chartref. Anghofiodd y Teigr fod ei gynffon hir yn dal i fod tu allan i'r twll. Yn chwifio rhybudd fel baner resog ddu ac oren.

'Hmmmm,' meddyliodd y Gwningen. 'Mae'n amlwg fod rhywun dieithr wedi troi i mewn.'

Ac felly galwodd, 'Hei, Twll Bach Clyd! Ho, Twll Bach Clyd! Wyt ti'n hapus, Twll Bach Clyd?'

Roedd y Teigr braidd yn bryderus (wyddai o ddim lle roedd ei gynffon).

'Mae'r Gwningen yn siarad efo'i thwll bach clyd,' meddyliodd. 'Mae'n rhaid i mi aros yma'n ddistaw bach.'

Ac yna, galwodd y Gwningen unwaith eto, 'Hei, Twll Bach Clyd! Ho, Twll Bach Clyd! Wyt ti'n hapus, Twll Bach Clyd?'

'O diar,' meddyliodd y Teigr. 'Beth petai'r Gwningen yn amau fod rhywbeth o'i le? Efallai y dylwn ei hateb wedi'r cwbl.'

Felly pan alwodd y Gwningen y tro wedyn, 'Hei, Twll Bach Clyd! Ho, Twll Bach Clyd! Wyt ti'n hapus, Twll Bach Clyd?', galwodd y Teigr yn ôl, 'Ydwyf, Mr Cwningen, mi ydw i'n hapus iawn.'

Ond fe ddywedodd hyn mewn llais bach gwichlyd, hollol wirion fel y dechreuodd y Gwningen chwerthin o'i hochr hi.

'Y teigr gwirion,' galwodd. 'Dydi tyllau bach clyd ddim yn siarad! A does ganddyn nhw ddim cynffonnau hirion rhesog yn chwifio ohonyn nhw chwaith. A dyma fi wedi dy dwyllo di eto.'

'O na, dwyt ti ddim,' chwyrnodd y Teigr, 'y munud yma mi fydda i'n dod allan i dy fwyta di'n fyw.' Ond y munud y ceisiodd y Teigr fagio allan o'r twll, dyma fo'n sylweddoli ei fod yn sownd. Dyma fo'n dechrau ymestyn a gwasgu. Dyma fo'n straffaglu, gwingo a rhuo. Ond nid oedd hyn yn ddigon i'w gael allan o'r twll.

'Aros yn fan 'na,' chwarddodd y Gwningen, 'ac mi a i i chwilio am help. Hynny yw, os gwnei di addo peidio ag ymweld â fy nghartref i byth eto.'

'Rwy'n addo,' cwynodd y Teigr, gan ei fod yn awyddus iawn i ddod yn rhydd.

Felly aeth y Gwningen i chwilio am y Crocodeil. Clampiodd y Crocodeil ei ddannedd miniog rownd cynffon y Teigr. Ac ar ôl llawer o hwfftio, pwffio a thynnu, daeth y Teigr allan POP a rhedodd nerth ei draed, yn llawn cywilydd, i'r jyngl.

Cadwodd y Teigr at ei air a ddaeth o byth yn ôl wedyn i gartref y Gwningen. Ac nid aeth y Gwningen byth adref yn ôl heb ofyn yn gyntaf a oedd ei thwll bach clyd yn hapus ai peidio.

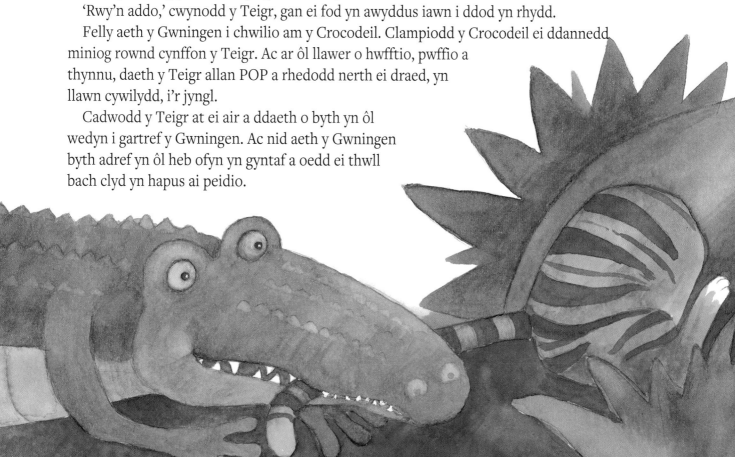

Y Llygoden Fach Fedrus

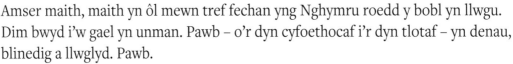

Amser maith, maith yn ôl mewn tref fechan yng Nghymru roedd y bobl yn llwgu. Dim bwyd i'w gael yn unman. Pawb – o'r dyn cyfoethocaf i'r dyn tlotaf – yn denau, blinedig a llwglyd. Pawb.

Un diwrnod daeth mynach o'r enw Cadog am dro i'r dref. Dyn caredig, dyn annwyl oedd Cadog. Roedd yn caru Duw. Roedd yn caru'r holl greaduriaid. Roedd hefyd yn hoff o ddarllen, ysgrifennu a dysgu. Yn wir, dyna pam roedd wedi dod i'r dref – er mwyn dysgu gan athro enwog a doeth.

'Mi gei di fod yn ddisgybl i mi,' addawodd yr athro, 'ond mae'n rhaid i mi dy rybuddio. Mae newyn yn yr ardal yma. Felly fydd 'na ddim bwyd i ti.'

Doedd dim ots gan Cadog. Dim ots o gwbl. Pob dydd byddai'n eistedd wrth ei ddesg yn darllen ac ysgrifennu. Pob dydd byddai ymwelydd yn dod heibio. Ymwelydd bychan efo wisgers llwyd, trwyn hirfain a chynffon hir binc. Dringai i fyny ar ddesg Cadog, a sgrialu ar draws ei lyfrau, dros ei bin ysgrifennu o bluen gŵydd.

Ond doedd dim ots gan Cadog. Dim ots o gwbl. Roedd yn hoff iawn o'r llygoden fach. Doedd o ddim am ei herlid i ffwrdd. A dyna pam, un diwrnod, y cyrhaeddodd y llygoden fach efo anrheg iddo.

Dringodd i fyny ar ddesg Cadog. Sgrialodd dros ei binnau ysgrifennu. Ac, ar dudalen o lyfr Cadog, dyma'r llygoden yn gollwng un gronyn bychan melyn o wenith!

'Diolch i ti, fy ffrind,' meddai Cadog wrth y llygoden.

A dyma'r llygoden yn sefyll ar ei dwy droed ôl a gwichian fel petai'n dweud, 'Mae croeso i ti.'

Ymhen hanner awr wedyn dyma'r llygoden yn dychwelyd efo gronyn arall o wenith a dyma Cadog yn diolch unwaith eto.

Ymhen dim roedd y llygoden yn ôl eto. Ac eto. Ac eto. Ac eto'r chweched tro. A phan oedd saith o ronynnau gwenith ar y llyfr, cafodd Cadog syniad go dda.

Cymerodd ddarn hir o edau sidan ac yn bwyllog clymodd un pen o'r edau o amgylch coes y llygoden.

'Wnaiff hwn ddim niwed i ti,' addawodd. 'Ac efallai bydd yn gwneud byd o les i ti.'

Gadawodd i'r llygoden fynd a gwyliodd i ble roedd hi'n mynd. Roedd y llygoden yn rhy gyflym i Cadog, ond wrth ddilyn yr edau gallai ddilyn trywydd y llygoden. I mewn i dwll yn y wal. Allan yr ochr arall. Ar draws yr ardd. Trwy'r goedwig ac i ganol twmpath mawr o bridd.

Rhedodd Cadog i nôl ei athro a dyma'r ddau'n mynd ati i dyrchu i ganol y twmpath pridd. Wedi'i gladdu ynghanol y twmpath pridd roedd adfeilion hen dŷ. Ac yno yn seler yr hen dŷ roedd pentwr o wenith!

Aeth Cadog a'i athro i ddweud wrth eu ffrindiau. Ymhen dim roedd arogl bara wedi'u pobi yn llenwi'r dref. Bellach, roedd digon o fwyd i bawb.

Y diwrnod wedyn, daeth y llygoden heibio fel arfer. Dringodd i fyny ar ddesg Cadog. Sgrialodd dros ei binnau ysgrifennu. A phan eisteddodd yn llonydd ar lyfr Cadog, dechreuodd yntau agor y cwlwm oddi ar ei choes.

'Diolch i ti, fy ffrind,' meddai. 'Mae Duw wedi dy anfon yma am reswm arbennig. Ac erbyn hyn rydym ni i gyd yn gwybod pam. Mae dy drwyn main a dy draed bychain wedi helpu pawb yn y dref.'

Yna dyma Cadog yn torri darn o fara newydd ei bobi a'i roi o flaen y llygoden. A dyma'r llygoden a'r mynach yn bwyta gyda'i gilydd.

Y Mochyn Coed Rhyfeddol

Ni chymerodd neb sylw o'r hen ŵr wrth iddo gerdded drwy'r dref. Cyffyrddodd â'i gap carpiog. Cododd ei law grebachlyd. Ond ei anwybyddu wnaeth pawb. Roedd yn edrych yn union fel cardotyn.

Pan aeth yr hen ŵr drwy'r dref, cerddodd yn sigledig i fyny'r bryn i dŷ'r maer. Dyma dŷ mawr, golau a phrydferth. Hwn oedd y tŷ gorau o ddigon yn y dref i gyd. Cododd yr hen ŵr ei ffon gnotiog a churodd y drws ffrynt.

'Beth wyt ti eisiau?' gofynnodd gwraig y maer, fel roedd hi'n agor cil y drws a sbecian drwyddo.

'Lle i aros,' meddai'r dyn, 'lle i orffwys am un noson.'

Edrychodd gwraig y maer ar yr hen ŵr. Edrychodd ar ei gap carpiog. Edrychodd ar ei got ddi-raen. A dyma hi'n cau'r drws yn glep arno.

'Dos i ffwrdd!' gwaeddodd. 'Does yna ddim lle i gardotyn yma!'

Ymlwybrodd yr hen ŵr yn ôl i'r dref. Cyffyrddodd â'i gap carpiog. Cododd ei law grebachlyd. Ond ni chymerodd neb sylw ohono. O'r diwedd, cyrhaeddodd dŷ arall. Tŷ bychan tlodaidd a thruenus. A churodd ar y drws efo'i ffon.

Daeth hen wraig fechan, dlodaidd yr olwg i'r drws. Pan welodd yr hen ŵr yn ei ddillad carpiog teimlodd i'r byw drosto.

'Sut medra i dy helpu?' gofynnodd.

'Rydw i angen lle i aros,' meddai'r hen ŵr unwaith eto, 'i orffwyso am un noson yn unig.'

'Tyrd i mewn!' gwenodd.

A chroesawodd yr hen ŵr i'w chartref.

Y bore wedyn, cododd yr hen ŵr yn gynnar. Ond cyn iddo ymadael rhoddodd ei law grebachlyd yn ei boced.

'Mi ydw i eisiau rhoi rhywbeth i ti,' meddai wrth y wraig. 'Dyma fy ffordd i o ddweud diolch.' A rhoddodd fochyn coed yn llaw yr hen wraig.

Wyddai'r wraig ddim beth i'w ddweud. Doedd neb wedi rhoi mochyn coed iddi o'r blaen. Gwenodd mor gyfeillgar ag y medrai. A dweud y gwir roedd hi'n ei chael hi'n anodd i beidio chwerthin.

'Nid mochyn coed arferol ydi hwn,' eglurodd yr hen ŵr. 'Mae'n fochyn coed hud. A bydd yn lluosi fil o weithiau y peth cyntaf fyddi di'n ei wneud heddiw.'

Gwenodd y wraig eilwaith. Roedd hi'n dechrau dod yn ffrindiau efo'r hen ŵr. Gwerthfawrogai ei garedigrwydd. Ond dyma'r peth rhyfeddaf oedd hi erioed wedi'i glywed.

Ffarweliodd â'r hen ŵr. Ar ôl iddo fynd gafaelodd yn y darn o ddefnydd oedd hi wedi'i weu y noson cynt. Tynnodd y defnydd o'r fasged i'w blygu. Ond y mwyaf oedd hi'n ei dynnu o'r fasged mwyaf yn y byd oedd hi'n ei blygu ac roedd mwy a mwy o ddefnydd yn ymddangos. Ymhen dim, roedd ei lolfa, a'r gegin, ei hystafell wely a'r tŷ i gyd yn llawn o ddefnydd newydd sbon.

Ysgydwodd y wraig ei phen mewn rhyfeddod. Yn wir roedd yn fochyn coed hud!

Cyn bo hir aeth y newyddion da am y wraig drwy'r holl dref ac am rodd hud yr hen ŵr.

Blwyddyn union yn ddiweddarach, ymlwybrodd yr hen ŵr i'r dref unwaith eto. Y tro hwn roedd pawb yn awyddus i'w weld. Wnaeth neb ei anwybyddu. Cyffyrddodd â'i gap. Cododd ei law grebachlyd. Arhosodd pawb a gwenu arno a'i wahodd i dreulio'r nos.

Ond, fel yr oedd wedi gwneud o'r blaen, cerddodd drwy'r dref, i fyny'r bryn a chnociodd ar ddrws y maer.

Croesawodd gwraig y maer ef â breichiau agored. Rhoddodd yr ystafell orau iddo a gwely cyffordus. Coginiodd bryd o fwyd blasus iddo.

Ar ôl iddo fynd i'r gwely rhoddodd gwraig y maer bentwr o arian ar y bwrdd yn barod i gael eu cyfrif y munud y byddai'n derbyn ei rodd o ddiolch.

51

Y bore wedyn, fel roedd hi wedi gobeithio, rhoddodd yr hen ŵr ei law yn ei boced a rhoi mochyn coed iddi.

'Dydi hwn ddim yn fochyn coed cyffredin,' eglurodd. 'Mae'n fochyn coed hud. A bydd yn lluosi fil o weithiau beth bynnag fydd y peth cyntaf fyddi di'n ei wneud heddiw.'

Nodiodd gwraig y maer ei phen a gwenodd yn garedig. Fedrai hi ddim disgwyl i'r hen ŵr fynd oddi yno. Ac, yn syth ar ôl cau'r drws ar ei ôl, rhedodd at y bwrdd i gyfrif ei darnau aur. Ond cyn iddi gyrraedd at y bwrdd, digwyddodd rhywbeth. Rhywbeth nad oedd hi wedi'i ddisgwyl.

Pesychodd gwraig y maer. A gan mai dyna'r peth cyntaf a wnaeth, pesychodd nid unwaith, nid dwywaith ond mil o weithiau a hynny am weddill y dydd. A'r diwrnod wedyn. A'r diwrnod ar ôl hwnnw!

Wrth gwrs, aeth y stori drwy'r holl dref. Clywodd yr hen ŵr am y digwyddiad. Gwenodd ac anwesodd y moch coed oedd yn ei boced. Ymlwybrodd i dref arall gan gyffwrdd â'i gap. Cododd ei law grebachlyd a chwiliodd am le arall i dreulio'r nos.

Aderyn y To Cyfrwys

'Twit! Twit! Twit!' galwodd y cywion bach ar eu mam.

'Pwyll, pwyll,' meddai Aderyn y To. 'Mae gen i ddigon o fwyd i bob un ohonoch.' A dyma hi'n dechrau eu bwydo a'u mwytho. Taenodd ei hadenydd drostyn nhw. A chyn pen dim roedden nhw i gyd wedi syrthio i gysgu.

CLOMP! CLOMP! CLOMP!

Trampiodd yr Eliffant drwy'r jyngl. Crynai'r ddaear. Crynai'r coed. A chrynai nyth Aderyn y To.

'Twit! Twit! Twit!' galwai'r cywion bach. Roedden nhw wedi dychryn. Yn ofnus. Ac wedi deffro!

Gwylltiodd Aderyn y To'n gacwn. 'Edrych beth wyt ti wedi'i wneud,' cwynodd wrth yr Eliffant. 'Rwyt ti wedi deffro fy nghywion bach efo dy drampian, dy drompio a dy drympedu. Fedri di fod dipyn bach distawach?'

CLOMP! CLOMP! CLOMP!

Trampiodd yr Eliffant tuag at goeden Aderyn y To.

'Pwy wyt ti'n feddwl wyt ti?' mynnodd. 'Dim ond rhyw aderyn y to bach digon disylw wyt ti. Fi ydi'r Eliffant – yr anifail cryfaf yn y jyngl. Ac mi wna i beth bynnag ydw i eisiau.'

'Yr anifail cryfaf yn y jyngl? Choelia i byth,' meddai Aderyn y To. Ac yna, heb feddwl, ychwanegodd, 'Mi fedra i, hyd yn oed, gystadlu efo bwli mawr fel ti.'

Cododd yr Eliffant ei drwnc i fyny i'r awyr a thrympedu dros y lle. Doedd o erioed wedi cael ei sarhau gymaint. 'Yfory am hanner dydd, rydw i eisiau i ti ddod i 'nghyfarfod wrth y goeden banana,' rhuodd. 'Mi gawn ni ornest i weld pwy yn union ydi'r anifail cryfaf yn y jyngl.' Yna trampiodd i ffwrdd – yn flin. CLOMP! CLOMP! CLOMP!

'Beth ydw i wedi'i wneud?' meddyliodd Aderyn y To. 'Wel, mae'n rhaid i mi wneud rhywbeth. Wedi'r cwbl, roedd o'n deffro'r cywion bach.'

Ymhellach ymlaen yn ystod y dydd hedfanodd Aderyn y To i lawr i'r afon i ymolchi ac i ddod ag ychydig o ddŵr i'r cywion. Ond fel roedd hi'n glanio ar lan yr afon, ymddangosodd y Crocodeil.

SBLASH! SBLASH! SBLASH!

Ysgydwodd ei gynffon gennog yn ôl a blaen dros y dŵr. Roedd Aderyn y To yn meddwl yn siŵr ei bod hi'n mynd i foddi.

'Stopia,' gwaeddodd. 'Yr unig beth ydw i eisiau ydi ychydig o ddŵr i'r cywion a minnau.'

'Efo pwy wyt ti'n feddwl ti'n siarad?' cleciodd y Crocodeil ei ddannedd. 'Dim ond rhyw aderyn y to bychan wyt ti. A fi ydi'r Crocodeil – yr anifail cryfaf yn y jyngl. Ac mi wna i beth ydw i eisiau.'

Roedd Aderyn y To wedi clywed hyn i gyd o'r blaen. Roedd ar fin hedfan i ffwrdd pan gafodd syniad go dda.

'Yr anifail cryfaf yn y jyngl?' chwarddodd. 'Dydw i ddim yn credu. Mi wnawn ni gyfarfod yma, yfory, am hanner dydd. Ac mi ddangosa i i ti fy mod i'n gryfach nag y medri di fod byth.'

Chwarddodd y Crocodeil mor hwyliog fel y daeth dagrau i'w lygaid.

'Mi ydw i'n barod i dy herio di,' chwarddodd. 'Ac os byddi di'n ennill, fe gei di yfed o'r afon hon pryd bynnag y mynni di.'

Y diwrnod wedyn, fel roedd yr haul yn codi i'w anterth, cyfarfu Aderyn y To a'r Eliffant wrth yr hen goeden banana. Roedd gan Aderyn y To ddarn o winwydden yn ei phig.

'Er mwyn dangos pwy yw'r cryfaf,' meddai, 'fe gawn ni dynnu torch. Fe gei di ddal y pen yma o'r winwydden ac mi wna i hedfan a dal fy ngafael yn y pen arall. A phan fydda i'n gweiddi "Tynnwch!" gawn ni weld pwy yw'r cryfaf.'

CLOMP! CLOMP! CLOMP!

Neidiodd yr Eliffant i fyny ac i lawr. Roedd o'n hapus iawn. Gwyddai y gallai ennill yr ornest yn hawdd. Felly gafaelodd yn un pen o'r winwydden ac Aderyn y To yn gafael yn y pen arall.

Ond pan afaelodd Aderyn y To yn y pen arall, wnaeth hi ddim

gweiddi 'Tynnwch!' Ddim ar ei hunion, beth bynnag. Na, cariodd y winwydden i'r afon lle'r oedd y Crocodeil yn disgwyl.

SBLASH! SBLASH! SBLASH!

'Felly mi ddoist ti wedi'r cwbl,' crechwenodd y Crocodeil.

'Do,' meddai. 'Rydw i wedi dod i ennill yr ornest. Rydym ni am gael gornest o dynnu torch. Rwyf am i ti gymryd y pen yma ac mi wna i hedfan i ffwrdd a gafael yn y pen arall. A phan fydda i'n gweiddi "Tynnwch" mi gawn ni weld pwy yw'r cryfaf.'

Chwarddodd y Crocodeil a chleciodd ei ddannedd o amgylch un pen o'r winwydden. Hedfanodd Aderyn y To i ganol y winwydden. Aeth i le y gallai glywed yr Eliffant a'r Crocodeil ond lle nad oedden nhw'n clywed ei gilydd. A dyna pryd y gwaeddodd, 'TYNNWCH!'

CLOMP! CLOMP! CLOMP!

Tynnodd yr Eliffant, a'i draed yn dynn ar y ddaear, ei wddf yn ymestyn a'i drwnc yn mynd i fyny ac i lawr.

SBLASH! SBLASH! SBLASH!

Roedd y Crocodeil yn tynnu hefyd – traed yn sblasio, dannedd yn rhincian, cynffon yn ysgwyd yn ôl a blaen.

Dyna lle buon nhw'n tynnu am awr gyfan. Yna dwy awr. Ond, er yr holl dynnu, nid oedd y naill yn gallu symud y llall. O'r diwedd, galwodd yr Eliffant drwy ei ddannedd, 'Aderyn y To, rwy'n rhoi'r ffidl yn y to! Wnes i erioed feddwl, ond rwyt ti yr un mor gryf ag ydw i. O hyn ymlaen mi fydda i'n mynd ar flaenau fy nhraed heibio'r goeden.'

Galwodd y Crocodeil hefyd. 'Ti sydd wedi ennill, ti ydi'r cryfaf. O hyn ymlaen mi gei di yfed o'r afon pa bryd bynnag wyt ti eisiau.'

Felly aeth Aderyn y To yn ôl i'w nyth. A phan ddywedodd yr hanes wrth y cywion, dyma nhw i gyd yn chwerthin, ysgwyd eu hadenydd a galw'n uchel, 'Twit! Twit! Twit!' Eu mam nhw oedd yr anifail cryfaf yn y jyngl.

Sioni Simpil

Un tro, aeth tri brawd ar daith i chwilio am eu ffortiwn.

Roedd y ddau frawd hŷn yn alluog iawn. Ond doedd y trydydd brawd ddim yn alluog o gwbl. Ei enw oedd Sioni. A doedd y ddau frawd arall ddim yn garedig efo Sioni. Roedden nhw'n gwneud hwyl am ei ben, pigo arno a galw enwau. Enwau fel 'simpil,' 'gwirion' a 'ffŵl'.

Ar y diwrnod cyntaf, daethon nhw ar draws bryncyn mawr o bridd, yn uchel a main ac yn berwi o forgrug.

'Mae morgrug yn anghynnes!' ebychodd y brawd hŷn.

'Dydyn nhw'n da i ddim ond i'w sathru,' meddai'r ail frawd.

Ac fel roedd y ddau frawd yn mynd i gicio'r nyth morgrug, daeth Sioni y trydydd brawd heibio a'u rhwystro.

'Na!' gwaeddodd. 'Mae'r morgrug yn ddymunol. Maen nhw'n ddu, yn fychan ac yn brysur. Maen nhw'n werth eu gweld yn symud o gwmpas. Fyddai ddim yn beth caredig i chwalu eu cartref.'

Edrychodd y ddau frawd ar ei gilydd ac ysgwyd eu pennau.

'Ddim yn alluog,' sibrydodd un.

'Dydi o'n gwybod dim am bryfetach,' sibrydodd y llall.

Ond yn y diwedd roedden nhw wedi blino dadlau ymhlith ei gilydd ac felly dyma nhw'n cytuno i adael llonydd i'r morgrug.

Y diwrnod wedyn, daeth y tri brawd ar draws llyn a hwyaid yn nofio arno.

'Mae hwyaid yn flasus!' meddai'r brawd hŷn.

'Mae hwyaid yn fendigedig!' glafoeriodd yr ail frawd.

Ac fel roedd y brodyr galluog yn anelu eu saethau at yr hwyaid, daeth Sioni, y trydydd brawd, heibio a'u rhwystro.

'Na!' gwaeddodd. 'Mae hwyaid yn hyfryd. Mae ganddyn nhw adenydd sy'n curo a thraed gweog ac maen nhw'n cwacian. Fyddai ddim yn beth caredig i'w lladd.'

Edrychodd y brodyr hŷn i fyny i'r awyr ac ysgwyd eu pennau.

'Dydi o ddim yn gwybod dim am hwyaid,' sibrydodd un.

'Nac am fwydydd da, chwaith,' sibrydodd y llall.

Ond yn y diwedd roedden nhw wedi blino dadlau ymysg ei gilydd a dyma nhw'n penderfynu gadael yr hwyaid i nofio ar y llyn.

Ar y trydydd diwrnod, daeth y tri brawd ar draws nyth gwenyn yng nghrombil bôn coeden dal, gref.

'Edrych ar y mêl!' meddai'r brawd hŷn.

'Mae mêl yn fwyd maethlon!' meddai'r ail frawd.

Ond, fel roedd y brodyr deallus yn mynd i danio a mygu'r gwenyn allan o'r goeden, daeth Sioni, y trydydd brawd, heibio.

'Na!' gwaeddodd. 'Mae'r gwenyn yn brydferth. Maen nhw'n felyn, rhesog, gludiog ac macn nhw'n suo. Fyddai ddim yn beth caredig i ddwyn eu mêl.'

Dyma'r brodyr galluog yn plethu eu dwylo a chuchio.

'Mae'n dechrau mynd ar fy nerfau,' sibrydodd un.

'Ac ar fy nerfau innau,' sibrydodd y llall.

Ond yn y diwedd roedden nhw wedi blino dadlau a dyma nhw'n penderfynu gadael llonydd i'r gwenyn.

Ymhellach ymlaen yn y dydd, cyrhaeddodd y tri brawd gastell. Castell efo muriau o gerrig, tyrrau o gerrig, ac yn sefyll y tu mewn, cerfluniau cerrig o geffylau,

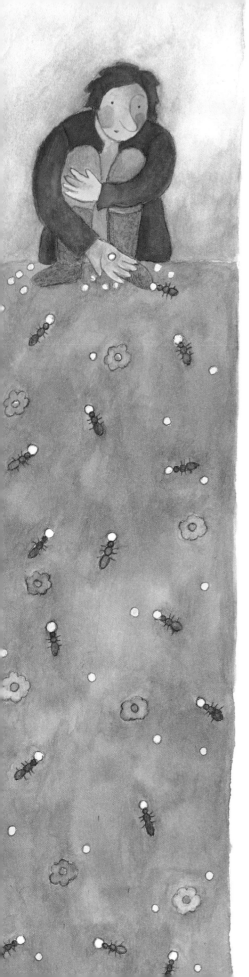

tyddynwyr a thywysogion. Yn wir, yr unig beth nad oedd wedi'i wneud o garreg oedd dyn bychan barfog ddaeth i'w croesawu.

'Diolch i chi am ddod,' meddai. 'Diolch yn fawr iawn! Mi gawn ni swper a noson dda o gwsg. Yna, yfory mae'n rhaid i chi dorri'r swyn sydd wedi troi'r castell yma'n garreg. Os gwnewch chi hynny fe gewch chi ffortiwn gwerth ei chael!'

Doedd y brodyr ddim yn gwybod sut i dorri'r hud ond roedden nhw'n llwglyd a blinedig. Felly dyma nhw'n derbyn gwahoddiad y dyn bach. Dyma nhw'n dechrau bwyta fel ceffylau a chysgu fel moch. Ac, yn y bore, y brawd hŷn ddewisodd fynd yn gyntaf.

'I dorri'r hud,' eglurodd y dyn bach, 'mae'n rhaid i chi wneud tri pheth. Cyn i'n brenhines gael ei throi'n garreg, torrodd ei mwclis yn y goedwig, a dyna lle'r oedd mil o berlau ar hyd y llawr. Y dasg gyntaf ydi casglu'r holl berlau a hynny cyn i'r haul fachlud – neu fe fyddwch chithau hefyd yn cael eich troi yn garreg.'

Aeth y brawd hŷn i'r goedwig i chwilio am y perlau. Roedden nhw ar hyd a lled y goedwig. Roedden nhw ymhob man. O dan y creigiau, y rhedyn a'r dail crin. Ond, er mor alluog oedd o, dim ond cant o berlau oedd o wedi'u casglu cyn i'r haul fachlud. Felly, fe gafodd ei droi yn garreg.

Y diwrnod wedyn, aeth yr ail frawd i'r goedwig. Ac, er ei fod wedi llwyddo i gasglu dau gant o berlau, ar fachlud haul fe gafodd yntau ei droi'n garreg.

'Pa obaith sydd gen i?' meddyliodd Sioni, ar ei ffordd i'r goedwig y trydydd diwrnod. 'Dydw i ddim yn alluog o gwbl!' Ac yna clywodd sŵn yn y gwair o'i gwmpas.

'Helo, Sioni!' galwodd llais bach, distaw. 'Fi ydi Brenin y Morgrug. Fe wnest ti arbed ein nyth. Felly mi ydyn ni eisiau dy helpu di. Mae fy mhobl i yma – miloedd ohonyn nhw. Ac mi wnawn ni ddarganfod y perlau i gyd.'

A dyna wnaethon nhw – pob un perl, i'r perl olaf un.

'Ardderchog!' meddai'r dyn bach. 'Eich ail dasg yw darganfod yr allwedd arian ollyngodd y Frenhines i'r llyn.'

Unwaith eto, doedd gan Sioni ddim syniad beth i'w wneud. Ond yr eiliad honno, dyma hwyaden fawr, frown yn hedfan uwchben. 'Paid â phoeni Sioni,' meddai'r hwyaden. 'Mi wnest ti ein helpu ni, ac mi wnawn ni dy helpu di.'

Ac yna, dyma gawod o hwyaid yn plymio i ddyfnderoedd y llyn, a dod i'r wyneb efo'r allwedd arian.

'Un dasg arall,' meddai'r dyn bach oedd wedi gwirioni'n lân erbyn hyn. 'Ond mae'n rhaid i ni frysio, mae'r haul ar fin machlud. Mae gan y Brenin dair merch a phob un ohonyn nhw'n edrych yn union yr un fath. Ond roedd yr un oedd o yn ei charu fwyaf yn bwyta teisen fêl cyn iddi gael ei throi'n garreg. Mae'n rhaid i ti ddod o hyd iddi a'i chusanu.'

'Dim problem yn y byd,' meddai llais yng nghlust Sioni. 'Y fi ydi Brenhines y Gwenyn Mêl. Ac am na wnaethost ti ddwyn ein mêl, mi wna i dy helpu di i ddod o hyd i'r dywysoges.'

Dyma Frenhines y Gwenyn Mêl yn mynd ati i arogli gwefusau pob un o'r genethod cerrig yn y castell. O'r diwedd daeth o hyd i'r un oedd yn arogli o fêl.

Dyma Sioni yn cau ei wefusau a rhoi cusan i'r cerflun carreg, a'r munud hwnnw dyma bopeth oedd wedi'i droi yn garreg – yn cynnwys ei frodyr – yn dod yn bobl o gig a gwaed!

A beth oedd gwobr Sioni? Priododd Sioni yr eneth y rhoddodd gusan iddi. A dyma'i frodyr yn priodi ei chwiorydd. A dyna sut y daeth y tri brawd o hyd i ffortiwn. Ond gyda help yr un brawd nad oedd yn alluog.

Y Broga Tywod Hunanol

Roedd y Broga Tywod yn sychedig. Felly aeth at y pwll i chwilio am ddŵr. Yfodd ac yfodd ac yfodd. A'r mwyaf oedd o'n yfed mwyaf yn y byd roedd o'n tyfu. Yfodd cymaint fel nad oedd diferyn o ddŵr ar ôl yn y pwll dŵr! Roedd yn berffaith sych.

Dyma Dingo, Goana a'r Cangarŵ yn dechrau cwyno. 'Hei, y Broga Tywod,' medden nhw, 'paid â bod mor hunanol. Rydym ninnau eisiau dŵr, hefyd!'

Anwybyddodd y Broga Tywod bob un ohonyn nhw. Roedd o'n dal yn sychedig, welwch chi. Felly i ffwrdd â fo gan sboncio i chwilio am fwy o ddŵr.

Cyn hir cyrhaeddodd y merllyn. Yfodd ac yfodd ac yfodd. A'r mwyaf oedd o'n yfed mwyaf yn y byd roedd o'n tyfu. Yfodd cymaint fel nad oedd diferyn o ddŵr yn y corstir. Roedd yn berffaith sych!

Dyma'r madfallod, y crwbanod a'r penbyliaid yn dechrau cwyno. 'Hei, y Broga Tywod, paid â bod mor hunanol. Rydym ni i gyd eisiau dŵr hefyd.'

Anwybyddodd y Broga Tywod bob un ohonyn nhw. Roedd o'n dal yn sychedig, welwch chi. Felly sbonciodd i ffwrdd i chwilio am fwy o ddŵr.

Cyn hir cyrhaeddodd lyn mawr. Gallwch ddyfalu beth a ddigwyddodd. Yfodd ac yfodd ac yfodd. A'r mwyaf oedd o'n yfed, mwyaf yn y byd roedd o'n tyfu. Yfodd cymaint nes bod y llyn yn sych!

A dyna lle'r oedd y pysgod yn fflipian a fflopian ar y graean ar waelod y llyn. 'Hei, y Broga Tywod,' medden nhw'n gwynfanus, 'paid â bod mor hunanol. Rydym ni i gyd eisiau dŵr, hefyd.'

Anwybyddodd y Broga Tywod bob un ohonyn nhw. Roedd o'n dal yn sychedig, welwch chi. Felly dyma fo'n sboncio i ffwrdd i chwilio am fwy o ddŵr.

Afonydd, llynnoedd a nentydd.

Corsydd, pyllau a cheunentydd.

Yfodd y Broga Tywod ddŵr ohonyn nhw i gyd. Erbyn hyn doedd 'na ddim diferyn o ddŵr yn unman! Ac, erbyn hyn, roedd o mor anferth fel mai'r unig le y gallai eistedd oedd ar ben y mynydd mawr.

Roedd yr anifeiliaid eraill i gyd yn filain. Felly dyma nhw'n gafael yn eu gwaywffyn a mynd i chwilio amdano. Yr Eryr welodd o gyntaf ac arweiniodd y gweddill i fyny'r mynydd lle'r oedd y Broga yn eistedd.

'Rydym ni eisiau'n dŵr yn ôl,' crefodd yr anifeiliaid arno. Unwaith eto anwybyddodd y Broga bob un ohonyn nhw. Doedd o ddim yn sychedig ddim mwy. Roedd o'n llawn. Roedd o'n hapus. Ac roedd o'n fwy na'r un ohonyn nhw.

O un i un, dyma'r anifeiliaid yn anelu eu gwaywffyn miniog i'w gyfeiriad.

Coala, Dingo a Bandicŵt.

Platypws, Emiw ac Ystlum.

Ond roedd pob un yn methu'n lân â'i daro. Yn y diwedd dyma'r Cangarŵ yn anelu ei waywffon hir a'i thaflu. Trawodd y Broga Tywod yn ei ochr, a llifodd y dŵr allan ohono, i lawr y mynydd ac yn ôl i'r afonydd, y llynnoedd a'r ffosydd!

Dyma'r anifeiliaid eraill i gyd yn curo'u dwylo. Dyma nhw'n dechrau yfed, nofio a sblasio yn y dŵr.

Ond sbonciodd Broga'r Tywod adref yn drist a phoenus. Broga bychan oedd o erbyn hyn. A theimlai'n euog ei fod wedi bod mor hunanol. Yn wir, doedd o ddim yn gallu dangos ei wyneb i'r anifeiliaid eraill.

A dyna pam, hyd heddiw, mae'r brogaod tywod yn cuddio yn y tywod drwy'r dydd ac yn dod allan i chwarae yn y pyllau wedi iddi dywyllu.

Priodferch y Llygoden

Dyma i chi deulu anarferol. Hen ŵr. Hen wraig. A llygoden fach wrywaidd. Ef oedd yr ateb i'w breuddwydion. Doedd gan yr hen ŵr a'r hen wraig ddim plant eu hunain, ond un diwrnod dyma hebog oedd yn hofran uwchben yn gollwng llygoden fach i fasged ddillad yr hen wraig. Ac o'r munud hwnnw, penderfynodd yr hen ŵr a'r hen wraig ei fagu fel mab iddyn nhw.

Tyfodd y llygoden fach – yn union fel mae plant yn tyfu. A chyn bo hir doedd o ddim yn llygoden fach ifanc ond bellach yn oedolyn. Ac yn fwy na dim arall yn y byd roedd yn chwilio am wraig.

'Mi wna i dy helpu di,' meddai'r hen ŵr. Felly, un noson gynnes dyma nhw'n mynd i chwilio am briodferch i'r llygoden. Ffarweliodd yr hen wraig â nhw a rhwbio'r dagrau o'i llygaid. Roedd hi ofn na fyddai'n gweld ei mab byth mwy.

Dyma nhw'n cerdded a cherdded a cherdded, a'u llwybr wedi'i oleuo gan oleuni lleuad lawn. Gwyliodd y lleuad nhw ac, yn awyddus i wybod, o'r diwedd gofynnodd, 'Am beth ydych chi'n chwilio?'

'Gwraig i'm mab,' eglurodd yr hen ŵr.

'O, mi wela i,' meddai'r lleuad. 'Wel, mi fuaswn i'n gwneud gwraig dda iawn. Rwy'n ddisglair, yn brydferth ac yn grwn. Tybed a fyddai dy fab yn cytuno i 'mhriodi i?'

Edrychodd y llygoden ar y lleuad ac ysgwyd ei ben.

'Mae'n ddrwg gen i,' meddai. 'Yn wir, mi wyt ti'n ddisglair, yn brydferth

62

a chrwn. Ond mi wyt ti hefyd yn oer a phell i ffwrdd. Na, chei di ddim bod yn wraig i mi.'

Felly dyma nhw'n cerdded a cherdded a cherdded ymhellach, o dan gysgod cwmwl tywyll y nos. Gwyliai'r cwmwl nhw ac, yn awyddus i wybod, o'r diwedd gofynnodd, 'Am beth ydych chi'n chwilio?'

'Gwraig i'm mab,' eglurodd yr hen ŵr.

'A,' meddai'r cwmwl. 'Wel, mi fuaswn i yn gwneud gwraig arbennig. Rydw i'n fflwffiog, yn wlanog a llyfn!'

'Wyt,' cytunodd y llygoden fach. 'Ond rwyf wedi bod yn dy wylio. Mi fedri di hefyd fod yn gas ac oriog ac yn ddrwg dy dymer. Na,' meddai gan ysgwyd ei ben unwaith eto, 'na, chei di ddim bod yn wraig i mi.'

Ymlaen yr aethon nhw, a hithau wedi nosi cryn dipyn erbyn hyn, a'r gwynt yn ubain o'u cwmpas, ac yn eu gwylio, a theimlo'n chwilfrydig, ac yn y diwedd gofynnodd, 'Am beth ydych chi'n chwilio?'

'Gwraig i'm mab,' meddai'r hen ŵr unwaith yn rhagor.

'Yna does dim rhaid i ti edrych ymhellach,' meddai'r gwynt. 'Mi fuaswn i'n gwneud gwraig berffaith. Mi alla i fod yn dyner a thymhestlog.'

'Dyna ydi'r union broblem,' meddai'r llygoden fach. 'Mi wyt ti weithiau'n chwythu un ffordd ac yna'r ffordd arall, ac ni all neb ddweud pa ffordd fydd hi. Na, fyddi di ddim yn wraig i mi.'

Aeth yr hen ŵr a'r llygoden ychydig ymhellach, ac fel yr oedd yr hen ŵr yn meddwl na fyddai byth yn dod o hyd i wraig i'w fab, dyma ddod at y mynydd.

'A!' meddai'r llygoden pan welodd y mynydd. 'Rŵan, dyma'r wraig i mi. Mae'n dal, yn falch ac yn llawn bywyd. A gallaf ymddiried yn y mynydd i sefyll yn gadarn a ffyddlon beth bynnag fydd yn digwydd. Mynydd,' gofynnodd yn wylaidd, 'wnei

63

di fod yn wraig i mi?'

'Bydd hynny'n bleser i mi,' meddai'r mynydd. 'Nawr tyrcha'n ddwfn i mewn i mi ac fe gei di ddarganfod fy nghalon.' Dechreuodd y llygoden dyrchu gyda help yr hen ŵr. Yn sydyn daethon nhw at dwnnel. Arweiniodd y twnnel i ogof. Ac yn eistedd yng nghanol yr ogof roedd y llygoden fenywaidd brydferthaf oedd y llygoden fach wedi'i gweld erioed.

Gyda'i gilydd aethon nhw'n ôl at yr hen wraig a neidiodd o lawenydd pan welodd hi'r ddau. Yna priododd y bachgen lygoden â'r eneth lygoden. Ac fe fuon nhw'n hapus am byth.

Y Don Anferth

Torrodd y don yn dyner ar y traeth tywodlyd. Safai'r traeth yn wyn a phoeth o flaen y pentref bychan. Roedd pedwar cant o bobl yn byw yn y pentref – dynion hen ac ieuainc, mamau, neiniau, babanod a bechgyn a genethod.

Tu ôl i'r pentref, codai terasau gwyrdd fel grisiau i fyny i dir gwastad. Ac ar y tir gwastad safai hen dŷ urddasol, wedi'i amgylchu â chaeau reis.

Hen ŵr o'r enw Hamaguchi, gŵr cyfoethog, perchennog y caeau reis a phennaeth y pentref islaw, oedd yn byw yn y tŷ. Roedd ei ŵyr deg oed yn byw efo'i daid. Roedd o bob amser yn llawn o gwestiynau ac yn llawn bywyd.

Un noson boeth o haf, cerddodd Hamaguchi yn araf i'r cyntedd. Edrychodd ar y pentref islaw a gwenodd. Roedd hi'n adeg y cynhaeaf ac roedd y pentrefwyr, ei bobl, yn dathlu trwy chwarae cerddoriaeth a dawnsio a'u lanternau disglair yn olau.

Edrychodd ar y traeth tu hwnt, yn ddistaw a llonydd, a gwenodd unwaith eto.

Ond pan edrychodd Hamaguchi allan ar draws y môr, yn sydyn trodd ei wên yn wgus a phryderus. Dyna lle'r oedd yna don, ton oedd yn mynd yn ôl cyn belled ag y gwelai, ton uchel, wyllt a ffyrnig. Ac roedd hi'n dod yn syth am y pentref islaw.

Doedd Hamaguchi erioed wedi gweld y fath don. Ond roedd o wedi clywed straeon am donnau o'r fath gan ei dad a'i daid. Felly galwodd ar ei ŵyr a gofyn iddo ddod â ffagl gydag o.

'Pam, Taid?' gofynnodd y bachgen yn ddiniwed. 'Pam rydych chi eisiau ffagl?'

'Does dim amser i

egluro,' atebodd Hamaguchi. 'Mae'n rhaid i ni ymateb yn gyflym.' A dyma fo'n rhedeg nerth ei draed i'r caeau i'r chwith o'r tŷ a rhoi ei gnydau ar dân.

'Taid!' gwaeddodd y bachgen. 'Beth ydych chi'n wneud?'

Edrychodd Hamaguchi i lawr ar y pentref. Doedd dim enaid byw yn edrych i fyny ar y gwastadedd.

'Does yna ddim amser i'w wastraffu!' gwaeddodd. 'Tyrd efo mi.' A chymerodd y bachgen yn ei law a thanio'r caeau ar y dde.

Dyna lle'r oedd fflamau oren, melyn a gwyn ar gefndir du y nos. Dechreuodd y bachgen wylo. 'Taid, ydych chi'n wallgof? Mae'r tir i gyd yn fflamau!'

Ond ddywedodd yr hen ŵr yr un gair. Edrychodd i lawr ar y pentref. Yna prysurodd i'r caeau eraill a'u rhoi ar dân. Roedd awyr y nos yn llawn gwreichion a mwg a'r bachgen yn dal i ochneidio.

'Os gwelwch chi'n dda, Taid! Stopiwch Taid! Fydd yna ddim byd ar ôl!'

Ar hyn canodd cloch, cloch y deml yn y pentref islaw. A chyn hir dyma'r pentrefwyr yn llifo i fyny'r bryn. Merched ieuainc, hen ferched, bechgyn a genethod, tadau a theidiau, babanod ar eu cefnau a'u pwcedi yn eu dwylo. Pedwar cant ohonyn nhw i gyd yn rhedeg i geisio diffodd y tân.

Ac fel roedden nhw'n cyrraedd y caeau oedd yn llosgi, dyma don anferth yn taro'r pentref islaw...

Roedd yn swnio fel taran.

Roedd yn swnio fel canon yn saethu.

Roedd yn swnio fel carnau deng mil o geffylau'n clecian.

Dinistriodd bopeth yn ei llwybr. O'r diwedd pan ddechreuodd rymblan a rholio'n ôl i'r môr, doedd 'na yr un tŷ ar ôl.

Edrychodd y bobl mewn syndod ar y dinistr yn eu pentref. A phan edrychon nhw ar y caeau doedd 'na yr un ar ôl. Roedden nhw i gyd wedi'u llosgi i'r llawr.

Dyma'r ŵyr yn gafael yn ei daid o gwmpas ei ganol, gan ddal i wylo. Gofynnodd y cwestiwn oedd pawb eisiau ei glywed.

'Pam, Taid? Pam wnaethoch chi losgi eich caeau gwerthfawr?'

'Edrychwch,' meddai'r hen ŵr wrth y dyrfa. 'Roedd rhaid i mi chwilio am ryw ffordd i'ch cadw chi'n ddiogel. Eich cadw draw o unrhyw fath o berygl. Er mor werthfawr ydi'r caeau i mi, mae pob un ohonoch chi'n llawer mwy gwerthfawr.'

A dyma Hamaguchi yn eu gwahodd i gyd i aros yn ei dŷ tra roedd y pentref yn cael ei ailadeiladu.

Bu'r hen ŵr fyw am sawl blwyddyn wedyn, ond yna, pan fu farw, adeiladodd y bobl fedd iddo yn y pentref. A hynny er cof am yr un a aberthodd y cyfan oedd ganddo i'w hachub o afael y don anferth.

Y Teigr a'r Storm

Un gyda'r nos pan oedd hi ar fin tywyllu crwydrodd y Gwningen i'r jyngl efo'i wraig a'i ffrindiau, y Dylluan a'r Ci.

Ar y ffordd daethon nhw ar draws canghennau o'r winwydden oedd wedi syrthio. Dyma nhw'n dechrau casglu'r canghennau gan obeithio eu plethu i wneud rhaff gref.

Yn sydyn clywodd y Gwningen sŵn: ysgytiad cynffon, grymial hir ac isel, sŵn pawen gref resog.

'Mae'r Teigr yn dod,' sibrydodd wrth y lleill. 'Brysiwch tu ôl i'r graig acw. Ac mi wna i ddelio efo fo.'

Dyma'r lleill yn ufuddhau i'r Gwningen a'r munud hwnnw dyma'r Teigr yn rhuthro allan o'r llwyni.

'Aha!' rhuodd. 'Dyma fi wedi dy gornelu di unwaith eto. Dwyt ti ddim yn mynd i ddianc y tro hwn.'

'O diar,' meddai'r Gwningen yn drist. 'Teigr, rwyt ti'n un gwael am amseru pethau. Dwyt ti ddim wedi clywed? Mae 'na storm fawr ar y ffordd – corwynt, rwy'n credu. A dyna pam rydw i'n clymu fy hun i'r goeden hon rhag ofn i mi gael fy chwythu i ffwrdd. Os oes gen ti unrhyw synnwyr, mae'n well i tithau wneud yr un peth.'

'Ffwlbri llwyr!' rhuodd y Teigr. 'Dyma un arall o dy driciau. Rwyt ti wedi gwneud ffŵl ohona i o'r blaen. Ond nid y tro yma!'

'Iawn,' ochneidiodd y Gwningen. 'Bwyta fi os wyt ti eisiau. Ond cyn y byddi wedi gorffen bydd y storm wedi torri dros y jyngl. Gwranda,' (a dywedodd hyn gan droi i gyfeiriad y graig) 'mi fedri di glywed pitran-patran y glaw y munud yma.'

Gwrandawai gwraig y Gwningen. Felly dyma hi'n dechrau curo ei choesau ôl yn erbyn y llawr: pitran-patran, pitran-patran, pitran-patran.

'O diar,' meddyliodd y Teigr. 'Efallai dy fod di'n iawn. Ond efallai mai dim ond cawod ysgafn yw hi. Mi wna i dy fwyta di rŵan. Dydw i ddim yn hidio bod yn wlyb.'

'Cawod ysgafn?' meddai'r Gwningen yn

68

sydyn. 'Ond pam felly fy mod i'n clywed y gwynt yn codi ac yn hyrddio'n storm?'

Tro'r Dylluan oedd hi'r tro hwn. Dyma hi'n dechrau curo ei hadenydd mawr brown. A dechrau galw, 'Tywit-twhw. Tywit-twhw.'

'O'r mawredd!' Dechreuodd y Teigr grynu. 'Mae'n debyg fod y storm ar ei ffordd wedi'r cwbl. Ond rwy'n siŵr fod gen i ddigon o amser i dy fwyta di!'

'Efallai,' nodiodd y Gwningen. 'Ond pwy fydd yna i dy helpu di i dy glymu di'n sownd wrth y goeden? Gwranda, mae'r gwynt yn ubain yn gryfach erbyn hyn. Mae'r storm ar ein gwarthaf!'

A dyma'r Ci yn ymuno, ac yn dechrau udo, 'A...ŵ! A...ŵ! A...ŵ!'

'Iawn, brysia, clyma fi i'r goeden. A chlyma fi'n dynn.'

Felly dyma'r Gwningen yn gwneud yn union fel y gofynnodd y Teigr. Lapiodd y canghennau gwinwydd o gwmpas coesau a bol y Teigr a'i glymu i'r goeden. A thra roedd hyn i gyd yn digwydd roedd ei ffrindiau'n dal i guro eu traed a hwtian ac udo.

'Dyna ti,' meddai'r Gwningen, ar ôl clymu'r Teigr yn dynn i'r goeden. 'Bydd hyn yn dy gadw'n ddiogel fel na fedri di ddim symud i unman yn fuan.'

'Ond beth amdanat ti?' gofynnodd y Teigr.

'O, paid â phoeni amdanaf fi,' meddai'r Gwningen yn fodlon. 'Mi ydw i'n teimlo'n ddiogel iawn, rŵan. Rwy'n meddwl fod y storm wedi mynd heibio. Gwranda.'

Ac yna'n sydyn, daeth y curo a'r hwtian a'r udo i ben. Ac ymddangosodd ffrindiau'r Gwningen o du ôl y graig gan chwerthin yn hapus.

'Rwyt ti wedi llwyddo unwaith eto!' rhuodd y Teigr. 'Rwyt ti wedi fy nhwyllo eto. Ac mi wyt ti mewn trwbwl go iawn, y tro yma!'

A phan oedd y Teigr yn barod i lamu am y Gwningen, sylwodd nad oedd o'n gallu symud. Na, 'run centimetr. Roedd y Gwningen wedi'i glymu'n dynn, dynn i'r goeden.

'Gad i mi fynd! Gad i mi fynd – RŴAN!' rhuodd y Teigr.

Dim ond gwenu wnaeth y Gwningen.

'Dydw i ddim yn meddwl,' meddai. 'Os oes 'na rywbeth sy'n fwy peryglus na storm enbyd, Teigr cas, rheibus ydi hwnnw!'

A'r munud hwnnw diflannodd y Gwningen a'i ffrindiau i'r tywyllwch. Yn ddiogel unwaith yn rhagor.

Y Corrach Maint Pen-glin

Mewn cors yng nghanol Alabama roedd y Corrach Maint Pen-glin yn byw.

Roedd yn byw ar ei ben ei hun, mewn murddun, oherwydd roedd ganddo gywilydd pa mor fyr oedd o.

'Rydw i wedi hen flino ar fod yn fach,' meddai wrtho'i hun, un diwrnod. 'Rydw i am fynd i chwilio sut y galla i fod yn fawr!'

Felly aeth at y ffrind mwyaf oedd ganddo. Aeth i weld Mr Ceffyl.

'Mr Ceffyl!' bloeddiodd. 'Rydw i eisiau bod yn fawr, fel ti. Dywed wrtha i beth sy'n rhaid i mi wneud.'

Dyna lle'r oedd Mr Ceffyl yn cnoi'n feddylgar ar gegaid o geirch.

'Wel...' meddai'n araf deg. 'Rydw i'n bwyta llawer iawn, iawn o geirch. Yna rydw i'n rhedeg a rhedeg – o gwmpas ugain milltir bob dydd. Dyna sut rydw i wedi tyfu'n fawr. Efallai y byddai hyn yn gweithio i ti.'

'Diolch,' meddai'r Corrach. Yna gwnaeth yn union fel y dywedodd Mr Ceffyl wrtho.

Mi fuodd yn bwyta ceirch nes oedd ei stumog yn brifo.

Mi fuodd yn rhedeg a rhedeg nes oedd ei goesau bach yn brifo.

Ond wnaeth o ddim tyfu'n fawr. Na, wnaeth o ddim tyfu o gwbl.

Yna, aeth i weld ei ffrind mawr nesaf. Aeth i weld Mr Tarw.

'Mr Tarw!' bloeddiodd. 'Mr Tarw, mi ydw i eisiau bod yn fawr, fel ti. Dywed wrtha i beth sydd rhaid i mi ei wneud.'

Roedd Mr Tarw'n cnoi'n amyneddgar ar gegaid o wair.

'Wel,' meddai gan buo. 'Mi fydda i'n mynd o gae i gae i gnoi gwair. Yna mi fydda i'n puo a phuo – Mŵ! – nerth fy mhen. Dyna sut gwnes i dyfu'n fawr. Efallai y bydd yn gweithio i ti.'

'Diolch,' meddai'r Corrach. Yna gwnaeth yn union fel y dywedodd Mr Tarw wrtho. Mi fuo fo'n cnoi'r glaswellt nes oedd ei ddannedd yn brifo. Puodd – Mŵ! – nes oedd ei wddf yn brifo. Ond wnaeth o ddim tyfu. Na, dim o gwbl.

Felly aeth i weld y ffrind mwyaf craff oedd ganddo. Aeth i weld Mr Tw-Whit Tŵ Hŵ y Dylluan.

'Mr Tw-Whit Tŵ Hŵ y Dylluan!' bloeddiodd. 'Mi ydw i wedi hen flino ar fod yn ddyn bach, bach. Mi ydw i eisiau bod yn fawr. Wnei di ddweud wrtha i beth i'w wneud os gweli'n dda?'

Winciodd Mr Tylluan ac ysgwyd ei blu a throi ei ben mawr rownd a rownd.

'Hŵ-hŵ! Hŵ! Dywed wrtha i,' meddai o'r diwedd. 'Pam wyt ti eisiau bod yn fawr?

'Am fy mod i wedi hen flino edrych i fyny ar bawb,' cwynodd y Corrach.

Winciodd ac ysgydwodd y Dylluan ei phlu eilwaith.

'Hŵ-hŵ! Dydi maint ddim yn bopeth,' meddai. 'Fedri di ddringo coeden?'

'Wrth gwrs!' atebodd y Corrach.

'Felly tyrd i fyny ac ymuna efo mi,' meddai'r Dylluan.

Dringodd y Corrach i fyny'r goeden, cyn gyflymed ag unrhyw wiwer. Yna dyma fo'n eistedd ar y gangen wrth ochr Mr Tylluan.

'Rŵan, edrych o gwmpas,' meddai Mr Tylluan. 'Beth wyt ti'n weld?'

Edrychodd y Corrach. Dyna lle'r oedd Mr Ceffyl, yn rhedeg o gwmpas y cae. A draw acw roedd Mr Tarw, yn puo'i orau glas. A doedd yr un o'r ddau yn edrych ddim llawer mwy na'r morgrugyn mwyaf!

'Pan fyddi di wedi hen flino ar fod yn fach,' meddai Mr Tylluan, 'yr unig beth sydd raid i ti wneud ydi dringo i fyny yma. Ti fydd y talaf yn y lle i gyd. A phan fyddi di wedi blino ar hynny, dos yn ôl i lawr. A bydd yn fodlon ar yr hyn wyt ti.'

A dyna'n union a wnaeth.

Ac ar ôl hynny doedd ganddo ddim cywilydd o fod yn Gorrach Maint Pen-glin.

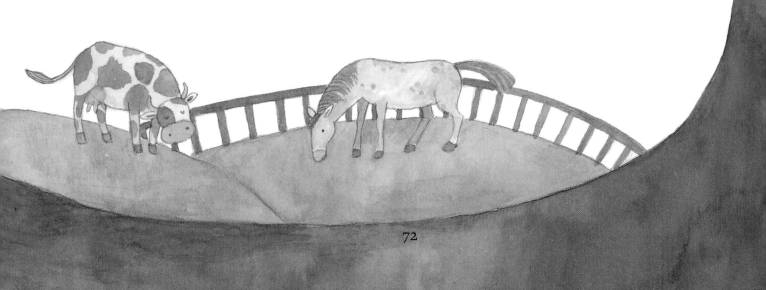

Y Bobyddes Ddawnus

Pobyddes oedd Annie. Hi oedd yr orau o ddigon yn yr Alban. Bara brau, byns a chacennau – hi oedd yn eu pobi i gyd. Ac roedden nhw mor flasus fel nad oedd neb yn gadael yr un briwsionyn ar ôl, ar y bwrdd, ar y plât nag ar y llawr.

Roedd hyn i gyd yn dda i bawb ond nid i'r tylwyth teg oedd yn dibynnu ar y briwsion. A doedden nhw chwaith ddim wedi cael blasu yr un o gacennau Annie. Felly un bore braf, dyma Frenin y Tylwyth Teg yn penderfynu gwneud rhywbeth. Dyma fo'n cuddio yng nghanol y blodau gwylltion ar ochr y ffordd. A phan oedd Annie'n mynd heibio ar ei ffordd i'r farchnad dyma fo'n taflu dafnau o lwch hud i'w llygaid i wneud iddi fynd i drwmgwsg.

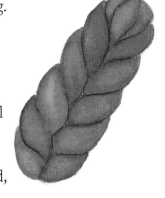

Pan ddeffrodd Annie, doedd hi ddim ar y ffordd ond roedd hi ym myd y tylwyth teg, wyneb yn wyneb â Brenin y Tylwyth Teg.

'Annie!' gorchmynnodd y Brenin. 'Mae pawb wedi blasu dy gacennau godidog. Pawb, ond ni! Felly, o hyn ymlaen, fe fyddi'n aros gyda ni ym myd y Tylwyth Teg. Byddi'n pobi i ni bob dydd.'

'O diar,' meddyliodd Annie. Ond wnaeth hi ddim dangos ei bod yn bryderus, na hyd yn oed yn ofnus, oherwydd roedd hi'n wraig ddawnus iawn. Na, penderfynodd, y munud hwnnw, ar gynllun i geisio dianc.

'Iawn,' meddai. 'Ond os ydych am i mi wneud teisen i chi, bydd rhaid i mi gael cynhwysion – blawd a llefrith, wyau a siwgr a menyn.'

'Ewch i'w hymofyn nhw ar unwaith!' gorchmynnodd Brenin y Tylwyth Teg. Felly ffwrdd â'r tylwyth teg i dŷ Annie. Ac yn ôl y daethon nhw, mewn chwinciad, efo popeth roedden nhw'i angen.

'O diar,' ochneidiodd Annie, gan ysgwyd ei phen (ac eto heb gynllun arbennig). 'Os ydych am i mi wneud teisen i chi, mi ydw i angen celfi – sosbenni a phadellau, piseri, powlenni a llwyau.'

'Ewch i'w hymofyn nhw ar unwaith!' gorchmynnodd Brenin y Tylwyth Teg eilwaith. Ond pan ddychwelodd y tylwyth teg, yn eu brys dyma'n nhw'n syrthio nes roedd y sosbenni a'r padellau yn sgrialu ac yn diasbedain ar lawr y gegin.

'O! Oww!' galwodd Brenin y Tylwyth Teg gan wasgu ei ddwylo yn erbyn ei glustiau. 'Rydych yn gwybod yn iawn na fedra i ddioddef synau swnllyd!'

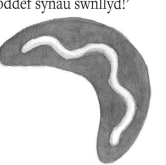

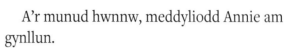

A'r munud hwnnw, meddyliodd Annie am gynllun.

Dyma hi'n torri'r wyau, tywallt y llefrith a chymysgu'r blawd a'r menyn gyda'i gilydd. Ond pan oedd hi'n cymysgu'r cytew, dyma hi'n dechrau cloncian y llwyau – clonc, clonc, clonc ar ochr y bowlen.

Gwingodd Brenin y Tylwyth Teg pan glywodd y sŵn. Ond gwelodd Annie nad oedd y sŵn yn ddigon uchel. Ac felly meddai, 'O diar. Pan fydda i'n pobi mi fydda i'n arfer cael fy nghath fach resog wrth f'ymyl. Fedra i ddim pobi os na fydd hi yma.'

Gorchmynnodd Brenin y Tylwyth Teg. Diflannodd y tylwyth teg gan ddychwelyd ar unwaith gyda'r gath.

Rhoddodd Annie'r gath o dan y bwrdd ac fel roedd hi'n cymysgu'r cytew, dyma hi'n sefyll, yn ysgafn, ar gynffon y gath.

A dyma'r llwy yn mynd, 'Clonc, clonc, clonc!'

A dyma'r gath yn gweiddi, 'Ow! Ow! Ow!'

Erbyn hyn roedd Brenin y Tylwyth Teg yn edrych yn anghyfforddus iawn.

'O diar,' meddai Annie unwaith eto. 'Dydi pethau ddim yn iawn eto. Fel arfer, mi fydd fy nghi mawr brown wrth f'ochr pan fydda i'n pobi. Wn i ddim fuasech chi...?'

'Iawn, iawn,' ochneidiodd Brenin y Tylwyth Teg. 'Mi wna i rywbeth i gael blasu'r deisen yna.'

Ac anfonwyd y tylwyth teg i gyrchu'r ci.

Rhoddodd Annie'r ci wrth ochr y gath a dechreuodd gyfarth.

A dyma'r llwy yn mynd, 'Clonc, clonc, clonc!'

A'r gath yn gweiddi, 'Ow! Ow! Ow!'

A'r ci'n cyfarth, 'Bow! Wow! Wow!'

A dyma Frenin y Tylwyth Teg yn rhoi bys yn un glust.

'Dim ond un peth arall,' meddai Annie. 'Mi ydw i'n poeni am fy mabi bach. A fedra i ddim gwneud fy ngorau os ydw i'n poeni.'

'Iawn, iawn,' cwynfanodd Brenin y Tylwyth Teg.

A dyma fo'n anfon y tylwyth teg unwaith eto.

Roedd y babi'n cysgu, ond pan glywodd yr holl sŵn, deffrodd a dechrau wylo.

A dyma'r llwy yn mynd, 'Clonc, clonc, clonc!'

A'r gath yn gweiddi, 'Ow! Ow! Ow!'

A'r ci yn cyfarth, 'Bow! Wow! Wow!'

A'r babi'n wylo, 'Wa! Wa! Wa!'

A dyma Frenin y Tylwyth Teg yn rhoi ei ddwylo dros ei glustiau a gweiddi, 'Digon! Digon! Digon!'

Aeth pob man yn ddistaw.

'Dydi'r deisen orau'n y byd ddim yn werth yr holl ddwndwr yma,' gwaeddodd. 'Dos â dy fabi, wraig. Dos â dy gi a'th gath a'th lwy swnllyd o'm golwg. Dos yn ôl i dy fyd dy hun, a'n gadael ni mewn tawelwch!'

Gwenodd Annie. 'Ond mi wna i rywbeth gwell na hynny. Os gwnewch chi adael i mi fynd, mi ro i deisen bach i chi a'ch pobl bob dydd wrth dwmpath y tylwyth teg.'

'Dyna daro bargen,' gwenodd Brenin y Tylwyth Teg, a dychwelodd Annie a phopeth oedd yn perthyn iddi yn ôl i'w chegin mewn chwinciad.

A phob dydd, o hynny ymlaen, gadawodd Annie deisen fach wrth dwmpath y tylwyth teg. Nid yn unig rhoddodd Brenin y Tylwyth Teg lonydd iddi ond gadawodd gwdyn bach o aur bob dydd iddi lle'r oedd y deisen wedi'i gosod. A bu pawb fyw'n hapus byth mwy.

Sut y Cafodd y Cangarŵ ei Gynffon

Amser maith yn ôl doedd gan y Cangarŵ ddim cynffon. Dim cynffon flewog. Dim cynffon siglog. Yn sicr doedd ganddo ddim cynffon hir, gref fel sydd ganddo heddiw.

Doedd gan y Cangarŵ ddim cynffon. Ond yr hyn oedd ganddo oedd digon o blant. Yn wir, cymaint o blant fel roedd rhai o'r anifeiliaid eraill yn genfigennus. Yn arbennig y Bandicŵt. Doedd ganddo fo ddim plant o gwbl.

Un diwrnod, daeth y Bandicŵt i ymweld â'r Cangarŵ.

'Cangarŵ,' plediodd. 'Mae gen ti a dy wraig chwech o blant prydferth, a does gen i ddim un. Pam na roi di dri o dy blant i mi gael eu magu fel fy mhlant i?'

Roedd y Cangarŵ wedi'i syfrdanu. 'Na,' meddai, mor gwrtais ag y medrai. 'Rydym ni'n caru'r plant i gyd. Fydden ni byth yn eu rhoi i neb arall.'

'Dau, ynteu,' crefodd y Bandicŵt. 'Gad i mi gael dau. Rwy'n addo bod yn dad da iddyn nhw.'

'Na,' mynnodd y Cangarŵ. 'Rydym ni eisiau magu ein plant ein hunain, diolch yn fawr iawn.'

'Beth am un, ynteu,' galwodd y Bandicŵt. 'Dim ond un, ac wna i ddim dy boeni di rhagor.'

'Na,' meddai'r Cangarŵ yn bendant. 'Fedrwn ni ddim gadael hyd yn oed i un o'n plant fynd!'

Erbyn hyn roedd y Bandicŵt yn flin. 'Iawn,' gwaeddodd. 'Os na wnei di roi un o dy blant i mi, yna rydw i'n mynd i ddwyn un!' A dyma fo'n rhuthro tuag at y cangarŵod bychain.

'Rhedwch, blant!' bloeddiodd y Cangarŵ. 'Rhedwch nerth eich traed!'

Dyma'r cangarŵod bychain yn llamu o bwrs y fam a rhedeg am eu bywyd. Ond roedd y Bandicŵt yn rhy gyflym iddyn nhw. Cythrodd yn un o'r cangarŵod bach a gafael yn dynn ynddo.

Yr eiliad honno roedd y Cangarŵ ar ei warthaf. Cythrodd ym mreichiau'r un bach, a dyna lle'r oedd y Cangarŵ a'r Bandicŵt yn tynnu am y gorau.

Dyma nhw'n tynnu a thynnu a thynnu. A digwyddodd rhywbeth rhyfedd.

Dyma ben ôl y cangarŵ bach yn dechrau ymestyn. Dyma fo'n tyfu'n fwy ac yn fwy ac yn fwy!

'Helpa fi, wraig!' galwodd y Cangarŵ. Felly dyma hithau'n dechrau tynnu a thynnu a dyma ben ôl y cangarŵ bach yn tyfu'n fwy a mwy.

O'r diwedd, dyma'r Cangarŵ yn galw ar ei blant hŷn, a phan ddechreuon nhw dynnu, roedd hi ar ben ar y Bandicŵt. Dyma fo'n chwythu'i blwc a rhedeg i ffwrdd. A dyma'r cangarŵod yn cwympo tin-dros-ben yn belen o draed a ffwr.

'Ydi pawb yn iawn?' gofynnodd y Cangarŵ.

'Ydyn,' meddai'r pump cangarŵ bach.

A dyma'r cangarŵ olaf yn dweud, 'Edrychwch!' A dyma fo'n chwifio ei gynffon hir newydd. Dechreuodd ei frodyr a'i chwiorydd chwerthin. Ond pan welon nhw gymaint gwell oedd o'n medru rhedeg a neidio, roedden nhw, hefyd, eisiau cynffonnau hir. Ac o'r amser hwnnw hyd heddiw, mae gan bob cangarŵ gynffon hir.

Y Ffermwr Barus

Roedd hi bron wedi tywyllu erbyn i Idris y Ffermwr druan orffen godro'r gwartheg. Agorodd ei geg ac ymestyn ei freichiau wrth iddo gerdded yn araf o'i feudy simsan tuag at ei dŷ anniben. Diwrnod arall o waith caled ond fawr ddim i ddangos amdano.

Ond wrth ochr y llyn glas, oerllyd oedd ar y ffin â thir Idris y Ffermwr, roedd gwaith ffermwr arall ar fin dechrau. Roedd yr haul newydd fachlud dros y bryniau pan gerddodd Tywysoges y Llyn yn araf allan o'r dŵr.

Roedd hi'n dal a phrydferth ac wedi'i gwisgo mewn mantell las olau. Canai gân – y sŵn yn byrlymu ohoni mor glir a chrisialog â nant y mynydd. Ac fel ymateb i'w chanu, daeth gyrr o wartheg claerwynion allan o'r dŵr ar ei hôl a dechrau pori ar lan y llyn.

Ar doriad gwawr pan sbeciodd yr haul dros ochr y bryn, dychwelodd y Dywysoges i'r dŵr, a'i gwartheg yn ei dilyn. Y cwbl ond un, yr un oedd wedi crwydro i ffwrdd at gartref Idris y Ffermwr. Drwy'r dydd bu'n pori gyda gwartheg Idris ac yna gyda'r nos dyma hi'n eu dilyn i'r beudy.

Roedd Idris y Ffermwr wedi rhyfeddu pan welodd fuwch glaerwen ynghanol ei yrr. Ond doedd dim marciau o gwbl arni a doedd hi ddim yn ymddangos ei bod yn perthyn i unrhyw un. Dyma fo'n ei chadw a'i godro fel y lleill.

Ac o'r munud hwnnw roedd pethau annisgwyl a rhyfeddol yn digwydd. Rhoddai fwy o lefrith mewn un diwrnod nag oedd gweddill y gwartheg yn ei roi mewn wythnos. A'i flas! O, roedd yn fwy blasus a phur nag unrhyw lefrith oedd Idris wedi'i yfed. Roedd y menyn hefyd yn feddal a melys a'r caws yn llyfn ac euraidd a'r hufen yn hyfryd a thrwchus. A byddai pobl o bell yn dod draw i arogli, blasu a phrynu.

Aeth sawl mis heibio. Rhoddodd y fuwch glaerwen enedigaeth i loeau bach. A phan oedden nhw wedi tyfu roedd eu llefrith hwythau yr un mor werthfawr â llefrith y fam.

Aeth y blynyddoedd heibio. Tyfodd y gyrr. A daeth Idris y Ffermwr tlawd yn Idris y Ffermwr cyfoethog. Ac yna'n anffodus, yn Idris y Ffermwr barus.

'Mae'r fuwch glaerwen braidd yn hen erbyn hyn,' cwynodd wrth ei wraig, un diwrnod. 'Yn fuan iawn fydd hi ddim yn rhoi digon o lefrith i ni. Beth am i ni ei phesgi ac yna mi gawn ni weld faint o arian gawn amdani gan y cigydd.'

'Ond mae hi wedi bod yn fuwch dda i ni,' atebodd y wraig. 'Pam na wnawn ni adael iddi bori yn y caeau am weddill ei hoes?'

'Dyna wastraff o borfa dda!' wfftiodd Idris y Ffermwr. 'Na, mi wnawn ni ei phesgi. Rwy'n siŵr y bydd yn dod â phris da i ni, gei di weld.'

A dyna wnaeth Idris y Ffermwr. Pesgodd hi ac roedd hi'n dewach nag unrhyw fuwch a welwyd erioed yn yr ardal. Yna dyma fynd â hi at y cigydd. A dyna lle'r oedd pobl y pentref wedi rhyfeddu at ei maint.

Daliodd y cigydd ei phen claerwyn yn llonydd. Dyma fo'n codi'i fwyell uwch ei phen. Ac fel roedd o'n gollwng y fwyell, clywodd gân yn atsain drwy'r dyffryn lle'r oedd y pentref bach. Dyma'r dyrfa'n edrych i fyny'r bryniau uwchlaw a dyna lle'r oedd Tywysoges y Llyn yn sefyll ar y graig uchaf, yn edrych yn ddigon o ryfeddod yn ei mantell las liw.

Dyma hi'n dechrau canu, 'Dilyn fi, fuwch glaerwen. Tyrd, fuwch glaerwen. Dilyn fi i'th gartref yn nyfroedd y llyn.'

Rhedodd y fuwch glaerwen i ffwrdd gan garlamu ar ôl y Dywysoges – i fyny'r bryncyn ac ar draws y caeau i gyfeiriad y llyn. Ond nid y fuwch yn unig, ond ei phlant hefyd. Pob un fuwch glaerwen oedd yng ngyrr Idris y Ffermwr!

Rhedodd Idris y Ffermwr ar ôl y gwartheg. Rhedodd cyn gyflymed ag y gallai.

A dyma fo'n eu cyrraedd fel roedden nhw'n cerdded i ddyfroedd y llyn. Ymddangosodd lilis gwynion yn yr union fan lle'r oedd pob buwch wedi diflannu dan y dŵr.

Galwodd arnyn nhw. Crefodd arnyn nhw i ddychwelyd. Addawodd y byddai'r fuwch glaerwen yn cael pori yn ei gaeau am byth. Ond doedd 'na ddim ateb o gwbl. Ac yn fuan, heb ei yrr o wartheg claerwynion, daeth Idris y Ffermwr barus yn Idris y Ffermwr tlawd unwaith eto.

Yr Aderyn Hael

Un tro roedd 'na aderyn. Nid aderyn disglair a phrydferth oedd yn hedfan ar draws yr awyr. Nac yn aderyn lluniaidd a gosgeiddig oedd yn gallu nofio ar y dŵr. Dim ond aderyn plaen a chyffredin. Y math o aderyn oedd yn ymestyn ei wddf esgyrnog a phigo'r llawr tra roedd yn crafu ei ffordd ymlaen.

Ac am ei gân – wel, doedd ganddo ddim cân o gwbl. Dim trydar. Dim sgrech. Dim switian. Dim hyd yn oed gwich!

'Dywed wrtha i,' meddai'r aderyn wrth yr haul, un diwrnod. 'I beth ydw i'n da? Dydw i ddim yn hardd. Dydw i ddim yn osgeiddig. Fedra i ddim canu hyd yn oed.'

'A,' pelydrodd yr haul yn ôl. 'Mae 'na lawer o bethau fedri di wneud. Mae gen ti ddawn, dawn arbennig, sy ddim yn perthyn i unrhyw aderyn arall. Ac os gwnei di chwilio, rwy'n siŵr y doi di o hyd i'r ddawn honno.'

Ac felly'r diwrnod wedyn, dyma'r aderyn yn mynd ar daith, ei bengliniau'n honcian, ei ben yn siglo a'i gynffon lipa'n llusgo tu ôl iddo. Roedd ar ei ffordd i chwilio am ei ddawn. Ar ddiwedd y diwrnod cyntaf, daeth i bentref. Roedd mwyafrif y pentrefwyr wedi noswylio, ond roedd ambell un allan ar y stryd. Dyna lle'r oedd merch fach wallt brown yn crio a snwffian ac yn galw mewn llais trist, 'Tyrd yma Coli! Tyrd yn ôl Coli! Lle rwyt ti Coli?'

'Beth sy'n bod?' gofynnodd yr aderyn i'r eneth fach.

'Y ci,' meddai gan grio a snwffian unwaith eto. 'Mae wedi rhedeg i ffwrdd a fedra i yn fy myw ddod o hyd iddo.'

'O diar,' meddai'r aderyn yn drist. 'Petawn i fel yr adar eraill, mi fuaswn yn gallu hedfan i fyny i'r awyr i chwilio amdano. Ond dydw i ddim yn un da am hedfan, weli di.'

Dechreuodd yr eneth fach grio a snwffian unwaith eto. A dyma hi'n dechrau beichio crio ac erbyn hyn roedd yr aderyn yn teimlo i'r byw drosti.

'Mi wn i beth,' meddai. 'Beth am i mi gerdded efo ti, a chadw cwmpeini i ti tra byddwn ni'n chwilio am y ci?'

A dyna lle buon nhw'n cerdded efo'i gilydd drwy'r nos.

A'r eneth fach yn gweiddi bob hyn a hyn, 'Coli! Coli! Tyrd yn ôl Coli!' yn ei llais trist.

Ond doedd dim siw na miw o Coli.

Felly o'r diwedd dyma'r ddau yn gorwedd gyda'i gilydd tu ôl i hen ffens. Cofleidiodd yr eneth fach yr aderyn a bu'n gysur iddi trwy oriau'r nos.

Pan ymddangosodd yr haul dros yr adeiladau a dweud ei bod hi'n fore, rhwbiodd y ferch fach ei llygaid a'u hagor. Ac yno'n sefyll o'i blaen roedd Coli. Neidiodd ar ei thraed a chofleidio'r ci gan droi i ddiolch i'r aderyn.

'Wnes i ddim byd,' meddai.

'O do,' gwenodd y ferch fach. 'Mi wnest ti aros efo mi a gwneud i mi deimlo'n well.' Gadawodd yr aderyn yr eneth fach a'i chi a cherddodd ymlaen am ddiwrnod arall, ei bengliniau'n honcian, ei ben yn siglo a'i gynffon lipa'n llusgo tu ôl iddo. O'r diwedd cyrhaeddodd y dref.

Roedd pawb yn cysgu. Pawb, ond un hen wraig oedd yn eistedd ar ei phen ei hun.

'Ar bwy wyt ti'n llygadrythu?' chwyrnodd wrth yr aderyn.

'Ar neb,' meddai. 'Ond mi wyt ti'n edrych yn drist, dyna i gyd. Petawn i fel adar eraill mi fuaswn i'n canu cân i godi dy galon.'

'Dydw i ddim eisiau i neb godi fy nghalon!' chwyrnodd yr hen wraig. 'Dydw i ddim eisiau gweld neb o gwbl.' Ac yna dechreuodd lefain. 'Pwy ydw i'n geisio dwyllo?' llefodd. 'Rydw i'n unig am fy mod wedi bod yn gas efo pobl ar hyd fy mywyd. Cas efo'm gŵr. Efo'm plant. A'm ffrindiau.' A chyn iddi gael gorffen dyma'r awyr yn agor a dyma hi'n dechrau bwrw glaw.

'Rwyt ti'n gwlychu,' meddai'r aderyn. 'Mi gei di annwyd!' Dyma fo'n sboncio at wal gyfagos a thaenu ei gynffon lipa dros ei phen a'i hysgwyddau. A dyna sut y treuliodd y nos, gyda'r glaw yn dripian i lawr ei gynffon lipa a'r hen wraig yn swatio oddi tani.

Erbyn i'r haul godi i groesawu diwrnod arall roedd y glaw wedi peidio.

'Diolch i ti,' meddai'r wraig wrth yr aderyn. Ac yn wir llwyddodd i roi gwên fach iddo. 'Mae'n dda gwybod bod gen i un ffrind yn y byd yma, beth bynnag.'

Aeth yr aderyn ymlaen ar ei daith unwaith eto, ei bengliniau'n honcian, ei ben yn siglo a'i gynffon lipa, wlyb yn llusgo tu ôl iddo.

Roedd hi wedi tywyllu pan gyrhaeddodd y ddinas. Ond roedd digonedd o sŵn ar y strydoedd. Felly dyma fo'n mynd draw i'r stryd gefn i gael lle distaw i gysgu.

Ond fel yr oedd o'n gwneud ei hun yn gyffyrddus, dyma fachgen bach yn rhuthro rownd y gornel. Roedd o'n chwythu a phwffian ac yng ngolau'r lleuad roedd ei wyneb cleisiog yn biws, du a glas.

'Beth sy'n bod?' gofynnodd yr aderyn.

'Maen nhw ar fy ôl i,' meddai'r plentyn a'i wynt yn ei ddwrn. 'Bwlis. Maen nhw wedi fy nghuro unwaith ac maen nhw'n mynd i wneud eto!'

'O diar,' ochneidiodd yr aderyn. 'Petawn i fel adar eraill, mi fuaswn i'n gallu dy godi yn fy nghrafangau cryfion a mynd â ti i ddiogelwch. Ond dydw i ddim fel adar eraill. Felly dyma beth ydw i'n mynd i'w wneud...'

Dyma'r aderyn yn mynd â'r bachgen i'r gornel dywyllaf. Yna dyma fo'n lledaenu ei adenydd a'i gynffon cyn hired ag y gallai a'u lapio rownd y bachgen. Pan oedden nhw'n rhuthro heibio yr unig beth allai'r bwlis weld oedd bwndel tywyll.

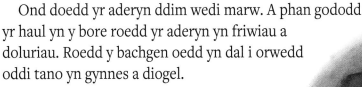

'Dacw fo!' medden nhw gan daflu cerrig a briciau at yr aderyn. Ond pan wnaethon nhw edrych yn fanylach, dyma un ohonyn nhw'n dweud, 'Nid y fo ydi o. Dim ond aderyn hyll, marw sydd yna.'

Ond doedd yr aderyn ddim wedi marw. A phan gododd yr haul yn y bore roedd yr aderyn yn friwiau a doluriau. Roedd y bachgen oedd yn dal i orwedd oddi tano yn gynnes a diogel.

Diolchodd y bachgen i'r aderyn. Ond pan edrychodd ar yr aderyn, yr unig beth allai'i wneud oedd pwyntio ato a dweud, 'Edrych! Rwyt ti'n wahanol!'

Ac yn wir mi roedd. Roedd ei gefn a'i gynffon yn stribynnau o biws a du a glas a'r rheiny wedi'u gorchuddio â phatrymau o ddiferion glaw. A phan agorodd ei big, dechreuodd ganu cân,

'Col-Col-Coli!'

'Wyt ti'n gweld,' pelydrodd yr haul. 'Dy ddawn oedd bod yn garedig ac mae hynny'n dod o galon gariadus. Ac yn awr bydd arwyddion o dy garedigrwydd efo ti am byth, er mwyn i'r byd i gyd gael gweld.'

A dyna sut y daeth yr aderyn paun yn un o'r adar harddaf o'r holl adar!

Y Teigr yn Bwyta'r Mwnci

Eisteddai'r Teigr yn ddistaw bach yng nghysgod y goeden tamarind. Yno roedd o'n disgwyl. Disgwyl i ryw greadur esgeulus ddod o fewn cyrraedd ei grafangau brawychus.

Dyna lle'r oedd y Gwningen yn llonydd ar ben y goeden tamarind. Roedd hi'n gwylio. Gwylio rhag ofn y deuai'r Teigr, wrth gwrs. Ond doedd ganddi ddim syniad yn y byd fod ei gelyn yn cuddio oddi tani.

Yn sydyn, dyma griw o fwncïod yn honcian ar draws y jyngl gan dorri ar draws y distawrwydd gyda'u hwtian a'u sgriffinio a'u sgrechian.

O un i un dyma nhw'n honcian heibio'r goeden tamarind ond dyma'r mwnci olaf, y lleiaf ohonyn nhw, yn honcian braidd yn rhy agos i'r Teigr.

'Dyma fi wedi dy ddal di!' chwyrnodd y Teigr gan afael yng nghynffon y mwnci a mynd ati i'w lowcio.

'Un munud!' galwodd y Gwningen o ben y goeden. 'Beth wyt ti'n feddwl wyt ti'n wneud?'

'Bwyta mwnci,' meddai'r Teigr yn ddidaro. 'Beth ydi dy fusnes di?'

'Dim o gwbl,' atebodd y Gwningen. 'Cyn belled nad wyt ti'n malio edrych yn dwp.'

'Twp?' meddai'r Teigr yn ddryslyd. 'Sut?'

'Mae'n amlwg yn tydi?' ochneidiodd y Gwningen. 'Nid dyna'r ffordd i fwyta mwnci!'

Edrychodd y Teigr ar y Mwnci. Edrychodd y Mwnci ar y Teigr. Roedd y ddau yn edrych braidd yn ddryslyd.

'Gwranda,' meddai'r Gwningen. 'Mae'n ddigon syml. Dydi mwncïod ddim i fod i gael eu llyncu ar un cegaid. Na! Mae mwncïod i gael eu mwynhau fesul darn. Dyna pam mae rhaid taflu'r mwnci i'r awyr bob amser a'i ddal efo dy ddannedd. Fel bwyta cneuen

neu ddarn o
ffrwyth. Mae pawb
yn gwybod hynny.'

'Pawb?' meddai'r
Teigr, gan edrych unwaith eto
ar y Mwnci.

'Pawb,' meddai'r Mwnci gydag atal dweud a nodio'i
ben gan obeithio bod y Gwningen yn gwybod beth oedd hi'n
wneud.

'Wel, dydw i ddim eisiau dangos fy hun yn dwp,' meddai'r Teigr o'r diwedd.
'Felly, dyma ni!' A thaflodd y Mwnci bach i fyny i'r awyr.

'Nawr agor dy geg a chau dy lygaid,' galwodd y Gwningen. 'Mi fydd hwn yn
blasu'n ARDDERCHOG!' Ar hyn dyma'r Gwningen yn cythru i'r Mwnci a'i dynnu i
ddiogelwch a gollwng ffrwyth chwerw y goeden tamarind yn ei le!

Daliodd y teigr y ffrwyth yn ei geg agored. Daliad perffaith. Ond yn hytrach na chig
melys y Mwnci llanwyd ei geg â'r peth mwyaf erchyll
roedd o erioed wedi'i flasu. Dyna lle'r oedd y teigr
yn poeri a hisian a rhuo, ond roedd y blas yn dal i
aros yn ei geg.

Ffwrdd â fo i'r afon i olchi'r blas ofnadwy
o'i geg. Ar ôl iddo fynd daeth y Gwningen a'r
Mwnci i lawr o ben y goeden.

Dechreuodd teulu'r Mwnci hwtian a
bloeddio cymeradwyaeth gan honcian
eu ffordd yn ôl i'r jyngl. Dim ond
gwenu wnaeth y Gwningen.

Roedd hi mor hapus nad oedd
y Teigr, eto, wedi dysgu'r
ffordd i fwyta mwnci.

Tom Ddiog

Bachgen diog oedd Tom, mab y ffermwr. Roedd pawb yn gwybod a doedd o ddim ofn cyfaddef hynny. Roedd i fod i ofalu am y gwartheg, neu helpu allan yn y caeau. Ond roedd hi mor braf cael mynd am dro ar hyd y llwybrau yng nghysgod y gwrychoedd yn cnoi darn o wellyn a hamddena drwy'r dydd.

Yna clywodd Tom rywbeth – sŵn clic-clec o ochr arall y gwrych. Meddyliodd mai wiwer oedd yna ar y dechrau neu hyd yn oed aderyn. Ond pan oedd y sŵn yn mynd ymlaen ac ymlaen, ar guriad cryf a chyson, dechreuodd fynd ati i chwilio. Yna, aeth yn ddistaw bach rownd ymyl y gwrych a sbecian.

Nid wiwer oedd yno. Nac unrhyw fath o aderyn chwaith. Na, dyn bach, bach oedd yno wrthi'n morthwylio pâr o esgidiau bychan, bach.

'Coblyn!' meddyliodd Tom. 'Dyma fy nghyfle i ddod o hyd i ffortiwn!'

Brasgamodd Tom yn gyflym tuag at y dyn bach, bach, heb dynnu ei lygaid oddi arno am eiliad. Oherwydd gwyddai Tom petai'n tynnu ei lygaid oddi ar y coblyn byddai hynny'n rhoi cyfle iddo ddianc. Ymlusgodd Tom yn agosach ac agosach ato. Daliai Tom i gadw'i lygaid ar y dyn bach, bach oedd yn dal i guro gyda'i forthwyl ac ni symudodd y coblyn un centimetr nes y cythrodd Tom ynddo â'i ddwy law a'i godi i'r awyr.

'Dyma fi wedi dy ddal di!' galwodd Tom. Ac er iddo wingo a stryffaglio ni fedrai'r coblyn ddod yn rhydd.

'Beth wyt ti eisiau, felly?' ochneidiodd y coblyn. 'Ac mae'n rhaid i ti fod yn sydyn. Mae gen i waith i'w wneud. Ond dwyt ti ddim yn gwybod fawr ddim am hynny,' ychwanegodd. 'Os nad ydw i'n camgymryd, Tom ddiog, mab y ffermwr wyt ti.'

'Ie'n wir,' gwenodd Tom.

'Ond cyn bo hir mi fydda i yn "Tom Cyfoethog" a fydd dim angen i mi godi bys bach i wneud hynny. Oherwydd dydw i ddim eisiau dim mwy na dim llai nag i ti fynd â fi at gawg o aur!'

Ochneidiodd y coblyn unwaith eto. 'Yna mi wna i ddangos i ti lle mae o,' meddai. 'Gafael di yn fy llaw a dilyn fi.'

Rhoddodd Tom y coblyn i lawr, gafaelodd yn ei law a'i ddilyn drwy'r borfa a'r coed a'r afon. O'r diwedd, fe ddaethon nhw i gae yn llawn o flodau glas prydferth. Dyma'r coblyn yn arwain Tom at flodyn rhywle tua'r canol ac yna stopiodd yn stond.

'Tyrcha yn fan 'ma,' meddai'r coblyn. 'Ac mi ddoi di ar draws cawg o aur.'

'Tyrchu?' gofynnodd Tom. 'Wnest ti ddim dweud gair am dyrchu!'

'Wel,' atebodd y coblyn. 'Dim ond addo dangos lle'r oedd y cawg wnes i. A dyma fi wedi gwneud hynny. Nawr, mae'n rhaid i ti gadw at d'addewid a gadael i mi fynd.'

'Iawn,' atebodd Tom. 'Ond mae'n rhaid i ti addo un peth arall i mi.' A chymerodd hances goch o'i boced a'i chlymu o gwmpas pen y planhigyn. 'Mi ydw i'n mynd adref i nôl rhaw. Mae'n rhaid i ti addo gadael yr hances yma nes dof i'n ôl.'

Edrychodd y coblyn ar yr hances. Edrychodd y coblyn ar Tom.

Yna gwenodd ei wên a nodiodd ei ben bychan.

'Mi wna i addo hynny, hefyd,' cytunodd. Yna diflannodd.

Brasgamodd Tom tuag adref ac ar ôl holi a stilio (oherwydd doedd

ganddo ddim syniad lle'r oedd ei gelfi) daeth o hyd i'r rhaw. Brysiodd nerth ei draed yn ôl i'r cae. Aeth drwy'r borfa, y coed a'r afon. Doedd o ddim wedi gweithio mor galed yn ei fywyd! Ond, pan gyrhaeddodd y cae o flodau glas prydferth, stopiodd yn stond, gollyngodd ei raw a llygadrythodd.

Roedd y coblyn wedi cadw'i addewid. Roedd hances Tom yn dal wedi'i chlymu i un o'r blodau glas. Ond roedd yna, hefyd, hancesi wedi'u clymu i bob un o'r blodau yn y cae anferth. Cant a mil ohonyn nhw. Doedd gan Tom druan ddim syniad pa un oedd yn perthyn iddo fo.

Fe allai fod wedi tyrchu pob un ohonyn nhw. Ond Tom ddiog oedd o wedi'r cwbl. Felly cododd ei ysgwyddau a chododd ei raw. Ac, yn sŵn switian yr adar a chleber y wiwer a sŵn morthwylio un coblyn bach slei, herciodd yn ôl ar ei ffordd tuag adref.

Y Mynach Bodlon

Un tro roedd 'na fynach tew, bodlon yn gwasanaethu brenin bach tenau.

'Rydw i'n llawer cyfoethocach na ti!' cwynodd y brenin wrth y mynach, un diwrnod. 'Eto edrych arna i. Dydw i'n ddim ond cymysgedd o gnawd ac esgyrn. Sut wyt ti bob amser mor hapus, twymgalon a llond dy groen?'

'Mae'n hollol syml,' chwarddodd y mynach. 'Rwyt ti'n poeni am lawer o bethau: casglu trethi a rhyfela. Poeni am hyn a'r llall sy'n dy wneud di'n denau. A minnau, rwy'n gofyn i Dduw ofalu am f'anghenion i gyd.'

'Mae mor syml â hynny, felly?' crechwenodd y brenin. 'Mi ydw i am roi rhywbeth i ti boeni amdano ac mi gawn ni weld pa mor hapus a thwymgalon fyddi di wedyn. Ymhen tri diwrnod bydd rhaid i ti ddychwelyd i'r palas efo atebion i'r tri chwestiwn yma: Beth ydi gwerth fy eiddo? Lle'n union mae canol y byd? Ac am beth ydw i'n meddwl? Os gwnei di ateb yn gywir, mi fyddi di werth dy bwysau mewn aur. Ond os byddi di'n anghywir, yna bydd dy gartref newydd yn y dwnsiwn tywyll.'

Gwenodd y brenin a disgynnodd cwmwl poenus dros wyneb y mynach tew.

'Yn awr, dos i ffwrdd!' gorchmynnodd y brenin. 'Ac mi gawn ni weld pa mor hapus fyddi di pan ddoi di'n ôl.'

Ar hyd y ffordd adref poenai'r mynach am y tri chwestiwn: 'Faint ydi gwerth y brenin? Lle'n union mae canol y byd? Ac am beth mae'r brenin yn meddwl? Sut yn y byd medra i ateb y cwestiynau hyn?' meddyliodd y mynach.

Roedd ei ben yn brifo. Ei stumog yn corddi. Ac roedd yn chwys drosto. Ond o'r munud hwnnw mi benderfynodd beidio â phoeni rhagor.

'Mi ydw i am wneud yr hyn fydda i'n wneud bob amser,' meddai wrtho'i hun. 'Mi wna i weddïo a gofyn i Dduw ofalu amdanaf.'

Bu'r mynach yn gweddïo am ddiwrnod cyfan. Ond doedd 'na ddim atebion.

Ond ar y trydydd diwrnod, fel yr oedd yn eistedd wrth y ffenest a'i ben i lawr, daeth ateb iddo a hynny mewn ffordd ryfedd iawn... Roedd rhywun yn curo ar y ffenest. Garddwr y mynach.

'Esgusodwch fi, Y Tad,' meddai'r garddwr. 'Mi ydw i wedi sylwi yn ystod y ddau ddiwrnod olaf yma nad ydych wedi gwneud dim ond penlinio wrth y ffenest yma. Oes 'na rywbeth o'i le?'

Gwahoddodd y mynach y garddwr i mewn a dywedodd wrtho am ei broblem anarferol. Ysgydwodd yr hen arddwr ei ben. 'Maen nhw'n gwestiynau anodd iawn, siŵr i chi. Ond rwy'n siŵr y galla i'ch helpu chi. Os gnewch chi un peth i mi.'

'Unrhyw beth!' cytunodd y mynach.

'Rhowch fenthyg eich urddwisg ddu i mi.'

Crafodd y mynach ei ben moel. 'Ond mae fy urddwisg yn llawer rhy fawr i chi,' meddai. 'Mi ydach chi hyd yn oed yn llai ac yn deneuach na'r brenin ei hun.'

'Yn hollol,' gwenodd y garddwr.

Ymhellach ymlaen y diwrnod hwnnw curodd y garddwr ar ddrws y palas. Roedd wedi'i orchuddio o'i ben i'w draed yn urddwisg ddu y mynach. A gwisgai gwfl du tew dros ei ben. Roedd y brenin wrth ei fodd pan welodd ef. 'Edrychwch arno!' meddai'r brenin yn llawen wrth un o'i warchodwyr. 'Mae tri diwrnod o boeni wedi'i wneud o'n deneuach nag ydw i!'

Ond pan ddechreuodd siarad â'r gŵr yn yr urddwisg, roedd ei wyneb tenau yn edrych yn llym.

'Ac yn awr am y tri chwestiwn,' meddai'n sarrug. 'Y cwestiwn cyntaf. Beth ydi gwerth fy eiddo?'

Arhosodd y garddwr am eiliad. Ac yna, gan geisio swnio mor debyg i'r mynach ag y medrai, atebodd, 'Dau ddeg naw darn o arian – a dim mymryn mwy.'

'Dau ddeg naw o ddarnau arian?' meddai'r brenin yn ddilornus. 'Rydw i werth llawer iawn mwy na hynna! Beth bynnag, sut yn y byd y meddyliaist am swm mor fach â hynna?'

'Wel, Eich Mawrhydi,' atebodd y garddwr. 'Mae pawb yn gwybod fod Iesu Grist wedi cael ei werthu am dri deg darn arian. Yn sicr, dydych chi ddim yn credu eich bod chi'n werth mwy nag ef?'

Yn awr, dyma dro'r brenin i aros a meddwl. 'Na... na, dim o gwbl,' meddai dan ei wynt. 'Ateb da.'

Yna edrychodd yn syth i gyfeiriad y dyn yn yr urddwisg. 'Ond beth am y cwestiwn nesaf,' aeth yn ei flaen. 'Lle'n union mae canol y byd?'

Curodd y garddwr ei droed yn ysgafn ar lawr y palas. 'Yn union o dan y llawr yma,' meddai'n bryderus. 'Ac mi ro i sialens i chi brofi 'mod i'n anghywir!'

Roedd y brenin mewn penbleth. Doedd o ddim yn gallu profi ble'n union oedd canol y byd mwy nag oedd y garddwr yn gallu. Felly aeth ymlaen i'r cwestiwn olaf.

'Dyma gwestiwn na fedri di mo'i ateb,' chwarddodd y brenin. 'Dywed wrthyf – am beth ydw i'n meddwl?'

'O, mae hwnna'n hawdd,' chwarddodd y garddwr yn ôl. 'Rydych chi'n meddwl mai fi ydi'r mynach!'

'Wrth gwrs fy mod i,' atebodd y brenin.

'Ond, na, nid fi ydi'r mynach,' meddai'r garddwr gan daflu ei urddwisg ddu, dew i ffwrdd. 'Ond roeddech chi'n meddwl mai fi oedd o. Ac felly roeddwn i'n gwybod i'r dim beth oeddech chi'n feddwl!'

Am funud roedd y brenin yn syfrdan.

A'r munud nesaf yn gas.

Ond pan sylweddolodd pa mor gyfrwys oedd y garddwr wedi bod, dechreuodd wenu ac yna am y tro cyntaf ers amser maith, dechreuodd chwerthin. Yna galwodd ar ei drysorydd.

'Mae'r gŵr hwn yn haeddu ei bwysau o aur,' cyhoeddodd y brenin. 'Ac mae'r mynach yn haeddu'r un peth. Mae o wedi dysgu gwers i mi i beidio â phoeni.'

Felly achubwyd y mynach rhag cael ei daflu i'r dwnsiwn.

Daeth y garddwr yn ŵr cyfoethog.

Ceisiodd y brenin boeni'n llai aml.

Ac yn y diwedd bu'r cwbl fyw yn hapus.

Olle a'r Ellyll

Doedd Olle erioed wedi gweld ellyll. Dim ond pump oed oedd o.

'Mae ellyllon yn hyll!' meddai'i fam. 'Mae ganddyn nhw drwynau rwden ac aeliau llwyn mafon duon.'

'Mae ellyllon yn ddigon i godi gwallt eich pen!' meddai'i dad. 'Mae eu cegau yn mynd o glust i glust a'u llaw chwith yn union fel pawen blaidd.'

'Mae ellyllon yn beryglus!' meddai'i rieni efo'i gilydd. 'Mi wnaeth Ellyll y Mynydd Mawr roi ein geifr gorau mewn sach mawr a mynd â nhw i ffwrdd. Ac os nad wyt ti'n ofalus mi fydd yn gwneud yr un peth i ti!'

Doedd Olle erioed wedi gweld ellyll. Ond petai o'n gweld un rhywdro byddai'n gwybod yn iawn beth fyddai'n wneud. Roedd ganddo darian bren. A dau ddarn o bren wedi'u morthwylio at ei gilydd i wneud cleddyf.

'Mi fuaswn i'n ei dorri'n ddarnau mân!' broliodd Olle wrth ei rieni. 'Mi wna i ofalu am yr Ellyll yna os daw o heibio yma eto.'

'Wnei di ddim o'r fath beth!' rhybuddiodd ei dad ef. 'Os bydd yr Ellyll yn dod i'r drws, cofia gloi'r drws yn dynn a galw arna i. A bydd yr Ellyll yn gadael llonydd i ti.'

Doedd Olle erioed wedi gweld ellyll. Ond roedd Ellyll y Mynydd Mawr wedi'i weld o. A phenderfynodd, un diwrnod, y byddai'n gwthio Olle i'w sach a mynd â fo i ffwrdd. Felly dyma fo'n disgwyl i rieni Olle fynd i'w gwaith, yna brasgamodd i lawr y Mynydd Mawr i dŷ Olle.

Ar y ffordd, rhoddodd guddwisg amdano.

Tynnodd gwfl dros ei ben hyll a lapiodd gadach o amgylch ei law chwith bawen blaidd. Gwargrymodd a cherddodd yn herciog ac edrychai'n union fel hen ŵr musgrell.

Cnociodd yr Ellyll ddrws tŷ Olle, ac edrychodd Olle'n ofnus drwy'r ffenest. Doedd Olle erioed wedi gweld ellyll. Ond doedd yr ymwelydd hwn ddim yn debyg o gwbl i'r creadur ofnadwy roedd ei rieni wedi'i ddisgrifio.

'Pwy sy 'na?' gofynnodd.

'Dim ond hen ŵr,' meddai'r Ellyll celwyddog mewn llais main. 'Rydw i wedi colli ceiniog wrth y drws. Dydi fy ngolwg ddim yr hyn oedd o'n arfer bod. Fedri di ddod yma i'm helpu i ddod o hyd iddi?'

'O na,' meddai Olle. 'Mae fy rhieni wedi fy rhybuddio i aros i mewn a chloi'r drws. Mae 'na ellyll hyll, drwg ar grwydr ac mae o'n mynd â bechgyn bach i ffwrdd.'

'Ydw i'n edrych fel ellyll hyll, drwg?' gofynnodd yr Ellyll.

'Wel... na,' cytunodd Olle. 'Ond os buaset ti mi fuaswn yn dy dorri'n ddarnau mân efo'm cleddyf.' A daliodd Olle ei gleddyf yn y ffenest.

'Mae'n anodd i mi weld o'r fan yma,' atebodd yr Ellyll. 'Efallai, petaet ti'n gadael i mi ddod i mewn...'

Doedd Olle ddim yn gwybod beth i'w wneud. Ond roedd yr hen ŵr yn edrych yn ddigon diniwed. Felly agorodd y drws.

Edrychodd yr Ellyll yn ofalus ar y cleddyf gan chwerthin yn ddistaw bach a disgwyl am y cyfle iawn i afael yn y bachgen.

'Mae'r Ellyll wedi dwyn ein geifr ni,' eglurodd Olle. 'Doedd gen i ddim cleddyf adeg hynny, ond petai gen i...'

'Geifr!' torrodd yr Ellyll ar ei draws. 'Geifr ddywedaist ti? Yn rhyfedd iawn, y bore yma, mi welais i yrr o eifr, i fyny ar ochr y Mynydd Mawr.'

'Ond i fyny acw mae'r Ellyll yn byw!' meddai Olle.

'Beth am i mi fynd â ti yno?' meddai'r Ellyll yn gyfrwys. 'Ac mi ddown ni â'r geifr yn ôl!'

'Ie, os gweli di'n dda!' meddai Olle. 'Mi fydd fy rhieni wedi cael braw go iawn.'

'Mi fyddan nhw'n wir,' gwenodd yr Ellyll. Ac i ffwrdd â nhw. Ond nid cyn i Olle roi ei gleddyf yn ei wregys a gwthio tafell fawr o fara i'w boced. Doedd Olle erioed wedi gweld ellyll (er fod 'na un yn cerdded wrth ei ochr!). Felly, doedd o

95

ddim yn gwybod dim am gyfrinachau'r ellyll. Wyddai Olle ddim petai ellyll yn derbyn rhodd gan rywun, yna doedd yr ellyll ddim yn gallu gwneud dim drwg i'r person hwnnw.

Roedd hi'n daith hir i fyny'r Mynydd Mawr. Hanner ffordd i fyny teimlai Olle'n llwglyd. Eisteddodd ar y gwair, tynnodd y dafell fara o'i boced a thorri darn i ffwrdd. Ac yntau'n fachgen bonheddig cynigiodd ddarn o fara i'r Ellyll.

'Na, na, dim diolch,' meddai'r Ellyll yn bendant (oherwydd gwyddai am gyfrinachau'r ellyll yn well na neb). A hefyd roedd yr amser wedi dod i roi Olle yn ei sach.

Ond roedd rhaid gwneud hyn yn y ffordd gywir. Doedd 'na ddim pwynt, meddyliodd yr Ellyll, i gydio yn y bachgen bach os nad oedd rhywun o gwmpas i'w weld o'n stryffaglio a sgrechian a gwingo!

Felly gwenodd yr Ellyll ei wên faleisus ac meddai, 'Dywed wrtha i, Olle, beth fyddet ti'n wneud petawn i ddim yn hen ŵr ond yn hytrach yn Ellyll hyll, drwg?'

Edrychodd Olle ar yr Ellyll a gwenodd. 'Mae hynna'n wirion,' meddai. 'Ti ydi'r dyn mwyaf bonheddig ydw i wedi'i gyfarfod erioed.'

Wel, roedd yr Ellyll wedi'i blesio efo'i jôc ddrygionus. Taflodd ei ben yn ôl, agorodd ei geg fawr lydan a chwarddodd dros y lle.

A buasai wedi chwerthin a chwerthin a chwerthin oni bai fod Olle wedi gweld ei gyfle i rannu yr hyn oedd ganddo'n weddill o'r bara.

Taflodd ddarn – darn crwn – yn syth i mewn i geg agored yr Ellyll. Ac, er fod yr Ellyll wedi chwyrnu, tagu a phesychu, doedd yna ddim allai'i wneud yn y diwedd ond llyncu'r bara. Ac roedd hynny'n golygu, wrth gwrs, na allai wneud unrhyw niwed i Olle.

Yn wir, i'r gwrthwyneb. Arweiniodd yr Ellyll Olle at y geifr coll a gwyliodd yn siomedig y bachgen bach o fugail yn eu harwain i lawr o'r mynydd ac allan o'i olwg.

Roedd 'na lawenydd mawr pan ddychwelodd Olle a'r geifr adref. Roedd ei rieni wedi rhyfeddu. A'u ffrindiau. Ond roedd Olle braidd yn siomedig.

'Rydw i wedi bod yr holl ffordd i ben y Mynydd Mawr ac yn ôl,' cwynodd. 'Ac eto dydw i ddim wedi gweld ellyll!'

Y Dyn Dur

O un i un, roedd dynion y gwaith dur yn hwfftian a phwffian a bustachu i godi darn hir o ddur. Roedd hi'n gystadleuaeth. Cystadleuaeth oedd yn digwydd unwaith y flwyddyn yng nghysgod myglyd y felin ddur. A hynny er mwyn gweld pwy oedd y dyn cryfaf yn nghyffiniau'r gwaith dur.

Ond fel roedd yr haul yn machlud yn gymysg â'r huddygl a'r mwg o'r ffwrnais doedd yr un ohonyn nhw wedi llwyddo i godi'r darn trymaf un.

Yn sydyn dyma nhw'n clywed rhywbeth – Bwm! Bwm! Bwm! Roedd y ddaear yn crynu. Ac o'r diwedd dyma nhw'n ei weld o'n brasgamu drwy'r gwyll, gan daro ei esgidiau blaenau dur ar y llawr – cawr o ddyn oedd beth bynnag yn naw troedfedd o daldra, dwylo fel rhawiau a phen yn llawn o wallt brown.

Ymlwybrodd drwy'r dorf, yn syth at y trawst trymaf o ddur. Lapiodd un dwrn blewog o'i gwmpas a'i godi i fyny dros ei ben!

Daliodd y dorf ei hanadl. Doedden nhw erioed wedi gweld neb cyn gryfed. Gogwyddodd y dyn ei ben yn ôl a chwerthin – sŵn tebyg i rymblan a rholio fel mae dur yn ei wneud wrth fyrlymu a berwi yn y ffwrnais.

'Rhowch gyfle i mi gyflwyno fy hun,' rhuodd. 'Fy nhad oedd yr haul, oedd yn boethach nag unrhyw ffwrnais. Fy mam oedd y Fam Ddaear ei hun. Ac mi gefais i fy ngeni yng nghrombil mynydd oedd yn llawn mwynau. Y fi ydi'r dyn sydd wedi'i wneud o ddur. A fy enw ydi Joe Magarac.'

Yn awr mae'n gyfle i'r dorf chwerthin. Oherwydd yn eu hiaith nhw ystyr 'magarac' ydi 'asyn'!

'Chwerddwch faint fynnwch chi,' chwarddodd y dyn mawr. 'Oherwydd yr hyn ydw i eisiau ei wneud ydi bwyta fel asyn a gweithio fel asyn!'

Dechreuodd y gweithwyr dur chwerthin unwaith eto a churo dwylo a chymeradwyo. Yna fe ddaethon nhw at Joe a chyflwyno eu hunain.

Ond yn y felin ddur, mewn ystafell ffansi lle'r oedd y meistri'n gweithio, roedd 'na ddyn arall – y Pennaeth. Y fo oedd perchennog y felin ddur. Pwysodd ei wyneb ar y ffenest, a thrwy'r parddu a'r mwg gallai weld beth oedd yn digwydd yn yr iard oddi tano.

'Mae'n ddyn cryf.' Gwenodd y Pennaeth. 'Felly mi wna i'i gyflogi fo i weithio i mi. Efallai wedyn na fydd angen i mi gyflogi llawer mwy.'

Bob diwrnod yr un oedd y drefn i Joe. Llowciai bwcedaid o lo a golchi'r cyfan gyda phowlaid o gawl dur, chwilboeth. Wedyn brasgamai i'r felin gan bigo'i ddannedd â chŷn caled, oer.

Gafaelai mewn pentwr o ddarnau o draciau rheilffordd gydag un fraich, a deg tunnell o fwynau haearn efo'r llall. Yna eu cario nhw i Ffwrnais Rhif Naw a'u taflu i mewn. Yna rhawio'r glo i mewn a thanio'r cyfan trwy glecian ei fys a'i fawd.

Dechreuai'r sylweddau yn y ffwrnais doddi – yn goch, oren a melyn ac yna'n wynias. Ond doedd y gwres uchel ddim yn poeni rhyw lawer ar Joe. Na, dyma fo'n rhoi ei fraich i mewn a dechrau'i droi. 'Mae o'n goglais rywsut,' chwarddodd.

Ac yna, fel roedd y sylweddau'n oeri, yn dew a gludiog, dyma Joe'n gafael mewn dyrnaid a'i wasgu'n dynn. A thrwy ei fysedd diferodd pedwar trawst dur perffaith.

O ddydd i ddydd, o wythnos i wythnos, o fis i fis roedd y

trawstiau'n cynyddu. Nes yn y diwedd roedd y warws yn llawn. A'r iard y tu allan. Ac, o'r diwedd, y felin i gyd.

A dyna pryd y daeth y Pennaeth o'i ystafell ffansi. 'Fechgyn!' bloeddiodd. 'Mae gen i newydd drwg i chi. Mae Joe Magarac wedi gwneud cymaint o ddur fel na fyddwn angen dim mwy am gryn dipyn o amser. Felly mi ydw i am i chi fynd adref. Mi alwaf arnoch os bydda i eisiau i chi weithio eto.'

Cerddodd y gweithwyr dur yn araf am adref. Dim gwaith, dim arian. A golygai hynny, hefyd, dim bwyd ar y bwrdd nac esgidiau am draed eu plant.

Dyna lle'r oedden nhw'n troi'n ôl i edrych ar y felin. Dim golau tân o'r ffwrneisi'n dawnsio ar ffenestri'r felin. Dim cymylau o fwg du yn mygu o'r cyrn simnai. Dim ond distawrwydd, tristwch a rhwd.

Dim ond Joe ei hun oedd tu mewn i'r felin, yn eistedd yn Ffwrnais Rhif Naw, a deigryn dur yn rhedeg i lawr ei foch ddur.

'Fy mai i ydi hyn i gyd,' sibrydodd wrth y waliau budron. 'Mi wnes i fwyta fel asyn a gweithio fel asyn a rŵan mae fy ffrindiau i gyd yn ddi-waith. Mae'n rhaid i mi wneud rhywbeth i'w helpu.'

Ticiai'r clociau yr oriau a'r dyddiau a'r wythnosau a'r misoedd yng nghartrefi'r gweithwyr dur. Roedd eu teuluoedd yn newynu. Eu gobeithion yn chwilfriw. Ac yna, un noson, fel roedd y cloc yn taro naw, dyma nhw'n gweld, i lawr y dyffryn, ffwrnais yn tanio yn y felin! Dyma nhw'n rhuthro o'u tai, i lawr y strydoedd culion. Ac i mewn â nhw i'r felin. A dyma nhw'n clywed y sŵn – yr union sŵn oedden nhw wedi'i glywed y noson y brasgamodd Joe drwy'r gwyll – y rymblo a'r rholio, yr union sŵn mae'r dur yn ei wneud fel mae'n byrlymu a berwi yn y ffwrnais.

Dyma nhw'n dilyn y sŵn i Ffwrnais Rhif Naw. Ac yno, yn y ffwrnais, roedd Joe Magarac yn arnofio yn y pwll dur gwynias.

'Joe! Tyrd allan!' gwaeddasant.

Dim ond chwerthin wnaeth Joe. 'Peidiwch â phoeni amdana i,' meddai. 'Y fi oedd yn gyfrifol eich bod chi i gyd wedi colli eich swyddi. Ac mi ydw i'n mynd i wneud iawn am hynna. Pan fyddai i wedi toddi'n llwyr, rydw i am i chi fy nhywallt i'r trawstiau dur oherwydd fy nur i ydi'r cryfaf sy'n bod. Yna mi ydw i am i chi chwalu'r hen felin yma a defnyddio fy nhrawstiau i adeiladu un newydd. Un llawer mwy. Un fydd yn rhoi gwaith i chi a'ch plant am flynyddoedd lawer.'

Yna meddai'r dyn mawr, 'Hwyl fawr!' ac yna diflannodd pen Joe Magarac i ganol y dur berwedig a welwyd byth mohono wedyn.

Gwnaeth y dynion yn union fel y dywedodd Joe. A'r flwyddyn wedyn roedd yna ornest i weld pwy oedd y dyn cryfaf yn yr iard ddur. A'r wobr? Y fraint o gael gofalu am y tanau yn Ffwrnais Rhif Naw – y ffwrnais lle'r oedd Joe Magarac wedi aberthu ei hun dros eraill yn nyffryn y gwaith dur.

Y Ffermwr Cyfrwys

Gosododd y Ffermwr Yasohachi'r poster lliwgar ar fur neuadd y pentref:

BORE SUL – DOWCH I WELD!

Y FFERMWR YASOHACHI YN DRINGO I'R NEFOEDD!

Roedd y bobl yn mynd heibio ac yn craffu. Rhai yn gwenu. Llawer mwy yn chwerthin. Ond doedd un person ddim yn hapus o gwbl. Y fo oedd meistr Yasohachi.

'Y Ffermwr Yasohachi!' gwaeddodd y meistr. 'Beth ydi dy feddwl di? Mae'r ffermwyr eraill wedi aredig eu caeau. Maen nhw'n barod i blannu. Ond mae dy gae di'n galed a charegog tra rwyt ti'n chwarae gemau gwirion!'

'O, dydyn nhw yn ddim yn wirion, ddim yn wirion o gwbl!' gwenodd y Ffermwr Yasohachi. 'Tyrd draw ddydd Sul i weld.'

Gwawriodd bore Sul ac roedd tyrfa fawr wedi dod i gornel cae y Ffermwr Yasohachi. Roedd mwyafrif y pentrefwyr yno, gan gynnwys meistr Yasohachi.

Gosododd y Ffermwr Yasohachi bolyn bambŵ enfawr yng nghanol y dorf. Yna ymgrymodd. Gwenodd a dechreuodd ddringo i fyny'r polyn.

Dringodd chwarter y ffordd i fyny.

Dringodd draean y ffordd i fyny.

Dringodd hanner ffordd!

Fel roedd y polyn yn gwegian a siglo, plygu a honcian, o'r diwedd disgynnodd Yasohachi a'r polyn i'r ddaear gyda chlec!

Roedd rhai yn cwyno. Eraill yn bwio. Ond doedd Yasohachi ddim wedi cynhyrfu, na, dim o gwbl. Glanhaodd ei hun, cododd y polyn a cherddodd yn dalog i gongl arall o'r cae.

Y tro hwn, tyrchodd y polyn i lawr i fwy o ddyfnder. Ymgrymodd unwaith eto, ac fel roedd y dyrfa yn sibrwd a gwylio a llusgo'u traed, dechreuodd ddringo –

Dringodd chwarter y ffordd i fyny.

Traean y ffordd.

Hanner y ffordd.

Deuparth y ffordd!

Ond, unwaith eto, dechreuodd y polyn siglo o ochr i ochr. Ceisiodd Yasohachi gadw'i gydbwysedd ond i ddim pwrpas, a syrthiodd i'r llawr unwaith eto gyda chlec!

'Ddim ddigon dwfn,' meddai dan ei wynt wrth y dyrfa. Ac roedd rhai ohonyn nhw'n cwyno erbyn hyn. Ond mi wnaethon nhw ei ddilyn unwaith eto i gornel arall o'r cae.

Unwaith eto tyrchodd Yasohachi'r polyn i'r ddaear. Ymgrymodd unwaith eto.

Dechreuodd ddringo unwaith eto. Ond doedd yr ymdrech hon fawr gwell. Disgynnodd Yasohachi unwaith eto i'r llawr!

'Na, os gwelwch yn dda,' galwodd ar y dyrfa, fel roedden nhw'n dechrau cerdded i ffwrdd. 'Un cyfle arall, rwy'n erfyn arnoch!'

Dechreuodd y dyrfa gwyno ac aflonyddu, ond, o un i un dyma nhw'n dilyn Yasohachi i gornel olaf y cae.

Dyna lle'r oedden nhw'n dechrau curo'u traed yn ddiamynedd, ac fel roedd y polyn yn dechrau gwegian, dyma nhw'n dechrau cerdded i ffwrdd yn flin.

Cododd Yasohachi ar ei draed a glanhau ei ddillad budron. Roedd o'n gwenu o glust i glust!

'Pam wyt ti'n gwenu, y dyn gwirion?' gofynnodd meistr Yasohachi. 'Yn hytrach nag aredig y tir y bore yma, dyma ti'n gwneud ffŵl ohonot dy hun o flaen y pentrefwyr i gyd!'

'Ffŵl?' gofynnodd Yasohachi. 'Dydw i ddim yn meddwl! Edrych yn ofalus ar y cae.'

Edrychodd meistr Yasohachi ac ysgydwodd ei ben mewn rhyfeddod, a chraffodd unwaith eto.

Gynt lle'r oedd rhannau caled o bridd, yn awr roedd y cae yn wastad a meddal yn barod i gael ei blannu. Roedd wedi'i drampio'n wastad gan draed y dyrfa oedd wedi dod i wylio'r Ffermwr Yasohachi!

Y Teigr yn Ceisio Twyllo

'Helpwch fi!' gwaeddai'r Teigr. 'Helpwch fi, rywun, os gwelwch yn dda!'

Roedd y Teigr wedi'i ddal. Yn ystod y nos bu daeargryn a rholiodd carreg enfawr ar draws ffrynt drws ei ogof dywyll. Ac felly doedd o ddim yn gallu dod allan.

'Helpwch fi! Helpwch fi, os gwelwch yn dda!' gwaeddodd unwaith eto.

A dyna pryd y sbonciodd y Gwningen heibio.

'Ti sydd yna, Teigr?' gofynnodd y Gwningen.

'Wrth gwrs mai fi sydd yma,' nadodd y Teigr. 'Gwthia'r garreg fawr 'na i ffwrdd a gad i mi ddod allan!'

Gwthiodd a gwthiodd y Gwningen ond ni allai symud y garreg fawr. Na, dim mymryn. Felly sgrialodd i ffwrdd i chwilio am help.

Daeth o hyd i'r Eliffant. Y Byfflo. A'r Crocodeil. Ac, ynghyd â'r Gwningen fe fuon nhw wrthi'n gwthio a gwthio a gwthio, nes o'r diwedd gwthiwyd y garreg fawr oddi ar geg yr ogof.

Llamodd y Teigr allan o'r ogof. Ond yn hytrach na dweud, 'Diolch yn fawr iawn' neu, 'Rwy'n hynod ddiolchgar!', dyma'r Teigr yn cythru i'r Gwningen gerfydd ei chlustiau a gweiddi, 'Dyma fi wedi dy ddal di!'

'Arhoswch am funud!' gwaeddodd y Gwningen ar y lleill. 'Rydw i wedi helpu'r Teigr i ddod allan o'i ogof a rŵan mae o am fy mwyta i. Dwn i ddim am y gweddill

ohonoch chi, ond dydw i ddim yn meddwl fod hyn yn deg.'

Edrychodd yr Eliffant a'r Byfflo a'r Crocodeil ar ei gilydd. Yna dyma nhw'n edrych ar y Teigr.

'Na,' medden nhw'n bryderus, o'r diwedd. 'Dydi o ddim yn deg, ddim yn deg o gwbl.'

'Ond mi ydw i wedi'i dal hi,' atebodd y Teigr. 'Rydw i wedi'i dal hi o'r diwedd. Ar ôl yr holl flynyddoedd hyn.'

'Edrychwch,' meddai'r Gwningen wrthyn nhw i gyd. 'Mae pawb yn gwybod mai'r Crwban ydi'r creadur mwyaf doeth a mwyaf teg yn y jyngl. Beth am i ni rannu ein trafferthion efo fo.'

Nodiodd yr Eliffant a'r Byfflo a'r Crocodeil. Roedden nhw'n hoffi'r syniad. Felly ochneidiodd a nodiodd y Teigr hefyd. 'Iawn,' cytunodd. 'Mi gawn ni sgwrs efo'r Crwban.'

Felly anfonwyd am y Crwban. Ond fel yr oedd yn cyrraedd, plygodd y Teigr a sibrwd yng nghlust y Crwban. 'Mae'n well i hyn fod o 'mhlaid i,' chwyrnodd. 'Mae 'na dipyn o amser wedi mynd heibio ers i mi flasu powlaid o gawl crwban!'

Edrychodd y Crwban ar y Teigr a chlirio'i wddf. Doedd o ddim yn hoffi bygythiadau. Na, dim o gwbl.

'Dywed wrtha i,' meddai. 'Beth sy'n dy boeni di?'

Dyma'r Teigr a'r Gwningen yn dechrau egluro ar yr un pryd. Felly, dyma'r Crwban yn rhoi taw arnyn nhw.

'Arhoswch, mae'n ddryslyd iawn pan fydd y ddau ohonoch yn siarad ar yr un pryd. Pam na wnewch chi ddangos i mi?' meddai. 'Dangoswch i mi beth ddigwyddodd.'

'Roeddwn i yn yr ogof,' eglurodd y Teigr.

'Felly i mewn â ti i'r ogof,' gorchmynnodd y Crwban.

'Roedd y garreg anferth,' eglurodd y Gwningen, 'ar geg yr ogof.'

'Felly dowch â hi yn ôl ar geg yr ogof,' gorchmynnodd y Crwban.

Felly dyma'r Gwningen a'i ffrindiau yn gwthio'r garreg fawr yn ôl – a dal y Teigr yn yr ogof!

'A beth ddigwyddodd wedyn?' gofynnodd y Crwban.

'Wel, mi es i chwilio am help,' meddai'r Gwningen. 'Ond y munud y daeth y Teigr yn rhydd dyma fo'n cythru amdana i a cheisio fy mwyta.'

'A,' gwenodd y Crwban, a'i lygaid disglair yn pefrio. 'Felly, petaet ti heb ollwng y Teigr yn rhydd, fyddai yna ddim problem o gwbl.'

'Na!' Erbyn hyn roedd y Gwningen yn gwenu hefyd. 'Na, fyddai yna ddim problem o gwbl.'

'Felly, beth am i ni adael pethau fel maen nhw,' cyhoeddodd y Crwban, 'a datrys y broblem hon cyn iddi ddechrau hyd yn oed.'

Diolchodd y Gwningen i'r Crwban am ei benderfyniad doeth. Cytunodd yr Eliffant, y Byfflo a'r Crocodeil.

A'r Teigr? Am a ŵyr neb, efallai ei fod o'n dal i eistedd yn yr ogof wedi pwdu hyd y dydd hwn.

Y Ddau Frawd

Un tro roedd dau frawd. Roedd Silverio, yr hynaf, yn ŵr cyfoethog iawn. Ond roedd o hefyd yn farus a dichellgar. Manoel oedd y brawd ieuengaf ac er ei fod yn onest a gweithgar roedd o'n dlawd.

Un diwrnod, gan na fedrai bellach edrych ar ei wraig a'i blant yn newynu, aeth Manoel i ymweld â'i frawd Silverio.

'Helpa fi, os gweli'n dda,' crefodd. 'Petaet ti ddim ond yn rhoi defnydd o un rhan o dy dir, mi fuaswn i'n medru tyfu digon o fwyd i fwydo'r teulu.'

Meddyliodd Silverio'n galed. Dyma oedd ei gyfle i wneud gweithred dda. Ond yn hytrach dyma fo'n penderfynu chwarae tric cas ar ei frawd druan.

'Iawn, wrth gwrs,' gwenodd Silverio yn slei bach. 'Ar ochr orllewinol fy stad mae darn o dir rydw i newydd ei brynu gan yr hen Tomaso. Fe gei di dyfu cnydau yn y tir hwnnw.'

Ymgrymodd a diolchodd Manoel i'w frawd. Yr hyn na wyddai oedd fod y darn tir yn ddiffeithwch – yn dda i ddim ond i dyfu ysgall a chwyn a llwyni ymledol.

Y diwrnod wedyn, aeth Manoel a'i wraig i edrych ar y tir.

'Fedra i ddim credu fod dy frawd barus yn barod i'n helpu,' meddai gwraig Manoel. 'Rwy'n siŵr nad ydi'r tir yma'n dir da.'

'Neu efallai fod fy mrawd wedi newid er gwell,' meddai Manoel yn obeithiol. 'Fe gawn ni weld.'

A dyna ddigwyddodd. Dim ond un edrychiad ar y tir ac roedden nhw'n gwybod eu bod wedi cael eu twyllo.

'Wnawn ni byth fwydo'n plant efo'r math yma o dir!' meddai gwraig Manoel yn ddagreuol. Ond fel roedd Manoel yn mynd i sychu ei dagrau, gwelodd rywbeth disglair, llachar a sgleiniog yng nghanol llwyn yn y diffeithwch.

Gafaelodd Manoel yn llaw ei wraig a chydgerdded tuag at y peth disglair. Roedden nhw'n credu mai ffrwyth enfawr efo croen caled oedd o, ond wrth ddynesu ato dyma nhw'n gweld mai nyth gwenyn oedd yno. Nyth enfawr wedi'i wneud o aur.

Curodd gwraig Manoel ei dwylo a chofleidio'i gŵr yn dynn.

'Rydym ni'n gyfoethog,' gwaeddodd. 'Rydym ni'n gyfoethog. Fe allwn brynu darn o dir ac ni fydd angen i ni boeni am fwydo'r plant byth mwy!'

Ond aros yno'n dawel wnaeth Manoel gan ysgwyd ei ben.

'Fy nghariad bach,' ochneidiodd. 'Dweud wnaeth Silverio y cawn ni ddefnyddio ei dir. Nid dweud y cawn ni gadw beth bynnag fyddwn ni'n ddarganfod yno. Mae nyth aur y gwenyn yn perthyn iddo fo.'

'Ond Manoel, Manoel!' cwynai'i wraig. 'Weithiau rwyt ti'n rhy onest. Mae dy frawd yn ceisio'n twyllo, ac yn awr rydym ni wedi cael y gorau arno. Fydd dim angen iddo fo wybod am y trysor hwn.'

'Na,' taerodd Manoel. 'Mae'n rhaid iddo gael gwybod. Dyna'r peth iawn i'w wneud. Y peth gonest.' Felly dyma'r ddau'n mynd law yn llaw i weld ei frawd.

'Nyth aur y gwenyn?' gwaeddodd Silverio, pan ddywedodd Manoel y stori wrtho. 'Dyna ddiddorol.' A dyma'i feddwl barus yn dechrau gweithio unwaith yn rhagor.

'Beth petai 'na fwy o nythod gwenyn?' meddyliodd. 'A beth petai fy mrawd a'i wraig ddim mor onest y tro nesaf? Na, mi ydw i'n meddwl y cadwa i'r tir i mi fy hun.'

'Mi wn i beth wna i,' meddai Silverio o'r diwedd. 'Mi ddylwn i fod wedi rhoi darn o dir mwy ffrwythlon i chi. Mae 'na ddarn o dir i'r de sy'n llawer gwell i dyfu cnydau.'

'Diolch,' meddai Manoel. 'Rwyt ti mor hael!' A ffwrdd â fo i weld y darn tir, oedd ar yr olwg gyntaf yn edrych yn dir da iawn.

Y munud hwnnw aeth Silverio ar ei daith i'r gorllewin cyn gynted ag y gallai ei geffyl ei gario. Ond pan gyrhaeddodd doedd yr un nyth aur i'w weld yno. Yr unig beth allai ei lygaid barus, dichellgar ei weld oedd nythod llwydaidd, cyffredin.

'Rydw i wedi cael fy nhwyllo!' cwynodd. 'Roedd Manoel wedi sylweddoli mai diffeithiwch oedd y tir hwn, felly dyma fo'n creu stori er mwyn i mi roi darn o dir gwell iddo.'

'Wel,' gwenodd yn faleisus, 'gawn ni weld pa un ohonom ni ydi'r twyllwr gorau yn y teulu.' A dyma fo'n cydio yn un o'r nythod gwenyn a'i roi yn ei fag lledr brown a mynd nerth ei draed i dŷ Manoel.

'Manoel!' galwodd ar ôl cyrraedd. 'Mae gen i newydd anhygoel i ti! Rydw i wedi dod ag un arall o'r nythod gwenyn arbennig yna i ti.'

'Pa mor hael?' meddai Manoel wrth ei wraig. 'Fel y gweli, dydi fy mrawd ddim mor ddrwg â hynny wedi'r cwbl.'

'Caewch y ffenestri,' gorchmynnodd Silverio. 'Dydyn ni ddim eisiau i neb ddwyn ein trysor gwerthfawr. Nawr, agorwch gil y drws ac mi wthia i'r nyth i mewn.'

Ufuddhaodd Manoel a phan oedd popeth yn barod gwthiodd Silverio y nyth gwenyn yn y bag lledr drwy gil y drws. Yna tynnodd y drws ar ei ôl yn glep a rhedodd i ffwrdd dan chwerthin.

Dyma'r gwenyn gwyllt yn suo a gwibio o gwmpas y stafell. Ond y munud y craffodd Manoel arnyn nhw dyma nhw'n troi'n aur ac yn syrthio, gan dincial fel darnau o arian ar y llawr. Yna dyma'r nyth ei hun yn troi'n aur. O'r diwedd, roedd Manoel a'i deulu yn gyfoethog.

Y diwrnod wedyn, aeth Manoel i ymweld â'i frawd unwaith eto.

Roedd Silverio wedi synnu. Doedd ei frawd ddim yn flin. Doedd ei frawd ddim wedi'i glwyfo. Yn wir, roedd yn gwenu fel roedd yn ymgrymu i'w frawd, ac meddai, 'Diolch i ti am rodd fendigedig.'

Yna, i ffwrdd â fo. Prynodd ddarn o dir ffrwythlon ac, i beri mwy o syndod i'w frawd barus, daeth yn un o'r ffermwyr cyfoethocaf yn y wlad!

Kayoku a'r Crychydd

Syrthiai'r plu eira'n wyn trwy awyr ddu y nos.

Cyrhaeddodd y gaeaf i'r mynydd lle'r oedd Kayoku, y torrwr coed, yn byw efo'i fam oedrannus.

'Dwi'n oer,' sibrydodd yr hen wraig wrth ei mab. Felly casglodd yntau hynny oedd ganddo o arian a ffwrdd â fo y bore dilynol i brynu cwilt i'w fam yn y pentref islaw.

Roedd hanner ffordd yno pan glywodd gri, a gwelodd grychydd gosgeiddig, gwyn, wedi'i ddal yn rhwyd yr heliwr creulon.

Teimlai Kayoku i'r byw dros yr aderyn hardd. Felly cymerodd ei gyllell a thorri'r rhwyd fesul darn nes o'r diwedd roedd y crychydd yn rhydd.

Fel roedd yr aderyn yn hedfan i ffwrdd, dyma'r heliwr, oedd wedi gosod y rhwyd, yn sleifio tu ôl i Kayoku.

'Beth wyt ti'n feddwl wyt ti'n wneud?' mynnodd. 'Rydw i wedi gweithio'n galed i ddal yr aderyn 'na a dyma ti wedi ei ollwng yn rhydd! Mae'n rhaid i ti dalu ei werth i mi.'

'Ond, dim ond ychydig iawn o arian sy gen i!' eglurodd Kayoku. 'Digon i brynu cwilt a dyna i gyd.'

'Mi wnaiff hynna'n iawn,' gwenodd yr heliwr. Ac felly rhoddodd Kayoku ei arian i gyd iddo.

Doedd dim angen iddo fynd i'r pentref rŵan. Felly aeth Kayoku'n syth adref a dweud y stori wrth ei fam. Dyma hi'n dweud wrtho ei bod hi'n hapus ei fod wedi achub a rhyddhau'r aderyn, ond roedd hi'n dal i rynnu'n ystod y nos ac yn dyheu am gael cwilt meddal, cynnes.

Yn hwyr y diwrnod canlynol, cnociodd rhywun ar ddrws Kayoku. Roedd hi'n dechrau tywyllu, felly agorodd y drws yn ofalus. Yno safai geneth – geneth brydferth – ei chroen cyn wynned â'r eira a'i gwallt yn ddu fel y frân!

'Mi ydw i'n unig!' eglurodd yr eneth. 'Ac mae hi'n mynd yn hwyr. Fyddai'n bosib i mi aros yma dros nos?'

Wyddai Kayoku ddim beth i'w wneud, ac edrychodd ar ei fam.

'Tŷ digon tlawd ydi hwn,' meddai.

'Yn enwedig i un mor hardd ag wyt ti!' ychwanegodd Kayoku, yn swil.

'Ond hwn ydi'r unig dŷ yn y cyffiniau,' plediodd yr eneth. 'Ac mi fydd hi'n tywyllu cyn bo hir.'

'Iawn, iawn,' meddai Kayoku, o'r diwedd. 'Os nad wyt ti'n hidio aros yn ein tŷ bach cyffredin ni, mi fyddwn ni'n ddigon hapus i dy groesawu.'

Felly arhosodd yr eneth brydferth yno drwy'r nos. Drwy'r nos breuddwydiodd Kayoku amdani. Meddyliwch am ei syndod fore drannoeth, pan gymerodd hi Kayoku o'r neilltu a gofyn iddo ei phriodi.

'Ond torrwr coed tlawd ydw i,' meddai. 'A thithau... rwyt ti'n ddigon o ryfeddod i fod yn dywysoges!'

'Ond ti ydw i'n ei garu,' meddai. 'Dy wyneb caredig. Dy galon hael. Mi fyddwn i wrth fy modd cael bod yn wraig i ti.'

Gofynnodd Kayoku i'w fam ac ymhen dim roedd ef a'r eneth hardd wedi priodi. Ond er eu bod yn hapus iawn, llusgo ymlaen oedd y gaeaf a dal i ddisgwyl oedd mam Kayoku am gwilt.

Un bore iasol, dywedodd gwraig Kayoku wrtho, 'Rydw i am wneud cwilt i dy fam. Rydw i am fynd i'm stafell ac aros yno am dridiau. Ac mae'n rhaid i ti addo peidio dod ar gyfyl y stafell.'

Meddyliodd Kayoku fod hyn yn rhyfedd. Ond, beth bynnag, addawodd iddi. A thridiau'n ddiweddarach daeth ei wraig allan o'i stafell. Edrychai'n welw, yn denau a blinedig. Ond yn ei dwylo roedd y cwilt prydferthaf oedd Kayoku wedi'i weld erioed. Roedd yn wyn – yn wyn fel yr eira – ac wedi'i wneud o blu o'r pen i'r gwaelod!

'Dyma gwilt prydferth!' gwirionodd mam Kayoku. 'Ond mae'n llawer rhy brydferth i bobl fel ni.'

'Mae'n gwilt o filoedd o blu,' eglurodd gwraig Kayoku. 'Ac os awn ni â fo a'i werthu

i'r arglwydd sy'n byw yn y pentref, rwy'n siŵr y bydd o'n rhoi digon o arian i ni brynu digon o gwiltiau cyffredin – a llawer mwy.'

Felly aeth Kayoku â'r cwilt i'w ddangos i'r arglwydd. A rhoddodd yr arglwydd nid yn unig ddwy fil o ddarnau aur amdano, ond gofynnodd am un arall hefyd.

'Dydw i... dydw i ddim yn sicr o hynny,' atebodd Kayoku ag atal dweud arno. 'Mae'r gwaith yn gwneud fy ngwraig yn denau a blinedig.'

Ond doedd yr arglwydd ddim yn barod i gymryd 'na' fel ateb. 'Tyrd â chwilt arall i mi,' meddai'n chwyrn. 'Neu mi fydd hi'n anodd iawn arnat ti a'r teulu i gyd!'

Felly dychwelodd Kayoku i'w dŷ bach ar ochr y mynydd, mor hapus o glywed tincial yr arian yn ei fag, ond braidd yn boenus o gofio beth oedd gofynion yr arglwydd yn ei olygu i'w wraig brydferth.

Ac fel yr ofnai dyna'n union a ddigwyddodd. Pan ddywedodd wrth ei wraig fod yr arglwydd angen cwilt arall, daeth y blinder yn ôl i'w llygaid.

'Mi fydd hwn yn cymryd wythnos,' ochneidiodd. 'Ac, unwaith eto, mae'n rhaid i ti addo peidio â dod yn agos i'm stafell.'

Addawodd Kayoku ac, fel y gwyliai ei wraig yn cau'r drws, yr unig beth a feddyliai oedd cymaint oedd yn ei charu.

Arhosodd am un diwrnod, dau ddiwrnod, tri diwrnod. Ond ar ganol y seithfed diwrnod, ni allai Kayoku ddal dim mwy. Galwodd enw ei wraig, ond doedd 'na ddim ateb. Curodd y drws – dim ateb eto. Ac yna, ni allai reoli ei boen na'i ofn, ac agorodd y drws yn llydan agored. Daliodd ei anadl!

Nid ei wraig oedd yn sefyll yno o'i flaen ond yn hytrach crychydd tal a gosgeiddig

112

heb yr un bluen ar ei gorff. Ac wrth draed y crychydd dyna lle'r oedd cwilt prydferth arall.

'Y fi ydi'r crychydd wnest ti'i ollwng yn rhydd o rwydau'r heliwr,' eglurodd yr aderyn. 'Ac fel arwydd o ddiolch am dy garedigrwydd, mi gymerais ffurf geneth brydferth a phenderfynu bod yn wraig i ti am byth. Ond yn awr… rwyt ti wedi gweld fy ffurf iawn. Ac felly'n anffodus mae'n rhaid i mi d'adael.'

Ac ar hynny, agorodd y ffenest led y pen a llanwyd y stafell â haid o grychyddion. Dyma nhw'n lapio eu hadenydd o gwmpas y crychydd noeth a'i gario i ffwrdd ac i fyny â nhw i'r awyr. Bellach doedden nhw ddim ond fel plu eira yn disgyn yn dyner a gwyn yn erbyn düwch ochr y mynydd.

Ac er fod Kayoku wedi gwerthu'r ail gwilt a dod yn ŵr cyfoethog, roedd o'n dal i deimlo'n dlawd byth mwy. Welodd o mo'i wraig-grychydd byth wedyn.

113

Y Ddwy Chwaer

Unwaith roedd gwraig a dwy ferch yn byw gyda'i gilydd. Roedd yr hynaf yn anghwrtais a blin, yn union fel ei mam. Ond roedd y ferch ieuengaf yn garedig a thyner. Ac am hynny, roedd y ddwy wraig arall yn cymryd mantais arni a'i gorfodi i wneud y gwaith tŷ caletaf.

'Dos efo'r bwced yma,' gwaeddodd y fam ar ei merch ieuengaf, un diwrnod. 'I nôl dŵr o'r ffynnon.'

Yn anffodus, roedd y ffynnon daith hanner awr i ffwrdd. Ac roedd y bwced yn drom iawn. Ond gwenu wnaeth y ferch ieuengaf ac ufuddhau.

Cododd y bwced. Cerddodd a cherddodd a cherddodd. Ac o'r diwedd pan gyrhaeddodd y ffynnon, llanwodd y bwced a'i throi hi am adref.

Ar ei ffordd, daeth ar draws hen wraig.

'O! Mi ydw i mor sychedig, 'y ngeneth i,' ymbiliodd yr hen wraig. 'A does gen i ddim pwced. Fedri di, os gweli'n dda, roi diod bach i mi o'r bwced?' Teimlai'r ferch ieuengaf i'r byw dros yr hen wraig.

'Wrth gwrs!' atebodd. 'Tyrd, mi wna i dy helpu.' A chododd y bwced drom at wefusau'r hen wraig.

Yr hyn na wyddai oedd mai tylwyth teg mewn cuddwisg oedd yr hen wraig!

'Diolch i ti, 'ngeneth bach,' meddai'r hen wraig wrth iddi sychu ei gwefusau

114

â'i llawes. Mae dy eiriau caredig a dy weithredoedd cyn dlysed â'r blodau ac mor werthfawr â thlysau. Felly o hyn ymlaen, bob tro y byddi'n siarad, dyna fydd yn dod allan o dy geg di.'

Roedd hyn yn gryn ddryswch i'r ferch ieuengaf. Dyma'r peth rhyfeddaf oedd neb erioed wedi'i ddweud wrthi. Ond doedd hi ddim eisiau brifo teimladau'r hen wraig, felly gwenodd yn foneddigaidd a chariodd y bwced drom yn ôl adref.

'Lle'r wyt ti wedi bod?' gwaeddodd ei mam, pan gerddodd y ferch drwy'r drws. 'Mi rydan ni bron â marw o syched.'

Ond pan ddechreuodd y ferch ieuengaf egluro, dyma ruddemau, rhosynnau, cennin Pedr a diemwntau yn llifeirio allan o'i cheg.

Roedd ei mam wedi rhyfeddu, a'r munud hwnnw dyma hi'n galw ar ei merch hynaf.

'Yli!' gorchmynnodd gan daflu'r bwced tuag at ei merch hynaf. 'Dos â'r bwced yma i'r ffynnon a'i llenwi!'

'Dos â hi dy hun!' arthiodd y ferch hynaf yn ôl. 'Dydw i ddim yn gwneud y math yna o waith.'

'Wel, mae'n rhaid i ti wneud heddiw,' arthiodd ei mam yn ôl. 'Ac os bydd hen wraig yn gofyn i ti am ddiod o ddŵr, cofia di roi peth iddi. A bydd gemau a thlysau'n llifeirio o dy geg dithau, hefyd.'

Felly troediodd y ferch hynaf yn llafurus i'r ffynnon, gan gwyno ac ochneidio ar hyd y ffordd. Llanwodd y bwced a'i chychwyn hi am adref. Ond yn lle hen wraig, ymddangosodd tywysoges hardd. Hon oedd y tylwyth teg, wrth gwrs, ond mewn cuddwisg hollol wahanol!

'Mi ydw i mor sychedig,' meddai'r dywysoges. 'Tybed wnei di adael i mi gael llymaid o ddŵr?'

'Pwy wyt ti'n feddwl ydw i?' cythrodd y ferch hynaf. 'Un o dy forynion bach? Os wyt ti eisiau llymaid o ddŵr, dos i'w nôl o dy hun!'

'O, wela i,' meddai'r dywysoges. 'Mae dy eiriau caled a dy weithredoedd mor greulon â nadroedd ac mor hyll â brogaod. Felly, o hyn allan, bob tro y byddi'n siarad, dyna fydd yn dod allan o'th geg.'

'Y wraig dwp,' meddyliodd y ferch hynaf. A phan ddychwelodd adref a cheisio egluro beth oedd wedi digwydd, daeth melltith y tylwyth teg yn wir. Llamodd brogaod, madfallod a nadroedd o'i cheg agored.

'Rwyt ti wedi'n twyllo ni,' gwaeddodd y fam ar ei merch ieuengaf. 'Edrych beth wyt ti wedi'i wneud i dy chwaer!'

'Ond nid fy mai i ydi o, Mam!' plediodd y ferch, a gem yn dod allan gyda phob gair oedd yn dod allan o'i cheg.

'Dos oddi yma,' gwaeddodd ei mam. 'Dos oddi yma â phaid byth â dod yn ôl!'

Gadawodd y ferch ieuengaf. A thra roedd ei mam a'r ferch hynaf yn ymladd yn erbyn nadroedd a brogaod am weddill eu bywydau, daeth y ferch ieuengaf ar draws tywysog hardd a ofynnodd iddi ei briodi.

A bu'n teyrnasu gydag o – â geiriau mor brydferth â blodau a gweithredoedd mor werthfawr â gemau. A bu fyw'n hapus am byth.

116

Y Bwystfilod Hunanol

Un noson roedd y Llew, Y Fwltur a'r Hiena wrthi'n bwyta antelop.

'Rydw i wedi bod yn meddwl,' meddai'r Llew. 'Mae'r tri ohonom yn ffrindiau. Rydym ni yn hoffi'r un math o fwyd. Pam na wnawn ni fyw gyda'n gilydd?'

'Syniad ardderchog,' gwawchiodd y Fwltur fel roedd wrthi'n glanhau ei asgwrn yn lân.

'Fedra i ddim cytuno mwy!' clepiodd yr Hiena. 'Ond dwi'n credu y dylem ni gael rheolau i ddechrau, fel na fyddwn ni'n tramgwyddo'n gilydd.'

'Wel, dim ond un peth sy'n fy mhryderu i,' rhuodd y Llew. 'A hynny ydi llygadrythu. Fedra i ddim dioddef neb yn llygadrythu arna i. Mae o mor anghwrtais!'

'O, dydw i ddim yn malio dim am hynny,' gwawchiodd y Fwltur. 'Ond mae o'n fy nhramgwyddo os ydi rhywun yn gwneud sbort am ben y plu sydd ar fy mhen. Maen nhw mor brydferth a chain; fy nifyrrwch pennaf!'

'Yr hyn fedra i mo'i ddioddef,' meddai'r Hiena, 'ydi hel straeon! Dydw i ddim yn berffaith. Mi wna i gyfaddef hynny. Mae fy nghoesau blaen yn hirach na'r rhai ôl. Ond pan fydda i'n sylweddoli fod anifeiliaid eraill wedi bod yn siarad amdana i, mi fydda i'n mynd yn wallgof!'

Felly dyma'r Llew, y Fwltur a'r Hiena yn mynd i fyw gyda'i gilydd. A bore drannoeth, pan oedd y Llew yn dylyfu gên a'r Fwltur yn paratoi brecwast, aeth Hiena allan am dro.

Ac fel roedd o'n rhoi ei droed tu allan i'r drws, meddai'r Llew wrth y Fwltur, 'Wn i ddim pam fod Hiena mor groendenau pan mae'n sôn am ei goesau. Yn sicr byddai'n llawer gwaeth petai ei goesau i GYD yn fyr.'

Yr hyn na wyddai'r Llew oedd nad oedd yr Hiena wedi mynd ymhell. Clywodd beth ddywedodd y Llew amdano a rhuthrodd i mewn drwy'r drws. Ond ddywedodd o'r un gair. Llygadrythodd ar y Llew a chwyrnodd yn ffyrnig arno.

'Beth ddywedais i wrthyt ti?' rhuodd y Llew. 'Fedra i ddim dioddef neb yn llygadrythu!'

'A fedra i ddim dioddef neb yn hel straeon!' cythrodd yr Hiena'n ôl.

A dyma nhw'n dechrau cripio, brathu, ymaflyd a phaffio.

Ceisiodd y Fwltur gadw allan o'r ymrafael ond pan giciodd y Llew ei grochan a'r gwreichion yn tasgu ar ben y Fwltur, roedd yntau hefyd yn gynddeiriog ac ymunodd yntau yn y frwydr.

'Digon yw digon!' rhuodd y Llew o'r diwedd. 'Mae'n amlwg iawn na fedrwn ni fyw'n gytûn efo'n gilydd. Mae'n rhaid i ni wahanu a mynd ein ffordd ein hunain a pheidio byth â chyfarfod eto.'

Roedd y ddau arall wrthi'n llyfu'u clwyfau ac yn amneidio. A dyma'r tri yn gadael eu cartref am byth.

Ac felly, hyd heddiw, mae'r Llew yn bwyta ar ei ben ei hun. Pan fydd wedi cael digon, mae'n mynd i ffwrdd. Ac yna, a phryd hynny'n unig, y daw yr Hiena i gnoi ar yr hyn sy'n weddill.

A'r Fwltur? Bydd y Fwltur yn glanio o'r awyr pan fydd yr Hiena wedi mynd – i grafu'r esgyrn ac i ganu'i gân drist, ddolurus. Oherwydd pan laniodd y gwreichion poeth ar ben y Fwltur, mi wnaethon nhw losgi'r plu oedd ar ei ben a'i adael yn foel am byth.

Y Llyffant Penderfynol

Sblasio a strempio, neidio a chrawcio. Sbonciodd y Llyffant i mewn ac allan o'r dŵr lleidiog.

Roedd ei fam yno. A'i dad hefyd. A dau ddeg saith o'i frodyr a'i chwiorydd. Dyna lle'r oedden nhw'n deifio a nofio a phadlo o gwmpas.

'Rwy'n siŵr fod yna fwy i fywyd na'r pwll lleidiog hwn,' meddai'r Llyffant wrtho'i hun, un diwrnod.

Felly, gan sblasio a strempio, neidio a chrawcio, sbonciodd i ffwrdd o'r pwll ac ar draws buarth y fferm.

Aeth heibio'r twlc lle'r oedd y moch yn gorwedd a'r cwt bychan lle'r oedd yr ieir yn clwcian. A dyma fo'n cyrraedd o'r diwedd i'r beudy.

'Nawr, mae hyn yn ddiddorol,' meddyliodd. A sbonciodd y Llyffant i mewn. Roedd y beudy'n anferthol. Roedd y beudy'n wag! Felly treuliodd y diwrnod cyfan yn sboncio – oddi yma i'r gwair ac o'r gwair i fan acw. Ac fel roedd yr haul yn disgyn tu ôl i sil y ffenestri ac yn anfon ei gysgodion hirion dyma'r Llyffant yn cymryd un sbonc enfawr – a glanio PLONC ynghanol piser o hufen.

Sblasio a strempio, neidio a chrawcio.

'O diar,' meddyliodd y Llyffant. 'Dyma'r dŵr rhyfeddaf rydw i erioed wedi nofio ynddo. A'r un mwyaf llithrig, hefyd.'

Ceisiodd y Llyffant ei orau glas i ddringo allan o'r piser, ond doedd dim yn tycio. Llithrai'n ôl i lawr yr ochrau. A chan fod y piser mor ddwfn, fedrai o ddim gwthio'i goesau ôl oddi ar waelod y piser a neidio allan.

'Mi ydw i'n sownd yma!' sylweddolodd y Llyffant o'r diwedd. Yna dechreuodd grawcian a chrawcian a gweiddi am help. Ond roedd y beudy'n dal yn wag. Erbyn hyn roedd hi wedi tywyllu. Ac roedd ei deulu ymhell i ffwrdd.

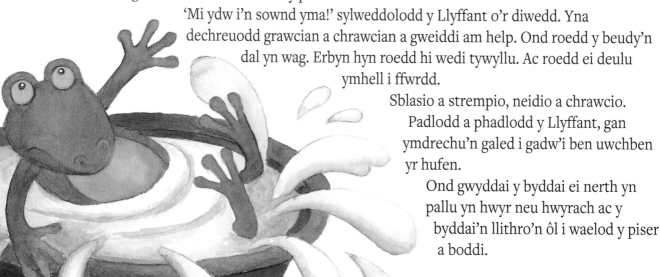

Sblasio a strempio, neidio a chrawcio. Padlodd a phadlodd y Llyffant, gan ymdrechu'n galed i gadw'i ben uwchben yr hufen.

Ond gwyddai y byddai ei nerth yn pallu yn hwyr neu hwyrach ac y byddai'n llithro'n ôl i waelod y piser a boddi.

Meddyliodd a meddyliodd y Llyffant. Meddyliodd am ei fam, a sut y buasai'n colli clywed ei chrawcian hapus yn y bore.

'Dydw i ddim yn mynd i roi'r gorau iddi. Mi ydw i yn mynd i ddal ati!' crawciai'r Llyffant wrtho'i hun. A dyma fo'n dechrau padlo o'i hochr hi.

Yna meddyliodd y Llyffant am ei dad. Meddyliodd na fyddai'r ddau'n cael cyfle i ddal pryfed gyda'i gilydd efo'u tafodau hir, gludiog.

'Fedra i ddim rhoi'r gorau iddi a dydw i ddim yn mynd i wneud chwaith,' crawciai'r Llyffant unwaith yn rhagor. A dechreuodd badlo'n gyflymach byth.

O'r diwedd, meddyliodd y Llyffant am ei frodyr a'i chwiorydd, a sut y byddai'n colli chwarae sboncio a thaclo traed efo nhw.

'DYDW I DDIM YN MYND I ROI'R GORAU IDDI. MI YDW I YN MYND I DDAL ATI.' Crawciai a gwaeddai a chwynai'r Llyffant. Yna padlodd cyn galeted ag y medrai.

A dyna pryd y teimlodd traed y Llyffant rywbeth. Doedd yr hufen o dan ei fysedd gweog ddim yn wlyb ac yn llithrig ddim mwy. Yn hytrach roedd yn galed a lympiog. Efo'r holl badlo roedd y Llyffant wedi corddi'r hufen yn fenyn!

Gorffwysodd y Llyffant ei draed ar y menyn. Gwthiodd yn galed â'i draed ôl cryfion. Ac yna gyda chrawc a gwthiad, llamodd allan o'r piser ac ar lawr y beudy.

A dyma'r Llyffant a wrthododd roi'r gorau iddi yn sboncio'n syth adref. A bu fyw'n hapus am weddill ei ddyddiau, yn sblasio a strempio, neidio a chrawcian efo'i deulu yn y pwll lleidiog.

Y Lleidr a'r Mynach

Unwaith roedd mynach bychan yn byw ar ei ben ei hun mewn cwt bychan o glai. Gweddïai. Nyddai fasgedi o ddail palmwydd. A phan fyddai pobl o'r ddinas yn ymweld, byddai'n ceisio eu helpu efo'u problemau.

Gwisgai'r mynach fantell frown arw. Byddai'n bwyta bara a chawl a doedd ganddo ddim byd oedd yn eiddo iddo. Dim ond un llyfr – llyfr arbennig iawn – roedd yn ei drysori a'i ddarllen bob dydd.

Un diwrnod, ymwelodd lleidr â'r mynach. Lleidr mawr. Lleidr drwg. Gyda barf fawr flewog a chleddyf hir, miniog.

'Rho dy drysor i mi,' gwaeddodd. Felly rhoddodd y mynach ei lyfr iddo – llyfr arbennig iawn – a gwyliai'n drist fel roedd y lleidr yn marchogaeth i ffwrdd efo'i drysor.

Pan gyrhaeddodd y lleidr y ddinas aeth ar ei union i weld y siopwr.

'Dydw i ddim eisiau llyfrau!' cwynai. 'Rydw i eisiau aur – a digonedd ohono! Dywed wrtha i faint ydi gwerth y llyfr yma ac mi gwertha i o i ti.'

'Fedra i ddim dweud,' meddai'r siopwr, gan redeg ei fysedd drwy'r tudalennau. 'Ond mi ydw i'n gwybod am rywun fedr ei brisio. Gad o efo mi am ddiwrnod neu ddau ac fe ofynnaf iddo.'

'Iawn,' chwyrnodd y lleidr gan dynnu ei gleddyf o'r wain. 'Mi ddo i'n ôl ymhen deuddydd. Gwna di'n siŵr y bydd y llyfr yma pan ddo i'n ôl!'

Yn hwyrach y diwrnod hwnnw, ar ôl i'r siop gau, dringodd y siopwr ar gefn ei asyn a ffwrdd â fo i'r diffeithwch. Marchogodd am filltir ar ôl milltir lychlyd nes y daeth at dŷ bychan o glai. Ac aeth i mewn i ymweld â'r mynach!

'Mae gen i lyfr,' eglurodd. 'Daeth dyn mawr efo barf flewog â fo i mi. Mae o eisiau ei werthu. Fedri di ddweud faint ydi'i werth o?' Yna tynnodd y llyfr allan o'i fag a'i ddangos i'r mynach.

Rhythodd y mynach ar y llyfr. Doedd o ddim wedi dychmygu y byddai'n gweld ei drysor byth wedyn. Ond wnaeth o ddim cythru iddo na gweiddi, 'Fi piau hwn!' na phwyntio'i fys at y siopwr a dweud, 'Mae dy gwsmer yn lleidr!' Na, yr unig beth ddywedodd y mynach oedd, 'Mae hwn yn llyfr gwerthfawr iawn, gwerth o leiaf blwyddyn o gyflog.' Yna dymunodd yn dda i'r siopwr.

Pan ddychwelodd y lleidr i'r ddinas roedd mewn tymer go ddrwg.

'Felly dywed wrtha i,' rhuodd. 'Faint ydi gwerth fy llyfr?'

'Cryn dipyn,' gwenodd y siopwr. 'O leiaf cyflog blwyddyn!'

Newidiodd hwyliau'r lleidr y munud hwnnw.

'Ardderchog,' gwenodd. 'Ond... sut galla i fod yn sicr o hyn?'

'Mae hynny'n hawdd,' eglurodd y siopwr. 'Mae 'na fynach bach yn byw allan acw, mewn tŷ clai, yn y diffeithiwch. Mae'n gwybod popeth am bethau fel hyn. Mi ddangosais i'r llyfr iddo.'

Roedd y lleidr mewn hwyliau drwg unwaith eto. 'Mynach bychan?' gofynnodd. 'Allan acw yn y diffeithiwch?'

'Ie, dyna ti.'

'Ac mi ddywedaist ti wrtho fy mod i eisiau gwerthu'r llyfr?'

'Dyn mawr efo barf flewog – dyna ddywedais i.'

'Ond ddywedodd o ddim byd arall am y llyfr? Nac amdana i?'

'Naddo siŵr. Pam y dylai?' gofynnodd y siopwr.

'Dim rheswm,' meddai'r lleidr celwyddog. 'Dim rheswm o gwbl.'

Yna cythrodd yn y llyfr a rhuthro allan o'r siop – cyn gyflymed â lleidr!

Marchogodd draw i'r diffeithiwch, o filltir i filltir lychlyd nes cyrraedd y tŷ clai.

'Beth ydi ystyr hyn?' gwaeddodd fel roedd yn rhuthro drwy'r drws. 'Mi fuaset ti wedi gallu gwneud drwg mawr i mi. Ac efallai y buaswn wedi cael f'arestio. Ond yn hytrach wnest ti ddim dweud dim!'

'Cywir,' nodiodd y mynach. 'Oherwydd roeddwn i eisoes wedi maddau i ti.'

'Maddau i mi?' meddai'r lleidr. 'Maddau i mi?' A dyna ei lais yn mynd yn ddistaw. 'Does 'na neb erioed wedi maddau i mi!' sibrydodd. 'Wedi fy nghasáu – o do, wedi fy erlid – o do, wedi addo dial arna i – o do. Ond maddau i mi? Na, neb erioed!'

A'r munud hwnnw dechreuodd y lleidr deimlo'n euog. Tynnodd y llyfr allan o'i sach a'i roi i'r mynach bach.

'Ti piau hwn,' meddai'n fwyn. 'Fedra i mo'i gadw fo rhagor.'

Gwenodd y mynach a diolchodd i'r lleidr. Rhoddodd wahoddiad iddo aros gydag o – i ddysgu mwy am faddeuant a sut i fyw. Cyn bo hir penderfynodd y lleidr, yntau, ei fod eisiau bod yn fynach. Bu wrthi'n rhannu ag eraill yr ychydig oedd ganddo a bu fyw'n hapus weddill ei ddyddiau.

Y Llwynog a'r Frân

Ymlusgodd y Llwynog yn araf, araf tuag at y Frân.
Pan oedd ar fin neidio – a'i ffwr coch yn fflachio a'i ddannedd gwyn yn ysgyrnygu – cododd y Frân ar ei hadain ac i fyny â hi i ganghennau'r goeden dal.

Doedd y Llwynog ddim eisiau dal y Frân. Ond roedd o eisiau'r darn mawr o gaws oedd yn ei phig. Arhosodd i feddwl am funud. Ar ôl meddwl am gynllun tuthiodd yn araf tuag at y goeden. Galwodd ar y Frân â'i lais melfedaidd, 'Frân! Frân annwyl, mae'n wir ddrwg gen i mod i wedi dy ddychryn di. Ond rydw i wedi gwirioni'n lân.'

'Gwirioni'n lân?' meddai'r Frân yn dawel wrthi'i hun. Syllodd yn syn ar Llwynog.

'Sut galla i ddweud hyn?' meddai'r Llwynog. 'Pur anaml y bydda i'n dod ar draws creadur mor brydferth â thi yn y byd crwn i gyd.'

Edrychodd y Frân, wedi'i syfrdanu braidd. 'Prydferth? Y fi?' meddyliodd. Roedd hi ar fin hedfan i ffwrdd.

Ac meddai'r Llwynog wrthi, 'Dwyt ti ddim yn deall beth rydw i'n ei ddweud wrthyt ti. Aros am funud i mi gael egluro.

'Rwyf wedi gweld brain o'r blaen. Llawer iawn ohonyn nhw. Ond dim un efo plu mor sgleiniog â'r rhai sydd gen ti. Doedd gan yr un ohonyn nhw adenydd mor siapus. Yn sicr, doedd gan yr un ohonyn nhw lygaid duon mor hardd.'

Roedd y Frân wrth ei bodd yn clywed hyn ac ni allai guddio hynny! Roedd hyn i gyd yn newyddion annisgwyl iddi hi. Ond yn newyddion bendigedig. Roedd hi eisiau dweud, 'Dos ymlaen. Mwy os gweli'n dda!' Ond roedd rhaid iddi gofio am y caws. Aeth y Llwynog ymlaen â'i stori.

'Dim yn unig dy fod di'n brydferth,' aeth ymlaen, 'ond y fath dalent sydd gen ti. Buasai adar tebyg i ti wedi codi ar yr adain yn lletchwith a thrwsgl. Ond fe wnest ti godi'n osgeiddig! Roedd siâp dy adenydd yn bictiwr – na, yn glasur – yn erbyn awyr y nos!'

Erbyn hyn roedd y Frân yn crynu drwyddi ac wedi rhyfeddu at eiriau caredig y Llwynog. Ond doedd hi ddim wedi disgwyl beth a ddigwyddodd wedyn.

'Ga i ofyn cwestiwn i ti?' sibrydodd Llwynog. 'Ydi o'n ormod i mi obeithio? Tybed ydi o'n bosibl nad hedfan ydi dy unig ddawn? Ydi o'n bosib dy fod di'n medru... canu?

'Os felly, buaswn wrth fy modd yn dy glywed di'n canu. Fedri di...? Wnei di... (ddylwn i awgrymu'r fath beth?) fy ngwneud i'n hapus trwy ganu nodyn gyda'r llais bendigedig sydd gen ti?'

Ni allai'r Frân feddwl am ddim arall. Roedd hi wedi gwirioni cymaint gan eiriau canmoliaethus Llwynog. Anghofiodd am y peth mwyaf syml. Dydi brain ddim yn medru canu. Dim nodyn o gwbl.

Felly agorodd y Frân ei phig a digwyddodd dau beth.

Daeth y nodyn mwyaf cras allan o'i phig. A disgynnodd y caws o'i phig.

Syrthiodd yn syth i'r llawr. Mewn chwinciad llowciodd y Llwynog y darn caws.

'Diolch yn fawr i ti,' gwenodd y Llwynog. 'Gwyddwn y byddai rhywbeth bendigedig yn dod allan o'r pig yna.'

Cerddodd y Llwynog i ffwrdd yn dalog i'r goedwig. Teimlai'r Frân yn ffŵl ond eto'n hapus ar yr un pryd.

127

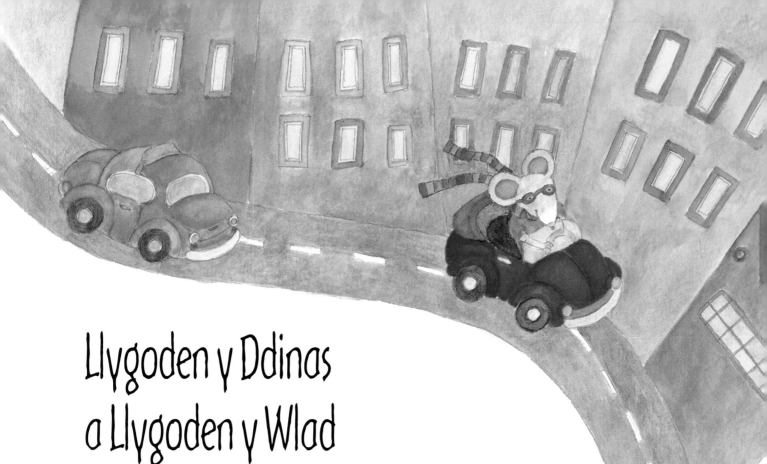

Llygoden y Ddinas a Llygoden y Wlad

Aeth Llygoden y Ddinas am dro i weld Llygoden y Wlad.

Caeodd ddrws ei fflat. Aeth i mewn i'r lifft. Cerddodd i'r garej. Ac i mewn i'r car a ffwrdd â hi ar hyd strydoedd y ddinas.

Stopiodd wrth un golau traffig ar ôl y llall. Ymlwybrodd yn araf heibio'r swyddfeydd, heibio'r theatrau a'r llefydd bwyta.

Wrth fynd allan o'r ddinas dechreuodd gyflymu. Gwibiodd heibio'r ysgolion. Gwibiodd heibio'r parciau a'r canolfannau siopa. A stryd ar ôl stryd o dai.

O'r diwedd cyrhaeddodd y wlad. Aeth heibio cae ar ôl cae oedd yn llawn o ddefaid yn pori. Yna ysguboriau, gwrychoedd, coed a bryniau. Gyrrodd yn gyflymach a chyflymach. Arafodd pan fyddai'n rhaid pasio ambell dractor. Yna stopiodd yn stond. Yno, ar ochr y ffordd, roedd cartref clyd Llygoden y Wlad.

O gwmpas y tŷ, yn y ffrynt a'r cefn, roedd blodau amryliw yn tyfu. Coed afalau a gellyg a'r adar yn canu.

Aeth y ddwy lygoden i'r ardd am sgwrs. Dyna lle'r oedden nhw'n sipian lemonêd ac yn bwyta bwydydd y wlad – bara, caws a phicl.

Ond ar ôl ychydig ddyddiau efo'i gilydd, teimlai Llygoden y Ddinas braidd yn ddiflas.

'Mae'r wlad yn brydferth iawn,' meddai wrth ei ffrind. 'Ond mae pethau'n wahanol yn y ddinas. Mae cymaint i'w weld yn y ddinas! A chymaint o bethau i'w gwneud! Mae cymaint o gyffro ac antur yn y ddinas!'

'Wel, beth am i ni fynd i'r ddinas?' gwichiodd Llygoden y Wlad. 'Beth am i ni fynd rŵan!' Felly dyma nhw'n pacio eu bagiau, dyfrio'r planhigion a ffwrdd â nhw yn y car.

Ar y cychwyn roedden nhw'n gyrru'n gyflym, gan arafu i fynd heibio ambell dractor. Gwibio dros y bryniau, heibio'r gwrychoedd a'r ysguboriau a'r caeau'n llawn o ddefaid llwglyd.

Rhaid oedd arafu wrth ddod i mewn i'r ddinas gan fynd heibio strydoedd o dai. Ymlaen â nhw heibio'r canolfannau siopa, y parciau a'r ysgolion. O'r diwedd dyma gyrraedd y ddinas.

Erbyn hyn roedd rhaid ymlwybro'n araf heibio'r llefydd bwyta, y theatrau a'r swyddfeydd. Roedd rhaid stopio wrth un golau traffig ar ôl y llall.

Pwysodd Llygoden y Wlad ei thrwyn yn erbyn gwydr y ffenestr a syllu mewn syndod.

'Roeddet ti'n iawn!' meddai, gan edrych i fyny ar yr adeiladau uchel o'i chwmpas. 'Mae cymaint i'w weld! Cymaint o bethau i'w gwneud! Beth am i ni ddechrau arni rŵan!'

Felly dyma gadw'r car yn y garej a mynd am dro ar hyd strydoedd y ddinas. Dyma drio gwisgoedd ffansi. Edrych ar dlysau drudfawr. Bwyta cinio yn un o'r llefydd bwyta. Nid oedd Llygoden y Wlad yn gallu enwi'r bwydydd ar y fwydlen hyd yn oed! Tra roedden nhw'n siarad a chwerthin am hyn a'r llall wrth gerdded adref ymddangosodd criw o Gathod y Ddinas. Cathod mawr llwglyd.

'Beth wnawn ni rŵan?' gofynnodd Llygoden y Wlad.

'Rhedeg am cin bywydau,' gwichiodd Llygoden y Ddinas. 'Mi wnes i ddweud fod y ddinas yn lle cyffrous!'

A dyna wnaethon nhw. Ei heglu hi y ffordd yma a'r ffordd acw ar hyd y strydoedd a'r llwybrau nes gadael Cathod y Ddinas ar ôl.

O'r diwedd dyma'r ddwy'n gorffwyso ar un o
adeiladau'r ddinas, yn hwfftian a phwffian. Ond pwy
ddaeth rownd y gornel ond haid o Gŵn y Ddinas.

'Beth wnawn ni rŵan?' dychrynodd Llygoden y
Wlad.

'Rhedeg am ein bywydau,' gwichiodd Llygoden
y Ddinas. 'Mi wnes i ddweud fod y ddinas yn lle
anturus!'

Dros y pafin ac oddi tan y ceir yr aethon nhw nes
dod at dwll yn wal y ddinas. Roedd y cŵn yn cyfarth
y tu allan. Dyma'r ddwy lygoden yn gwthio'u hunain
ar hyd y twnnel. Dim ond un llygedyn bach o olau
oedd yn y pen draw.

'Dwi'n arogli caws,' sibrydodd Llygoden y Wlad.

'Pwyll piau hi!' rhybuddiodd Llygoden y Ddinas.
Ond cyn iddi fedru ei stopio, roedd ei ffrind yn
mynd ar garlam tua'r golau ym mhen draw y twnnel.
Roedd hi'n siŵr fod caws yno. Gallai ei arogli.

A dyna lle'r oedd y caws. Yno roedd o'n disgwyl

130

am y llygoden ar ben rhywbeth wedi'i wneud o bren a
metel. Ond cyn iddi gael ei phawen ar y caws dyma Lygoden
y Ddinas yn rhedeg nerth ei thraed. Gwthiodd Lygoden y Wlad i
ffwrdd. Ar hynny neidiodd y darn metel oddi ar y pren a thorri'r caws yn
ei hanner. 'Bwrdd caws y ddinas?' gofynnodd Llygoden y Wlad.

'Trap dal Llygod y Ddinas,' meddai ei ffrind. 'Mae'n hen bryd i ni fynd
adref.'

Felly, dyma'r ddwy lygoden yn cerdded yn ofalus tuag at fflat Llygoden y Ddinas.
Cysgodd Llygoden y Ddinas yn sownd y noson honno. Ond roedd Llygoden y Wlad
yn troi a throsi. I ddechrau, roedd sŵn y traffig yn ei chadw'n effro. Pan syrthiodd i
gysgu, dechreuodd freuddwydio am ddannedd cathod ac udo cŵn. A 'chlec' y trap yn
cau.

Yn y bore pan ddeffrodd Llygoden y Ddinas roedd Llygoden y Wlad wrthi'n brysur
yn pacio ei bagiau.

'Dwi'n mynd adref,' meddai Llygoden y Wlad. 'Efallai bod y ddinas yn lle cyffrous.
Efallai ei fod yn lle anturus. Ond mae hefyd yn lle peryglus. Mi ydw i'n meddwl y
bydda i'n hapusach yn y wlad. Yno mae fy lle i.'

Roedd Llygoden y Ddinas braidd yn ddigalon o weld ei ffrind yn mynd. Ond roedd
yn deall yn iawn. Oherwydd roedd hithau hefyd yn hapusach yn lle'r oedd hithau'n
perthyn.

Felly, dyma'r ddwy lygoden yn cloi drws y fflat, mynd i'r lifft ac i lawr â nhw i'r
garej. I mewn â nhw i'r car. Gan ymlwybro drwy'r ddinas a moduro ar hyd ymylon y
ddinas a gwibio wedyn drwy'r wlad, aeth Llygoden y Ddinas â'i ffrind yn ôl adref.

Pam mae Cath yn Syrthio ar ei Thraed

Cerddai Manabozho yn ddistaw bach ar ei ddwy goes drwy'r goedwig. Syllodd ar yr eryr yn hedfan ar ei ddwy adain uwchben y coed. Gwelodd y pry copyn yn sgrialu. Wyth coes yn dawnsio drwy'r dail crin. Ond chlywodd o ddim mo'i elyn, y neidr, yn nadreddu heb yr un goes yn ddistaw bach y tu ôl iddo.

'Mae Manabozho yn meddwl ei fod yn gryf,' hisiodd y neidr wrthi'i hun. 'Y mae'n cerdded yn ffroenuchel ar ei ddwy goes. Ond pan fydd o wedi blino a phan fydd o'n gorwedd i lawr mae ar yr un gwastad â mi. Dydi o ddim yn sefyll ar yr un o'i goesau. Gawn ni weld pwy ydi'r cryfaf!'

Cerddodd Manabozho drwy'r dydd. Ond, o'r diwedd pan oedd yr haul yn machlud tu ôl i'r coed, rhoddodd Manabozho ei waywffon yn erbyn bôn y goeden. Gorweddodd yno.

Dywedodd nos da wrth y morgrugyn. Chwe choes yn ymlafnio i gario hedyn bychan. Winciodd ar y oposwm oedd yn hongian gerfydd ei gynffon oddi ar y gangen. Ond pan gaeodd Manabozho ei lygaid llusgodd y neidr yn ddistaw bach tuag ato.

Cododd y neidr gan daro'i phen yn ôl. Agorodd ei cheg led y pen. Dangosodd ei dant siarp a gwenwynig. A phan oedd ar fin ymosod, trawyd hi yn ei phen.

Y gath oedd yno. Roedd hi wedi bod yn cuddio yng nghanghennau'r goeden dderw. Llamodd y gath, ei phedair coes yn hedfan drwy'r awyr, i geisio'i stopio.

Glaniodd y gath ar gefn y neidr a'i thrywanu â'i hewinedd yn ei chroen sgleiniog.

Trodd y neidr ei phen i geisio'i brathu. Ond roedd y gath yn rhy gyflym iddi. Dro ar ôl tro roedd hi'n llamu, a'i hewinedd yn fflachio, yn sgrechian a chrafu nes o'r diwedd dyma hi'n deffro Manabozho. Roedd y neidr yn farw gelain. Safai'r gath yn grynedig ar ei phedair coes wrth ei hymyl.

'Mae'n rhaid gwobrwyo'r fath ddewrder!' meddai Manabozho. 'Rwyt ti wedi f'achub i efo dy bedair coes. Felly o hyn ymlaen pan fyddi di'n syrthio byddi'n glanio, bob tro, ar dy draed. Bydd dy bedair coes yn dy arbed. Bob amser.

Jac Mawr, Jac Bach a'r Mul

Roedd Jac Mawr a Jac Bach ar eu ffordd i'r farchnad i werthu'r mul.

Roedd angen iddo edrych yn iach.

Roedd angen iddo fod yn heini.

Roedd angen cael y pris gorau amdano.

Felly dyma glymu ei goesau gyda'i gilydd a rhoi polyn mawr rhyngddyn nhw. Dyma godi'r polyn ar eu hysgwyddau a ffwrdd â nhw am y farchnad.

Ar y ffordd fe welson nhw hen wraig.

'Wel dyma beth gwirion. Dyma'r peth gwirionaf a welais yn fy mywyd,' meddai. 'Cario mul i'r farchnad! Y mul ddylai fod yn eich cario chi!'

Edrychodd Jac Mawr ar Jac Bach.

Edrychodd Jac Bach yn ôl ar Jac Mawr.

Dyna syniad go dda. Felly dyma ddad-wneud y clymau. Dringodd Jac Bach ar gefn y mul. Cerddodd Jac Mawr tu ôl iddo. A dyma gychwyn unwaith eto am y farchnad.

Ar y ffordd, daeth hen ŵr i'w cyfarfod.

'Wel dyma beth gwirion. Dyma'r peth gwirionaf a welais yn fy mywyd,' meddai. 'Bachgen ifanc, cryf ar gefn y mul. A'i dad druan yn gorfod cerdded tu ôl iddo. Yn sicr, y bachgen ddylai fod yn cerdded!'

Edrychodd Jac Mawr ar Jac Bach.

Edrychodd Jac Bach yn ôl ar Jac Mawr.

Dyna syniad go dda. Felly dyma Jac Bach yn neidio oddi ar gefn y mul. Neidiodd Jac Mawr ar ei gefn. A dyma gychwyn unwaith eto am y farchnad.

Ar y ffordd daeth geneth ifanc i'w cyfarfod.

'Wel dyma beth gwirion. Dyma'r peth gwirionaf a welais yn fy mywyd,' meddai. 'Y tad yn marchogaeth a'r mab druan yn cerdded. Yn sicr fe ddylai'r bachgen gael marchogaeth hefyd.'

Edrychodd Jac Mawr ar Jac Bach.

Edrychodd Jac Bach yn ôl ar Jac Mawr.

Dyna syniad da. Felly dringodd Jac Bach ar gefn y mul – tu ôl i Jac Mawr. A dyma gychwyn unwaith eto am y farchnad.

Ac ar y ffordd daeth bachgen i'w cyfarfod.

'Wel dyma beth gwirion. Dyma'r peth gwirionaf a welais yn fy mywyd,' meddai. 'Y mul druan a dau o bobl ar ei gefn. Beth am i chi roi seibiant bach i'r mul?'

Edrychodd Jac Mawr ar Jac Bach.

Edrychodd Jac Bach yn ôl ar Jac Mawr.

Dyna syniad da. Felly dyma'r ddau yn dod i lawr oddi ar y mul a ffwrdd â nhw am y farchnad.

Ar y ffordd daeth y maer heibio.

'Wel dyma beth gwirion. Dyma'r peth gwirionaf a welais yn fy mywyd,' meddai. 'Dyma chi y ddau ffŵl yn cerdded. Ac mae gennych ful i'w farchogaeth. Fe ddylech chi ddefnyddio'r anifail i bwrpas da.'

Edrychodd Jac Mawr ar Jac Bach.

Edrychodd Jac Bach yn ôl ar Jac Mawr.

Roedden nhw wedi clywed digon am un diwrnod!

'Mi wnawn ni ddangos rhywbeth gwirion iawn i chi!' meddai Jac Mawr. Gafaelodd mewn polyn.

'Dyma'r peth gwirionaf welwch chi yn y byd,' meddai Jac Bach. Clymodd draed y mul gyda'i gilydd. Rhoddwyd y polyn drwy ei draed a'i godi ar eu hysgwyddau.

'Dyna beth gwirion,' meddai'r maer. 'Y peth gwirionaf rwyf wedi'i weld yn fy mywyd.'

'Na,' meddai Jac Mawr gan ysgwyd ei ben. 'Y peth gwirionaf yn y byd ydi ceisio gwneud pawb yn hapus!'

'Gwir iawn,' meddai Jac Bach. 'Oherwydd dydi o ddim yn mynd i weithio.'

A dyna Jac Mawr, Jac Bach a'r mul yn cychwyn ar eu taith unwaith eto am y farchnad.

Cyngor y Llew

Dau ffrind oedd Kwasi a Kwaku. Ond, fel mae'n digwydd efo ffrindiau'n aml, roedd un yn well ffrind na'r llall.

Byddai Kwasi a Kwaku yn mynd i hela. Gyda'i gilydd byddai'r ddau yn lladd antelop neu fochyn gwyllt ac yna'n rhannu'r cig. Ond rywsut rywfodd, byddai Kwasi'n llwyddo i gael mwy o gig na Kwaku. Roedd gwraig Kwaku yn gynddeiriog.

'Ond Kwasi ydi fy ffrind gorau!' eglurodd Kwaku wrth ei wraig. 'Dro arall bydd yn siŵr o roi mwy o'i siâr i mi.'

Ond ddaeth y diwrnod hwnnw byth heibio. Os oedd yna gig ar ôl o'r helfa, ffrwyth o'r goeden neu ddŵr o'r ffynnon byddai Kwasi bob amser yn cael mwy na'i siâr. Doedd dim ots pa mor aml fyddai'i wraig yn dadlau byddai Kwaku yn siŵr o amddiffyn ei ffrind barus.

137

Un noson oerllyd aeth Kwasi a Kwaku i hela.
'Rydw i am ddweud wrtho heno,' addawodd
Kwaku wrtho'i hun. 'Rwy'n siŵr y bydd fy ffrind yn rhoi
mwy o'i siâr i mi.'

Fel roedd y ddau ffrind yn cerdded trwy'r goedwig, yn
sydyn doedd dim amser i feddwl. Rhuthrodd llew allan o'r tyfiant. Penderfynodd
y llew y byddai dau ffrind yn gwneud gwell pryd nag un antelop. Rhedodd Kwasi a
Kwaku yn syth am y goeden. Dyma oedd eu hunig gyfle i ffoi!

Cyrhaeddodd Kwasi y goeden ac i fyny â fo i'r gangen gyntaf. A phan ofynnodd
Kwaku – nad oedd yn ddringwr da – am help, gwrthododd ei ffrind roi cymorth iddo.

'Mae'n ddrwg gen i,' meddai Kwasi. 'Ond dim ond lle i un sydd ar y gangen.'

'Mae canghennau eraill,' atebodd Kwaku.

'Oes,' nodiodd Kwasi. 'Ond mae'n rhaid i ti gyrraedd at y rheiny o'r gangen hon.
Ac efallai y bydd hi'n torri efo pwysau'r ddau ohonom – mae'n well bod un ohonom
yn goroesi.'

'Ond roeddwn i'n meddwl ein bod yn ffrindiau!' gwaeddodd Kwaku, fel
roedd y llew yn agosáu.

'Mi ydw i'n ffrind i ti,' sicrhaodd Kwasi, 'a dyma
gyngor bach cyfeillgar i ti. Dywedodd rhywun
wrtha i rhywdro na fydd llew byth yn bwyta
cig marw. Felly, aros yn llonydd a thro dy
ben tua'r ddaear. Efallai wedyn y bydd y
llew yn meddwl dy fod wedi marw a bydd
yn chwilio am rywbeth arall i
swper.'

Fedrai Kwaku ddim credu fod hyn yn digwydd. Pan sylweddolodd fod y llew yn agos iawn ato hyrddiodd ei hun i lawr a'i ben tua'r ddaear gan obeithio'r gorau.

Edrychodd y llew i fyny ar Kwasi dan ruo. Ymlusgodd yn ddistaw tuag at Kwaku a dechrau ffroeni. Bu'n ffroeni o gwmpas ei draed, o gwmpas ei goesau, o gwmpas ei gefn a'i ysgwyddau. Ac yna dechreuodd ffroeni am hydoedd o gwmpas pen Kwaku. Yna rhuodd y llew gan ysgwyd ei fwng a rhedodd i ffwrdd!

Pan oedd Kwasi yn sicr nad oedd y llew yn mynd i ddod yn ôl, llamodd i lawr o'r goeden a chodi Kwaku ar ei draed.

'Mi fuost ti'n lwcus iawn!' gwenodd. Ond edrych yn sarrug wnaeth Kwaku.

'Beth sy'n bod?' gofynnodd Kwasi, gan edrych yn bryderus ar ei ffrind. 'Wela i ddim ôl brathiadau. Dim ond dy ffroeni wnaeth y llew.'

'Na,' meddai Kwaku, gan ysgwyd ei ben. 'Fe wnaeth y llew lawer mwy na hynny. Fe siaradodd efo mi.'

'Siarad efo ti?' meddai Kwasi wedi'i syfrdanu.

'Ie,' meddai Kwaku yn ddifrifol. 'Fe ddywedodd fod fy ngwraig yn iawn – ac mai ffŵl ydw i'n meddwl dy fod di yn ffrind i mi. O hyn ymlaen rydw i am ddewis fy ffrindiau'n ofalus.'

Yna trodd ar ei sawdl a cherddodd i ffwrdd yn drist. Gadawodd ei gyfaill i bendroni a oedd y llew wedi siarad efo fo ai peidio. Neu tybed oedd Kwaku wedi sylweddoli o'r diwedd nad oedd Kwasi yn ffrind da iddo wedi'r cwbl.

Y Ci a'r Blaidd

Un noson olau leuad aeth y Blaidd allan i hela. Aeth oriau heibio ond doedd ganddo ddim i'w ddangos am ei waith caled. Roedd o'n llwglyd ac wedi blino'n arw. Felly llwybreiddiodd i fuarth y Ffermwr gan obeithio y byddai'n gweld ambell hwyaden neu iâr. Ond yr unig beth a welodd oedd y Ci!

Chwyrnodd y Ci gan ddangos ei ddannedd. Ond cyn iddo ddeffro pawb ymlwybrodd y Blaidd tuag ato. Sibrydodd yn ei glust, 'Yr hen Gi, wnei di gadw'n ddistaw? Dydw i ddim wedi dod yma i ddwyn. Na, dod yma ydw i i ofyn sut wyt ti. Dydyn ni ddim wedi cael sgwrs ers tro byd.'

Doedd y Ci erioed wedi siarad efo'r Blaidd. Ond roedd o'n awyddus iawn i gael sgwrs gan ei fod yn unig iawn ar y buarth yn enwedig yn ystod oriau'r nos. Felly, tawelodd y Ci a dechreuodd siarad. 'Rwy'n teimlo'n bur dda,' meddai. 'Diolch i ti am ofyn.' A doedd o ddim eisiau bod yn anghwrtais, felly gofynnodd, 'A sut wyt ti?'

Edrychodd y Blaidd o gwmpas y buarth – dim iâr yn unman!

'O, wel, rydw i wedi gweld dyddiau gwell,' cyfaddefodd.

'Rwy'n gallu gweld hynny,' meddai'r Ci. 'Rwyt ti'n edrych fel petaet ti heb gael bwyd ers hydoedd.' (Roedd gan y Ci lawer i'w ddysgu ar sut i fod yn ddoeth.) 'Wel, rwyt ti'n gweld fy mod i'n cael digon i'w fwyta. Bwyd ci, ddwywaith y dydd – a thameidiau oddi ar fwrdd y Ffermwr!'

140

'Wel ar fy ngwir!' meddai'r Blaidd, gan deimlo braidd yn genfigennus. 'Rwyt ti'n cael bywyd da.'

'Mae gen i fwy i'w ddweud!' meddai'r Ci (roedd yn mwynhau'r sgwrs!). 'Pan fydda i'n flinedig, does dim rhaid i mi chwilio am le anghyffyrddus i orwedd a mynd i gysgu. Na, rwy'n medru swatio yn fy nhŷ bach fy hun, yn y fan yma!'

'Tŷ i ti dy hun,' nodiodd y Blaidd. 'Hyfryd iawn.' A meddyliodd am y noson gynt pan oedd yn ceisio cysgu ac yntau'n oer ac yn crynu yng nghanol y glaw.

'Ac os ydi hi'n mynd yn rhy oer,' aeth y Ci yn ei flaen, 'bydd y Ffermwr yn gadael i mi gysgu yn y tŷ o flaen tanllwyth o dân.'

'Wwww!' udodd y Blaidd. 'Rwy'n siŵr fod hynny'n braf!' Erbyn hyn roedd wedi anghofio popeth am yr ieir a'r hwyaid. Dim ond un peth oedd ar ei feddwl sef clywed mwy o hanes y Ci. Ac roedd y Ci'n ddigon hapus i ddweud ei stori.

'Lle ydw i am ddechrau?' gofynnodd. 'Chwarae dal pêl yn y caeau. Danteithion i gŵn adeg y Nadolig. Ac edrych pa mor sgleiniog ydi fy nghot i. Mae gwraig y Ffermwr yn ei brwsio a'i chribo a thynnu popeth garw o'r ffwr.'

Roedd y Blaidd yn llawn edmygedd. Mor edmygus nes iddo weiddi'n wyllt, 'Mi hoffwn i fod yn gi!'

'Wel, pam ddim?' gofynnodd y Ci. 'Rydym ni angen rhywun i ofalu am y rhan bellaf o'r buarth. Ac mae gen ti bopeth ar gyfer y gwaith – dannedd miniog, gallu ogleuo'n dda ac rwyt ti'n gwybod beth ydi triciau'r prowlwyr i gyd.'

'Ffwrdd â ni!' meddai'r Blaidd. 'Dowch i ni fynd i siarad efo'r Ffermwr y munud yma.'

Ond distawodd y Ci am eiliad.

'Mae'n well i ni aros tan y bore,' meddai. 'Dydi'r Ffermwr ddim yn hoffi cael ei ddeffro. Ac wedyn, mae'n rhaid cofio am y gadwyn.'

Edrychodd y Blaidd yn ofalus a gwelodd fod y gadwyn yn sownd wrth bostyn yn y ddaear. Ac wedyn roedd hi'n sownd wrth rywbeth o gwmpas gwddf y Ci.

'Beth ydi hwnna?' gofynnodd y Blaidd gan bwyntio at goler y Ci.

'Hwn?' meddai'r Ci. 'O, dim ond ffordd y Ffermwr o ddweud mai fo piau fi.'

'Piau ti?' gofynnodd y Blaidd. Ac fel roedd o'n dweud hyn dechreuodd gerdded yn araf oddi yno.

'Beth sy'n bod?' gofynnodd y Ci. 'Felly, dwyt ti ddim eisiau byw yma wedi'r cwbl?'

'Na, dim diolch,' meddai'r Blaidd. 'Mae stumog lawn, lle wrth y tân a tho uwch fy mhen yn swnio'n dda. Ond dydyn nhw'n ddim byd o'u cymharu â'r rhyddid sydd gen i.'

Trodd y Blaidd ar ei sawdl a ffwrdd â fo i'r nos olau leuad – yn llwglyd, ie, ond eto'n rhydd.

Y Parot Caredig

Aeth yr Heliwr i'r jyngl i hela. Bu'n hela am gwningod. Bu'n hela am wiwerod. Bu'n hela am geirw a mwncïod a moch gwyllt. Ond bob tro roedd o'n codi ei fwa saeth roedd yr ysglyfaeth yn neidio. Weithiau'n cuddio. Weithiau'n sgrialu nerth ei draed.

Roedd yr Heliwr eisiau bwyd. Roedd o wedi blino. Yna gwelodd yr Heliwr barot lliwgar, melyn llachar a glas, yn y canghennau ar y goeden. Felly cododd yr Heliwr ei fwa saeth. Anelodd yn syth amdano. Ond pan oedd ar fin gollwng y saeth clywodd y parot yn canu cân:

Heliwr bydd yn dda. Heliwr bydd yn garedig.
Gad i mi gael byw a byddi'n siŵr o gael gwobr,
ac addewid yn siŵr i ti.
Bydd daioni a charedigrwydd yn dod i ti.

Gollyngodd yr Heliwr ei saeth. Gostyngodd ei fwa. Ac ar hyn dyma'r parot melyn llachar a glas yn hedfan i ffwrdd i'r jyngl.

143

A dyna pryd y clywodd yr Heliwr sŵn. Roedd rhywbeth yn rhedeg drwy'r jyngl. Roedd rhywbeth yn rhedeg tuag ato drwy'r llwyni a'r coed. Allai o ddim bod yn neidr, hiena na blaidd. Ond doedd o ddim yn gallu dweud yn iawn. Doedd o ddim yn gweld yn glir. Felly, yn ei ofn, saethodd ei saeth. Ond pan aeth i weld beth oedd wedi'i ladd, gwelodd nad anifail oedd yno. Na, roedd o wedi lladd brawd un o'r dynion pwysicaf yn y pentref!

Roedd yr Heliwr wedi torri'i galon. Cariodd gorff y dyn yn ôl i'r pentref. Ceisiodd egluro beth oedd wedi digwydd. Dywedodd wrth y teulu mai damwain ydoedd. Ond doedd neb yn barod i'w goelio. Felly, fe'i dedfrydwyd ef i farwolaeth!

Ond y diwrnod hwnnw, roedd y brenin yn ymweld â'r pentref. Aeth gwraig yr Heliwr at y brenin. Eglurodd beth oedd wedi digwydd. Erfyniodd ar y brenin i achub bywyd yr Heliwr.

Gwrandawodd y brenin yn astud ar ei stori. Yna daeth i benderfyniad.

'Mi ydw i am roi un siawns i dy ŵr brofi ei hun,' meddai'r brenin. 'Bydd hyn yn brawf i weld ydi o'n dweud y gwir. Heno, bydd parti'n cael ei gynnal i ddathlu f'ymweliad â'r pentref. Bydd pob un ohonom mewn gwisgoedd amryliw. Os gall dy ŵr f'adnabod i yn y dorf, yna bydd yn cael byw.'

Ni wyddai'r wraig beth i'w ddweud. Roedd gan ei gŵr un cyfle. Ardderchog! Ond sut oedd o'n mynd i ddewis y brenin ynghanol y dorf?

Fel roedd y parti'n dechrau dywedwyd wrth y gwarchodwyr am ddod â'r Heliwr

144

i ganol y pentref. Roedd pob un wedi gwisgo fel y dywedodd y brenin. Rhai yn edrych fel anifeiliaid. Rhai yn debyg i glowniau. Dechreuodd gwraig yr Heliwr wylo pan welodd fod llawer ohonyn nhw wedi gwisgo fel brenhinoedd!

Edrychodd ar ei gŵr. Ochneidiodd yntau. Er iddo wneud ei orau, doedd o ddim yn gallu adnabod y brenin. Edrychodd i fyny i'r nefoedd a dechreuodd weddïo. Yr eiliad honno gwelodd yr Heliwr rywbeth arall. Fflach o liw, melyn llachar a glas, yn y canghennau uwch ei ben. Yna clywodd sŵn oedd wedi'i glywed o'r blaen:

Heliwr bydd yn dda. Heliwr bydd yn garedig.
Rwyt ti wedi achub fy mywyd ac yn awr byddi'n dod o hyd i'r
brenin yn gwisgo carpiau, dim byd disglair na newydd.
Bydd daioni a charedigrwydd yn dod i ti.

Craffodd yr Heliwr ar y dyrfa ac yn wir ynghanol y gwisgoedd ffansi roedd un wedi gwisgo fel cardotyn.

'Dacw fo!' gwaeddodd yr Heliwr. 'Hwn ydi'r brenin. Yr un sydd wedi gwisgo mewn carpiau!'

Y munud hwnnw dyma'r dyrfa i gyd yn dechrau chwerthin.

'Hurt bost!' meddai'r gwarchodwyr dan grechwenu.

'Mae hi ar ben arno!' wfftiodd un arall.

Ond pan dynnodd y cardotyn ei garpiau a thynnu'r masg oddi ar ei wyneb, hwn yn wir oedd y brenin.

'Gadewch iddo fynd yn rhydd!' gorchmynnodd y brenin. 'Mae dyn sy'n ddigon doeth i weld y brenin drwy ddillad carpiog yn sicr o fod yn dweud y gwir!'

Felly cafodd yr Heliwr fynd yn rhydd. Ymunodd â'r parti. Roedd ganddo fwy i'w ddathlu nag unrhyw un arall oedd yno. Ar ei ffordd adref, gyda'i wraig, cafodd gipolwg ar y parot melyn llachar a glas. A chlywodd y parot yn dweud rhywbeth am y tro olaf:

Heliwr bydd yn dda. Heliwr bydd yn garedig.
Cofia'r diwrnod hwn am dy fod wedi achub
fy mywyd i, ac mi wnes i achub dy fywyd di!
Mae daioni a charedigrwydd wedi dod yn ôl atat ti.

Y Crwban a'r Sgwarnog

Araf y cerddai'r Crwban. Araf iawn, iawn.

Cerdded yn araf. Siarad yn araf. Ac wrth fwyta'i ginio byddai'n cnoi pob tamaid yn araf, araf. Cant a mil o weithiau.

Rhedai'r Sgwarnog yn gyflym. Yn gyflym iawn.

Doedd o byth yn cerdded i unman. Dim ond rhedeg.

Siaradai mor gyflym fel nad oedd ei ffrindiau prin yn ei ddeall. Ac amser cinio byddai wedi llowcio'r cwbl cyn byddai'r lleill wedi dechrau bwyta.

Byddai'r Sgwarnog wrth ei fodd yn tynnu coes y Crwban.

'Gan bwyll.' Dyna fyddai'r Sgwarnog yn ei alw. A 'Mr Ara' deg.'

Bu'n rhaid i'r Crwban ddioddef hyn am amser hir. (Roedd hefyd yn cymryd amser hir i golli'i dymer.) Ond un diwrnod, cyrhaeddodd y Crwban ben ei dennyn. Trodd at y Sgwarnog ac meddai (yn araf iawn, wrth gwrs), 'Beth am gael ras?'

Chwarddodd y Sgwarnog dros y lle. Dyma fo'n snwffian, ffroenochi, piffian a chwerthin o waelod ei fol a hynny i gyd mewn un anadliad.

'Wrth gwrs mod i'n barod i redeg ras,' atebodd. 'Mi fydda i'n mynd fel mellten, mor gyflym fel na weli di fi!'

Gwawriodd diwrnod y ras, a daeth ffrindiau y Sgwarnog draw i'w gefnogi.

'Y fi sy'n mynd i ennill. Welith o mohono i. Mi fydda i wedi'i adael o'n llonydd!' gwaeddodd y Sgwarnog. Ac roedd o'n siarad mor gyflym fel mai'r unig beth allai ei ffrindiau

ddweud oedd:

'Y?'

'Be?'

'Beth ddwedodd o?'

Ond beth bynnag dyma roi cymeradwyaeth iddo fo a churo dwylo.

Ond doedd dim enaid byw yno i gefnogi'r Crwban. Nid oedd neb eisiau cael ei weld efo'r collwr.

Dyna lle'r oedd y Crwban yn disgwyl yn amyneddgar wrth y llinell gychwyn. Ymestynnodd un goes yn araf, wedyn y goes arall yn ara' deg rhag ofn iddo gael cramp yn ei goesau.

O'r diwedd, dyma floedd, 'Barod, Ewch!'

Llamodd y Sgwarnog. I ffwrdd ag o mor gyflym nes mewn dim roedd o wedi diflannu dros y bryncyn.

Ymlwybrodd y Crwban yn araf, un goes o flaen y llall. Roedd yn benderfynol ei fod am wneud ei orau glas.

Milltir ar ôl milltir gwibiodd y Sgwarnog heibio'r ceir, y beiciau modur a'r trenau.

Ymlwybrodd y Crwban yn araf, un cam ar y tro, gan stopio yn awr ac yn y man i gyfarch ambell falwen ar y ffordd.

Ymhen dim roedd y llinell derfyn ar y gorwel. Yr ochr arall i'r llinell roedd criw o anifeiliaid wedi ymgasglu i gyfarch yr enillydd. Ond yn hytrach na rhedeg dros y llinell derfyn dyma'r Sgwarnog yn penderfynu chwarae tric ar y Crwban.

Chwifiodd ei ddwylo ar y dyrfa. Pwyntiodd at y goeden oedd wrth ymyl ac aeth ati i orffwyso.

'Mi ddangosa i iddyn nhw,' meddai dan grechwenu. 'Mi fedra i gysgu am hanner diwrnod a dal i ennill Mr Ara' deg!'

Syrthiodd y Sgwarnog i gysgu tra'r ymlwybrai'r Crwban yn ei flaen.

Breuddwydiodd y Sgwarnog am y crwban a'i bedair

coes yn ymlwybro ymlaen. Breuddwydiodd am ei goesau ei hun. Yn hir a chryf a chyflym. Yna breuddwydiodd am y ras, y llinell derfyn a'r dorf yn curo dwylo.

Agorodd y Sgwarnog ei lygaid ac edrychodd ar y dyrfa. Roedden nhw'n gweiddi a chodi eu dwylo i'r awyr. Ond beth oedd wedi digwydd? Roedd o'n dal i orwedd dan y goeden. A dyna'r adeg y gwelodd y Sgwarnog y Crwban. Dim ond ychydig o gentimetrau o'r llinell derfyn! Edrychodd y Sgwarnog i fyny ar yr haul. Roedd yn dechrau machlud dros y bryniau. Mae'n amlwg ei fod wedi cysgu am ran helaeth o'r diwrnod!

Neidiodd ar ei draed. Rasiodd. Rhedodd. Bron nad oedd o'n hedfan. Ond ymlwybrodd y Crwban yn ei flaen. Ac er bod y Sgwarnog wedi defnyddio pob cyhyr yn ei goesau cryfion, llwyddodd y Crwban i ymlwybro dros y llinell derfyn. Un cam o'i flaen!

'Dydi o ddim yn deg!' protestiodd y Sgwarnog. 'Roeddwn i bron â chyrraedd. Roeddwn i wrth ymyl y goeden! Roeddech chi i gyd yn fy ngweld!'

'Y?' meddai'r dyrfa.

'Be?'

A 'Beth ddeudodd o?'

Rhedodd pawb at y Crwban a'i godi i fyny i'r awyr, gan guro dwylo a galw'i enw. Gadawyd y Sgwarnog ar ei ben ei hun yn hwfftian a phwffian. Yn cwyno a thrin y cramp yn ei goesau.

148

Pam mae Cŵn yn Ymlid Cathod a Chathod yn Ymlid Llygod

'Gwrandewch bawb! Gwrandewch bawb!' gwaeddai'r brenin. 'Mae gen i gyhoeddiad pwysig i'w wneud. Cefais fy achub ddoe gan gi. Felly, o'r munud hwn ymlaen, mae'n rhaid i chi i gyd drin pob ci gyda pharch mawr.

'Mae'n rhaid i'w dysglau bwyd a diod fod yn llawn bob amser.

'Rhaid i'r teganau a'r peli fod yn lliwgar a sbonciog.

'Mae chwarae "dos i'w nôl" yn gêm genedlaethol erbyn hyn.

'Ac mae dalwyr cŵn allan o waith erbyn hyn.'

Yna cododd y brenin ddarn mawr o bapur.

'Dyma fy ngorchymyn,' cyhoeddodd. 'Wedi'i arwyddo a'i selio yn f'enw i. Rwyf am ei roi i'r cŵn i'w gadw'n ddiogel.'

'Bow-wow,' cyfarthodd y cŵn, fel yr oedd y ci Dalmataidd yn dod ymlaen i dderbyn y darn papur.

Dyma'r diwrnod hapusaf

i'r cŵn i gyd. A dyma nhw'n dechrau cyfarth a chipial ac ysgwyd eu cynffonnau i ddathlu.

Ond gyda'r nos, wynebai'r cŵn gryn broblem. Ymhle y dylid cadw'r darn papur pwysig? Dyma'r cŵn yn dechrau snwffian a chrafu, gan gyfarth eu syniadau gorau.

'Beth am wneud twll mawr!' awgrymodd y Brochgi.

'A'i gladdu!' ychwanegodd y Corhelgi.

'Nid asgwrn ydi o!' meddai'r Sbaengi. 'Darn o bapur ydi o. Bydd y pridd yn ei faeddu.'

'Mae gen i syniad,' cyfarthodd y ci Dalmataidd, o'r diwedd. 'Beth am i ni ofyn i'r cathod ofalu amdano? Maen nhw'n ddeallus. Mi fyddan nhw'n gwybod yn iawn beth i'w wneud.'

'Syniad ardderchog!' cyfarthodd y gweddill. Oherwydd yr adeg hynny roedd y cŵn a'r cathod yn ffrindiau mawr.

Felly rhoddwyd gorchymyn y brenin i'r cathod ofalu amdano. Ac yn wir, dyma'r cathod yn galw cyfarfod. Dyma nhw'n ymestyn a phoeri a thrin eu pawennau, gan fewian eu syniadau gorau.

'Dringo coeden!' awgrymodd y gath Sïamaidd.

'A'i guddio yn y goeden!' meddai'r Tabi.

'Ond darn o bapur ydi o,' cwynai'r gath Fanawaidd. 'Bydd y pwff cyntaf o wynt yn siŵr o'i chwythu i ffwrdd.'

'Mae gen i syniad!' meddai'r gath Bersiaidd. 'Pam na rown ni'r darn papur i'r llygod? Maen nhw'n rhai da am guddio pethau.'

'Syniad ardderchog!' meddai'r lleill i gyd. Oherwydd bryd hynny roedd y cathod a'r llygod yn ffrindiau mawr.

Felly rhoddwyd gorchymyn y brenin i'r llygod ofalu amdano. A gan fod y llygod yn rhai mor dda am guddio pethau doedd dim angen pwyllgor. Dyma'r llygod yn mynd ati i guddio'r papur yn ddiogel mewn twll llygoden clyd a chynnes.

A dyna fyddai diwedd y stori oni bai am un llygoden oedd yn enwog am gnoi. Mor hawdd fyddai iddi gnoi darn o'r carped. Mor hawdd fyddai

150

iddi gnoi darn o bren. Mor hawdd fyddai iddi gnoi darn o gaws. Ond penderfynodd y llygoden fach hon, yn hytrach, gnoi darn o bapur. Ac yn anffodus dechreuodd gnoi gorchymyn y brenin.

Ar y dechrau, dyma hi'n cnoi darn bach, bach. Ar ôl dechrau dyma hi'n cnoi a chnoi a chnoi a chnoi. Wnaeth hi ddim gorffen cnoi nes oedd y papur i gyd wedi diflannu.

Yn anffodus, ar yr adeg honno daeth daliwr cŵn digon annifyr i fyw i'r wlad. Gafaelodd yn ei rwyd, daeth allan o'i gerbyd a mynd ati i weithio.

Ond dyma'r ci cyntaf a ddaliodd yn udo'i brotest.

'Chei di ddim gwneud hyn i mi! Mae'r brenin ei hun wedi gwahardd hyn.'

'Wyt ti'n siŵr?' rhuodd y daliwr cŵn. 'Profa hyn i mi!'

Felly aeth y cŵn at y cathod. Aeth y cathod at y llygod. A phan aeth y llygod i'r twll llygoden, yr unig beth oedd yno oedd llygoden fach dew, dew gyda darn bach, bach o bapur yn hongian o'i dannedd.

'O!' llefodd y cathod pan ddywedodd y llygod y newydd trist wrthyn nhw.

'A...ww...ww!' udodd y cŵn, ar ôl siarad â'r cathod.

Erbyn hyn doedd neb yn ffrindiau â'i gilydd.

Felly dyma'r cathod yn ymlid y llygod.

A'r cŵn yn ymlid y cathod.

A'r daliwr cŵn yn ymlid y cŵn.

Ac yn wir, felly mae hi wedi bod ers hynny. Trist iawn, iawn!

Y Gwningen a'r Llwyn Mwyar Duon

Roedd popeth yn mynd yn iawn i'r Gwningen bob amser. Y rheswm am hynny oedd ei bod yn ddeallus. Neu efallai am ei bod yn cael mwy na'i siâr o lwc!

Ond un diwrnod, doedd pethau ddim yn mynd yn rhy dda. Tra roedd hi'n mynd ling di long drwy'r caeau llamodd y Llwynog Coch o'r llwyni a gafael ynddi gerfydd ei gwddf.

'Dyma fi wedi dy ddal,' chwyrnodd y Llwynog. 'Fedri di ddim dianc rŵan!'

Brwydrodd y Gwningen a gwingodd y Gwningen.

Stryffagliodd y Gwningen ac ymosododd y Gwningen.

Ac fel roedd hi ar fin anobeithio'n llwyr sylwodd y Gwningen ar lwyn mwyar duon yng ngwaelod y cae.

'Mae'n bur debyg dy fod di'n iawn,'
ochneidiodd y Gwningen. 'Mae hi ar ben arna
i rŵan. Bydd fy mywyd yn dod i ben yn y sosban
lobsgóws. Ond bydd hynny'n llawer gwell na
chael fy nhaflu i'r llwyn mwyar duon.'

'Sosban lobsgóws?' gofynnodd y Llwynog. 'Does gen i
ddim sosban lobsgóws! A beth bynnag, buasai gwneud lobsgóws
yn rhoi cyfle i ti ddianc. Na, mi ydw i'n bwriadu gwneud barbeciw, yma, yn y fan a'r
lle!'

'Iawn,' meddai'r Gwningen gan roi cilwg ofnus tua'r llwyn mwyar duon. 'Rho fi ar
y cigwain. Tro fi uwchben y tân. Wedyn rho fi yn y saws melys. Ond plîs, plîs paid â
nhaflu i i'r llwyn mwyar duon!'

Rhoddodd y Llwynog gipolwg ar y llwyn mwyar duon. Fedrai o ddim deall pam
fod hyn yn poeni'r Gwningen. Ond roedd ganddo waith i'w wneud. Paratoi cinio!

'Mae barbeciw braidd yn stomplyd,' penderfynodd. 'Mi wna i frechdan allan
ohonot ti.'

'O iawn,' meddai'r Gwningen. 'Syniad ardderchog. Rho fi rhwng dwy dafell o fara.
Rho fi ar wely o letys a digon o saws melys. Ond plîs, plîs paid â nhaflu i i'r llwyn
mwyar duon.'

'Mae paratoi brechdan, hyd yn oed, yn ormod o drafferth. Mi wna i dy lyncu di yn
y fan a'r lle!'

'Dyna syniad gwell,' meddai'r Gwningen. 'Llynca fi, groen ac asgwrn. Mi gei di fy
nghnoi i'n filoedd o ddarnau bychain bach. Ond plîs, plîs, paid â nhaflu i i'r llwyn
mwyar duon!'

'Dyna be dwi'n mynd i'w wneud!' cyfarthodd y Llwynog o'r diwedd. 'Dyma sy'n
mynd i dy ddychryn di'n fwy na dim!'

Cododd y Gwningen gerfydd ei dwy glust. Ei siglo'n ôl a blaen mewn cylch mawr
a'i hyrddio ar draws y cae i'r llwyn mwyar duon.

Glaniodd y Gwningen a syrthio'n glewt i ganol y llwyn. Ac allan o'r llwyn clywodd
y Llwynog y synau mwyaf annaearol.

Sgrechiodd y Gwningen a gwichiodd y Gwningen.

Hewiodd y Gwningen ac oernadodd y Gwningen.

Yn sydyn distawodd y cwbl.

Ymlusgodd y Llwynog ar draws y cae at ymyl y llwyn mwyar duon. Yr unig beth oedd raid iddo'i wneud oedd rhoi ei bawennau i mewn yn y llwyn a gafael yn ei ginio.

A dyna'r pryd yr ymddangosodd y Gwningen yr ochr arall i'r llwyn.

'Yma ces i fy ngeni!' gwenodd.

'Yma ces i fy magu!' gwenodd eilwaith.

'A'r tro yma dyma fi'n ffarwelio â'r llwyn mwyar duon,' gwenodd am y tro olaf. 'A dyma fi'n ffarwelio efo ti, hefyd, Mr Llwynog!' Trodd ar ei sawdl a ffwrdd â hi. Roedd hi'n Gwningen hapus iawn unwaith eto. Efallai am ei bod wedi cael mwy na'i siâr o lwc. Neu am ei bod mor ddeallus!

Fy Mrawd y Crocodeil

Amser maith yn ôl, doedd dau lwyth o bobl ddim yn gallu cyd-dynnu na chyd-fyw. Dechreuodd y drwgdeimlad pan ddwynwyd buwch ac yna mochyn neu ddau. Bu cryn ddadlau a bwrw bygythion. Ond pan gafwyd hyd i fab hynaf un o'r penaethiaid wedi'i lofruddio, dechreuodd pawb baratoi i fynd i ryfela!

Roedd tad y bachgen a lofruddiwyd wedi torri'i galon. Ond er ei fod yn flin ac yn ei drallod doedd o ddim am weld tadau eraill yn colli eu meibion. Felly dyma berswadio penaethiaid y ddau lwyth i gydweithio. A hynny er mwyn ceisio datrys y cweryl mewn ffordd heddychlon.

Ar y cychwyn, edrychai'r cyfarfod fel pe byddai'n sicr o fod yn fethiant. Dechreuodd gyda phawb yn edrych ar ei gilydd yn amheus. Cyn pen dim aeth pawb ati i weiddi.

Ond cyn i'r cyfarfod fynd yn anhrefn llwyr, cododd y pennaeth ar ei draed a chodi ei freichiau i'r awyr a gweiddi, 'Crocodeil!'

Aeth pawb yn ddistaw fel y bedd, gyda phennau'n troi o'r naill ochr i'r llall, i

155

chwilio am y bwystfil. A dyma oedd cyfle'r pennaeth i ddweud gair.

'Does 'na ddim crocodeil yma,' meddai'n ddistaw. 'Ddim eto, beth bynnag. Ond gwrandewch ar fy stori, frodyr, os gwelwch yn dda. Ac efallai y gwelwch wedyn beth sydd gen i mewn golwg.'

'Un tro roedd crocodeil yn byw yn yr afon,' dechreuodd y pennaeth. 'Gwelodd geiliog mawr tew ar y lan. Gwenodd y crocodeil. Agorodd ei geg led y pen. Dangosodd ei ddannedd gwyn, miniog. Ond cyn i'r crocodeil gau ei geg a llyncu ei ysglyfaeth siaradodd y ceiliog!

' "Fy mrawd," plediodd y ceiliog, "os gweli'n dda wnei di achub fy mywyd i. Dos i chwilio am rywbeth arall i swper."

'Cafodd y crocodeil fraw. "Fy mrawd?" pendronodd. "Beth ydi ystyr hyn?" A thra roedd yn meddwl diflannodd y ceiliog.

'Y diwrnod wedyn, gwelodd y crocodeil hwyaden lyfndew, flasus. Gwenodd y crocodeil. Agorodd ei geg fawr led y pen. Dangosodd resi o ddannedd gwyn miniog. Ond cyn i'r crocodeil gau ei geg a llyncu ei ysglyfaeth, siaradodd yr hwyaden!

"Fy mrawd," plediodd yr hwyaden, "os gweli'n dda wnei di achub fy mywyd i. Dos i chwilio am rywbeth arall i swper."

'Unwaith eto roedd y crocodeil wedi rhyfeddu. "Brawd?" pendronodd. "Ers pa bryd rydw i'n frawd i'r ceiliog a'r hwyaden?" Ac fel roedd yn dal i bendroni, diflannodd yr hwyaden.

'Roedd y crocodeil mewn cryn benbleth. Ond roedd yn mynd yn fwy llwglyd o awr i awr. Felly aeth i weld ei ffrind, y fadfall. Dywedodd yr hanes. Am y ceiliog. Am yr hwyaden. Dechreuodd y fadfall nodio a gwenu.

' "Dwi'n deall yn iawn!" atebodd y fadfall. "Rydw innau'n frawd i ti hefyd."

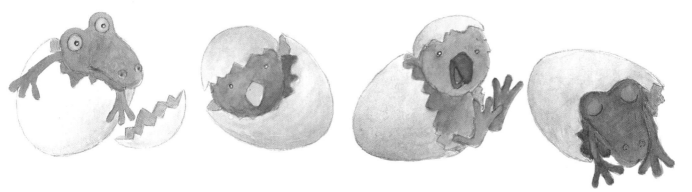

' "Brawd i mi?" gofynnodd y crocodeil. "Ond sut?"

' "Mi wnes i ddeor allan o wy," atebodd y fadfall. "A dyna ddigwyddodd i'r ceiliog a'r hwyaden." Ac yna gwenodd ar y crocodeil. "A dyna, fy mrawd annwyl, a ddigwyddodd i ti. Erbyn meddwl, rydym ni i gyd yn debyg i'n gilydd. Pam felly rydym ni eisiau bwyta'n gilydd?" '

Ar ôl dweud y stori trodd y pennaeth at y dynion doeth.

'Fy mrodyr,' meddai, 'rydym ni i gyd yn union fel y crocodeil yna.'

'Dwli!' gwaeddodd un o'r dynion doeth. 'Wnes i ddim deor allan o wy!' A dyma'r dynion doeth ar y ddwy ochr yn dechrau chwerthin.

'Na,' gwenodd y pennaeth. 'Ond mae gen ti lygaid a chlustiau a dwylo a thraed, fel pob un ohonom. Rydym ni'n fwy tebyg i'n gilydd nag y mae neb yn ei feddwl. Felly pam ydyn ni'n lladd ein gilydd mewn rhyfeloedd? Pam na fedrwn ni gyd-fyw fel brodyr?'

Y Broga Balch

Creadur mawr, mawr oedd y Tarw. Yn fawr ac yn frown. Ond er gwaetha'i faint (neu oherwydd ei faint) doedd y Tarw ddim yn fwli. Tarw annwyl, distaw a diniwed oedd o. Doedd o ddim yn drafferth i neb.

Bychan oedd y Broga, yn llai na Mochyn. Yn llai na'r Ci. Yn llai na'r Gath. Ac yn llawer iawn llai na'r Tarw.

Ond er gwaetha ei faint (neu oherwydd ei faint), roedd o wrthi bob amser yn dweud pa mor dda oedd o.

'Mi fedra i neidio'n uwch nag y medri di,' broliodd wrth y Mochyn. Fedrai'r Mochyn ddim neidio fawr ddim.

'Efallai fod hynny'n wir,' meddai'r Mochyn, 'ond does dim rhaid i ti ddweud wrtha i.'

'Mi fedra i ladd mwy o bryfed nag y medri di,' meddai wrth y Ci. Nid oedd y Ci erioed wedi bwyta pry.

'Mae hynny'n wir,' meddai'r Ci, 'ond does 'na neb yn hoffi dangos ei hun.'

'Mi fedra i nofio ymhellach nag y medri di,' meddai wrth y Gath. Roedd y Gath yn casáu hyd yn oed cael ei phawennau yn wlyb.

'Mae hynny'n wir,' mewiodd y Gath, 'ond mae'n well i ti fod yn ofalus, Broga. Mae ymffrostio fel hyn yn mynd i wneud niwed mawr iawn i ti ryw ddiwrnod.'

Ond un diwrnod dyma'r Broga'n dechrau brolio wrth y Tarw.

158

Dyna lle'r oedd y Tarw'n pori yn y cae pan ddaeth y Broga heibio a sboncio at ei ochr.

Edrychodd y Broga ar y Tarw mawr brown. A dechreuodd feddwl am ei hoff dric. Gallai'r Tarw neidio'n uwch na'r Broga, doedd dim dwywaith am hynny. Gwelodd y Broga y Tarw'n lladd cannoedd o bryfed gyda'i gynffon. A nofio. Bu Broga'n gwylio'r tarw yn padlo drwy'r afon. Felly doedd y tric yna ddim yn mynd i weithio.

Yna cofiodd am hen dric oedd hen froga mawr wedi'i ddysgu iddo pan oedd yn benbwl bychan.

'Mi fedra i wneud fy hun yn fwy nag wyt ti,' gwaeddodd yn wyneb y Tarw. Bu bron i'r Tarw dagu ar ei bryd bwyd.

'Efallai fod hynny'n wir,' meddai'r Tarw, 'ond bydd rhaid i mi weld hyn efo'm llygaid fy hun.'

Edrychodd y Broga ym myw llygad y Tarw. Cododd ar flaenau ei fysedd ac anadlodd yn drwm. Anadlodd gymaint fel yr oedd wedi chwyddo ddwywaith ei faint.

'Dyna dric rhagorol,' meddai'r Tarw. Ond roedd y Broga ymhell o fod yr un maint â'r Tarw.

'Mi fedra i dyfu'n fwy byth,' meddai'r Broga.

A dyma fo'n sugno mwy o aer i mewn i'w ysgyfaint.

159

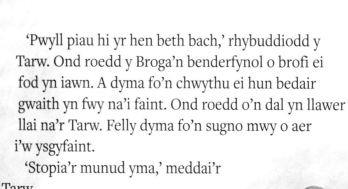

'Pwyll piau hi yr hen beth bach,' rhybuddiodd y
Tarw. Ond roedd y Broga'n benderfynol o brofi ei
fod yn iawn. A dyma fo'n chwythu ei hun bedair
gwaith yn fwy na'i faint. Ond roedd o'n dal yn llawer
llai na'r Tarw. Felly dyma fo'n sugno mwy o aer
i'w ysgyfaint.

'Stopia'r munud yma,' meddai'r
Tarw.

Ond daliodd y Broga i sugno a
sugno'r aer i'w ysgyfaint.

'Dydi o ddim yn bwysig pa mor
fawr wyt ti,' rhuodd y Tarw. 'Wir, dydi o
ddim yn bwysig o gwbl.'

Ond daliodd y Broga i sugno a sugno'r aer i'w
ysgyfaint.

'Iawn. Mi fedri di wneud dy hun yn
fwy na fi. Medri'n siŵr, felly stopia'r
munud yma. Plîs!'

Ond roedd y Broga'n gwybod nad
oedd o ddim yn ddigon mawr. Dim eto.

Felly, caeodd ei lygaid yn sownd gan ganolbwyntio ar un
anadliad arall...

Yn sydyn clywodd yr holl anifeiliaid eraill un glec
anferth. A phan aethon nhw i weld beth oedd wedi
digwydd dyna lle'r oedd y Tarw'n sefyll yno'n ysgwyd ei
ben mawr, brown.

'Mi ddywedais i wrtho fo am fod yn ofalus,' meddai'r
Tarw. 'Mi wnes ei rybuddio.'

'Do,' meddai'r Gath. 'Mi ddywedais wrtho y byddai
ymffrostio fel hyn yn sicr o arwain i drwbl.'

A dyna ddigwyddodd. Efo'r holl ymffrostio a chwyddo ei hun
mae'r Broga druan wedi chwythu'i hun yn filiynau o ddarnau bach.

Y Carw Bach Clyfar

Galwodd Brenin holl Deigrod Jynglau Jafa ar ei ffrindiau.

'Does dim digon o gig yn Jynglau Jafa!' rhuodd Brenin yr holl Deigrod.

'Dim digon o eliffantod.

'Dim digon o foch.

'Dim digon o fwncïod ac epaod.'

Felly dyma Frenin holl Deigrod Jynglau Jafa yn tynnu blewyn o'i wyneb.

'Ewch â hwn i Frenin Bwystfilod Borneo a deudwch wrtho ein bod ni'n dod draw i'w weld.'

'I fwyta'r eliffantod.

'I fwyta'r moch.

'I fwyta'r mwncïod a'r epaod.'

'Ac os ydi Brenin Bwystfilod Borneo, a holl fwystfilod Borneo, yn mynd i'n rhwystro yna deudwch wrth Frenin Bwystfilod Borneo y byddwn ni'n ddigon hapus i'w fwyta o hefyd!'

Felly dyma ffrindiau

161

Brenin holl Deigrod Jynglau Jafa yn hwylio dros y moroedd.

A phan gyrhaeddon nhw lannau Borneo, beth welodd y teigrod?

Carw bach, bach, dyna i gyd. Creadur bychan a bregus.

'Mae gan Frenin holl Deigrod Jynglau Jafa neges i'r brenin. Rho'r blewyn hwn iddo. Dywed wrtho ein bod ar ein ffordd – ar ein ffordd i fwyta'i gig!'

Rhedodd y Carw bach nerth ei draed i Jynglau Borneo gan feddwl beth i'w wneud. Oherwydd doedd yna ddim brenin ar holl fwystfilod Borneo. Ac felly pwy oedd i dderbyn y neges? Roedd y Carw bach yn fregus. Roedd yn fach, bach. Ond roedd y Carw yn ddeallus. Felly aeth i weld ei ffrind y porciwpein, a gofynnodd am un cwilsyn miniog.

'Cig wyt ti, a cig ydw i!' eglurodd y Carw bach. 'A bydd y teigrod yn siŵr o'n bwyta ni ill dau. Ond os rhoddi di un o'th gwilsynnau miniog, yna mi fedraf eu hymlid.'

Felly rhedodd y Carw bach, bach drwy Jynglau Borneo â'r cwilsyn miniog yn ei geg. Pan ddaeth i lannau môr Borneo, dyna lle'r oedd y teigrod i gyd yn disgwyl amdano.

'Felly, beth ydi'r ateb?' rhuodd teigrod Jafa. 'Beth oedd ateb eich brenin?'

'NA ydi'r ateb,' meddai'r Carw bach dan grynu wrth roi'r cwilsyn miniog wrth eu traed.

'Mae Brenin y Bwystfilod, holl Fwystfilod Borneo yn rhoi y cwilsyn miniog hwn iti. Dos a fo'n ôl at y brenin. Dywed wrtho am ddod yma. A byddwn ni'n barod i ymladd ag o. Dyna beth wnawn ni!'

Rhythodd teigrod Jafa ar y cwilsyn miniog. Dyma nhw i gyd yn dechrau crynu. Os mai un cwilsyn oedd hwn, yna dychmygwch i pa fath wyneb roedd hwn yn perthyn!

Roedd y cwilsyn miniog yn anferth, yn bigfain, yn finiog ac yn beryglus!

162

Roedd Brenin Bwystfilod Borneo, holl fwystfilod Borneo yn rhyw fath o anghenfil.

Felly dyma deigrod Jafa yn mynd yn ôl i'r cwch fesul un a hwylio am adref dros y moroedd. A phan welodd Brenin yr holl Deigrod y cwilsyn miniog, newidiodd ei gynlluniau ar unwaith.

A dyna pam, hyd heddiw, yn Jynglau Jafa, y gallwch glywed y teigrod yn galw.

Ond ymhlith y bwystfilod, bwystfilod Borneo, does yna ddim un teigr. Na, dim un o gwbl.

Y Morgrugyn a'r Sioncyn Gwair

Roedd hi'n fore braf o wanwyn.

Gorweddai Sioncyn y Gwair ar betalau blodau'r goeden afalau. Dechreuodd gyfrif yr adar yn yr awyr.

Gwibiodd y Morgrugyn heibio a baich o hadau yn drwch ar ei gefn.

'Tyrd i eistedd efo mi am funud neu ddau,' galwodd Sioncyn. 'Rwyt ti'n gweithio'n rhy galed o lawer!'

'Fedra i ddim,' meddai'r Morgrugyn. 'Mi fydd y gaeaf ar ein gwarthaf ac mae'n rhaid i mi ofalu am fwyd i'r plant.'

Roedd hi'n bnawn braf o haf.

Gorweddai Sioncyn yng nghysgod y caws llyffant yn cnoi gwelltyn o wair.

Gwibiodd y Morgrugyn heibio â phwysau'r grawn gwenith yn ei blygu'n wargam.

'Tyrd i eistedd efo mi am funud neu ddau!' galwodd Sioncyn. 'Rwyt ti angen gorffwys.'

'Fedra i ddim,' meddai Morgrugyn. 'Mi fydd y gaeaf ar ein gwarthaf ac mae'n rhaid i mi ofalu am fwyd i'r plant.'

Roedd hi'n noson braf o hydref.

Eisteddai Sioncyn ar bentwr o ddail crin, yn syllu ar y sêr.

Gwibiodd y Morgrugyn heibio, gan ymlafnio efo darn o afal.

'Tyrd i eistedd efo mi am funud neu ddau,' galwodd Sioncyn. 'Mi fyddi di wedi lladd dy hun.'

'Fedra i ddim,' meddai'r Morgrugyn. 'Dydi'r gaeaf ddim ymhell i ffwrdd. Mae'n rhaid i mi fwydo'r plant. Ac efallai,' ychwanegodd, 'y bydd yn rhaid i tithau ymorol am fwyd ar gyfer y gaeaf.'

'Mae gen i ddigon o fwyd ar y funud,' mynnodd Sioncyn. 'Mi wna i boeni am y gaeaf pan ddaw heibio.'

Roedd hi'n noson iasol o oer o aeaf.

Swatiai Sioncyn rhwng carreg fawr a bôn y goeden. Roedd o bron â llwgu eisiau bwyd.

Gwibiodd y Morgrugyn heibio, gan blygu'n erbyn oerwynt y gaeaf.

'Tyrd i eistedd efo mi am funud neu ddau,' galwodd Sioncyn. 'Efallai y gelli di sbario rhywbeth i mi i'w fwyta. Rwyf bron â llwgu.'

'Fedra i ddim,' meddai'r Morgrugyn yn drist. 'Mi fuaswn wrth fy modd yn dy helpu ond fedra i ddim. Rydw i wedi gweithio'n galed drwy'r gwanwyn, yr haf a'r hydref ac eto does gen i ddim digon o fwyd i fwydo'r plant. Petaet ti wedi gweithio'n galetach – a meddwl am y dyfodol – mi fyddai gen tithau ddigon o fwyd.'

Jac Mawr, Jac Bach a Ffermwr Ffowc

Ffwrdd â Jac Mawr a Jac Bach am y farchnad.

Ar eu ffordd fe aethon nhw heibio tŷ eu ffrind, Ffermwr Ffowc. Felly dyma gnocio'r drws er mwyn gofyn a oedd arno eisiau rhywbeth o'r farchnad.

Ond doedd Ffermwr Ffowc ddim adref. Doedd o ddim yn y sgubor. Doedd o ddim ar fuarth y fferm chwaith.

Pan oedd Jac Mawr a Jac Bach ar fin gadael fe glywson nhw sŵn bloeddio a hwre mawr yn dod o'r cwt ieir.

Felly dyma nhw'n dilyn y synau a dyna lle'r oedd Ffermwr Ffowc yn neidio i fyny ac i lawr wedi gwirioni'n lân. Roedd ganddo rywbeth disglair, sgleiniog yn ei law.

'Edrychwch ar hwn fechgyn!' gwaeddodd. 'Yna ysgydwch law â'r dyn mwyaf lwcus ydych chi erioed wedi'i gyfarfod. Oherwydd mae'r iâr hon wedi dodwy wy aur i mi!'

Ysgydwodd Jac Mawr law Ffermwr Ffowc. A gwnaeth Jac Bach yr un peth. Yna dyma'r ddau'n aros yn llonydd i rythu ar yr iâr. A dyma nhw'n craffu'n fanylach ar yr wy aur.

'Ydych chi eisiau rhywbeth o'r farchnad?' gofynnodd Jac Mawr o'r diwedd.

'Rydym ni ar y ffordd yno,' ychwanegodd Jac Bach.

'Na, dim diolch, fechgyn,' gwenodd Ffermwr Ffowc. 'O hyn ymlaen mi fydda i'n

siopa mewn lleoedd gwahanol. Ond diolch i chi, 'run fath.' A dyma Ffermwr Ffowc yn edrych yn ysmala ar y bechgyn ac meddai, 'Peidiwch â dweud wrth neb am yr iâr!'

Yr wythnos wedyn aeth Jac Mawr a Jac Bach i'r farchnad unwaith eto. Ac ar eu ffordd fe aethon nhw heibio tŷ eu ffrind, Ffermwr Ffowc. Felly dyma nhw'n galw rhag ofn fod arno eisiau rhywbeth o'r farchnad. Doedd Ffermwr Ffowc ddim adref. Ond roedd peintwyr ac addurnwyr yn y tŷ.

Doedd o ddim yn y sgubor. Ond roedd y sgubor yn llawn o bob math o geir.

Doedd o ddim ar fuarth y fferm chwaith. Oherwydd doedd dim sôn am fuarth y fferm. Erbyn hyn roedd y buarth yn un pwll nofio enfawr.

Felly dyma nhw'n chwilio amdano yn y cwt ieir. A dyna lle'r oedd Ffermwr Ffowc efo'r iâr arbennig ar ei lin.

'Dwi'n gwybod pam ydych chi'n galw fel hyn,' meddai'n swta. 'Dim ond y ddau ohonoch chi sy'n gwybod am yr wyau aur. Wel, dydych chi ddim yn mynd i gael yr un ohonyn nhw. Deall?

167

'Dydyn ni ddim eisiau dim un o'r wyau aur,' meddai Jac Mawr.

'Na,' ychwanegodd Jac Bach. 'Meddwl oedden ni oeddet ti eisiau rhywbeth o'r farchnad.'

'Na, dim byd. Gadewch lonydd i mi!' gwaeddodd Ffermwr Ffowc. 'Y fi ydi'r dyn mwyaf lwcus ydych chi erioed wedi'i weld. Ac mae gen i bopeth ydw i eisiau!'

Cododd Jac Mawr ei ysgwyddau. Dyma Jac Bach yn gwneud yr un peth. A dyma nhw'n ffarwelio â Ffermwr Ffowc a'i iâr a ffwrdd â nhw am y farchnad.

Aeth wythnos heibio. Yna pythefnos. Yna tair wythnos. A phan oedd Jac Mawr a Jac Bach ar eu ffordd i'r farchnad, dyma nhw'n mynd heibio tŷ Ffermwr Ffowc heb oedi o gwbl.

Ond yn ystod y bedwaredd wythnos, wrth fynd heibio, fe glywson nhw sŵn trist a dolefus.

Dyma nhw'n edrych i mewn i'r tŷ. Roedd o'n dŷ hardd dros ben! Ond doedd Ffermwr Ffowc ddim yno.

Dyma nhw'n edrych yn y sgubor. Roedd y ceir yn edrych yn lân a sgleiniog. Ond doedd o ddim yno chwaith.

Dyma edrych yn y pwll nofio, lle roedd y buarth wedi bod. Ond doedd dim siw na miw o Ffermwr Ffowc.

Yn y diwedd dyma nhw'n mynd i'r cwt ieir. A dyna lle'r oedd Ffermwr Ffowc yn rhythu ar bentwr o blu.

'Beth sy'n bod?' gofynnodd Jac Mawr.

'Lle mae'r iâr?' ychwanegodd Jac Bach.

A dyma Ffermwr Ffowc yn beichio crio a phwyntio at y pentwr plu.

'Y llwynog sydd wedi bod yma?' holodd Jac Mawr.

'Neu hebog?' ychwanegodd Jac Bach.

'Na,' meddai'r Ffermwr. 'Y fi sydd wedi gwneud hyn. Y fi oedd y dyn mwyaf lwcus yn y byd i gyd yn grwn. Ond roeddwn i wedi blino disgwyl am yr wyau aur. Roeddwn i eisiau prynu mwy o bethau. Felly dyma fi'n meddwl petawn i'n agor bol yr iâr y buaswn i'n cael yr wyau allan i gyd ar unwaith!'

'Ond doedd yna ddim wyau tu mewn?' gofynnodd Jac Mawr.

'Dim wyau o gwbl?' ychwanegodd Jac Bach.

'Na,' atebodd Ffermwr Ffowc, 'a rŵan fydd yna ddim mwy o wyau o gwbl.'

'Wel mae gen ti dŷ hyfryd iawn,' meddai Jac Mawr.

'A mwy na digon o geir. A phwll nofio,' ychwanegodd Jac Bach.

'Oes, mae'n debyg,' atebodd Ffermwr Ffowc. 'Ond roeddwn i eisiau llawer mwy!'

'Wyt ti eisiau rhywbeth o'r farchnad, felly?' gofynnodd Jac Mawr.

'Rydym ni ar y ffordd yno,' ychwanegodd Jac Bach.

'Na, mi fydda i'n iawn,' meddai Ffermwr Ffowc.

Felly dyma Jac Mawr a Jac Bach yn ei throi hi am y farchnad. A ffarwelio â'r 'dyn mwyaf lwcus yn y byd i gyd'.

Tri Diwrnod y Ddraig

Un tro roedd 'na afon yn rhedeg trwy dir dau lwyth o bobl, y Tianiaid a'r Aromaniaid.

Pan oedd yr afon yn rhedeg yn gyflym ac yn llawn byddai'r ddau lwyth o bobl yn yfed o'i dyfroedd ac yn byw yn heddychlon. Ond un flwyddyn pan oedd yr afon yn rhedeg yn araf ac yn isel, doedd dim digon o ddŵr i'w yfed. Dechreuodd y bobl ryfela a lladd ei gilydd.

Lladdwyd milwyr ar y ddwy ochr. Felly, dyma Tiana-Rom, pennaeth llwyth y Tianiaid, yn galw ei bobl ato.

'Mae hen chwedlau'n gwlad yn dweud fod draig yn byw draw yn y mynyddoedd acw. Mae'r ddraig yn barod i helpu unrhyw lwyth sy'n barod i aberthu bywyd un ferch ifanc ddewr.'

Rhythodd pob un arno mewn syndod ac ofn. Gwyddai'r bobl mai Tiana-Mori, merch y pennaeth, oedd y ferch fwyaf dewr yn y llwyth.

'Rydych chi'n iawn,' nodiodd y pennaeth. 'Rwyf wedi cael gair â hi. Ac mae hi'n barod i aberthu ei bywyd.'

Edrychodd y bobl ar ei gilydd. Gyda chymorth y ddraig buasent yn siŵr o ennill y frwydr. Ac felly'n ddigon trist dyma nhw'n cytuno.

Cychwynnodd Tiana-Mori ar ei thaith fore drannoeth. Cerddodd am dridiau. O'r diwedd cyrhaeddodd ogof y ddraig. Roedd y ddraig yn chwyrnu cysgu. Dyma'r creadur mwyaf prydferth roedd Tiana-Mori wedi'i weld erioed. Roedd y cen

ar groen y ddraig yn pefrio'n wyrdd ac aur, ac ar dop ei phen – fel crib crocodeil –
rhedai ribidirês o gyrn coch.

Agorodd y ddraig un llygad mawr gwyrdd. 'Beth wyt ti eisiau?' mwmiodd y ddraig.

'Wel,' meddai'r eneth. 'Y fi ydi'r ferch ddewraf yn llwyth y Tianiaid. Rydw i wedi
dod yma i aberthu fy hun er mwyn i ti ein helpu i oresgyn ein gelynion.'

'Y ferch ddewraf?' gofynnodd y ddraig. 'Gawn ni weld am hynny. Rwyf am i ti
ddringo ar fy mhen.'

Cerddodd Tiana-Mori yn hamddenol tuag at y ddraig. Dringodd heibio ei dannedd
miniog, i fyny ei thrwyn hir ac yna cyrhaeddodd ei phen.

'Eistedd rhwng y cyrn ar fy mhen,' meddai'r ddraig. 'A dalia'n dynn!'

Ymhen chwinciad hedfanodd y ddraig i fyny i'r awyr, yn uwch na'r mynyddoedd.
Hedfanodd mor chwim fel nad oedd Tiana-Mori yn medru anadlu.

Ar y cychwyn, roedd Tiana-Mori yn meddwl fod y ddraig yn mynd i'w gollwng
yn ôl i'r ddaear. Ond, fel roedd hi'n edrych ar y ddaear oddi tani sylweddolodd fod
rhywbeth arall yn digwydd. Rhywbeth mwy syfrdanol byth. Roedd y ddraig yn mynd
â hi'n ôl i'w chartref.

Glaniodd tu allan i'r pentref a dyma'r pentrefwyr i gyd yn dod allan i'w cyfarch.

Plediodd Tiana-Mori efo'r ddraig.

'Bwyta fi'r munud yma,' meddai. 'Paid â gadael i 'nhad weld beth sy'n mynd i
ddigwydd i mi.'

'Dy fwyta?' meddai'r ddraig. 'Lle ar wyneb y ddaear y cest ti'r syniad yna?'

'Yn yr hen chwedlau,' atebodd Tiana-Mori.

'Yr hen chwedlau?' wfftiodd y ddraig. 'Dydw i'n malio dim am yr hen chwedlau. Mae yna fwy nag un ffordd i apelio am gymorth y ddraig. Ac rwyt ti wedi gwneud hynny trwy ddangos dy ddewrder. Yn awr, dos i ddweud wrth dy bobl fy mod i'n barod i'w helpu.'

Sgrialodd Tiana-Mori i lawr o ben y ddraig a rhedodd at ei thad i ddweud ei stori. Ar unwaith, galwodd yntau ar y bobl i ddechrau paratoi eu cynlluniau.

Cafodd Tiana-Mori wahoddiad i fynd i'r cyfarfod am ei bod wedi bod mor ddewr. Yna aeth i ddweud wrth y ddraig beth oedd wedi digwydd yn y cyfarfod.

Ond doedd gan y ddraig ddim diddordeb o gwbl. Roedd hi'n gorwedd ar ei chefn a phlant y Tianiaid yn rhedeg yn ôl a blaen ar ei bol. Roedd y mamau'n gwylio ac yn mwynhau eu hunain.

'Ddraig!' meddai Tiana-Mori. 'Wyt ti ddim yn malio am ein cynlluniau? Dim ond ti, a thi'n unig, fedr ennill calon ein milwyr a'u harwain i ennill y frwydr!'

Edrychodd y ddraig i fyw llygaid Tiana-Mori.

'Mae yna fwy nag un ffordd o ennill calon y bobl,' meddai. 'Gwranda ar sŵn chwerthin y plant. Ac yna dos a gofyn i'r milwyr ydyn nhw eisiau troi chwerthin iach y plant yn ddagrau.'

'Dydw i ddim yn deall!' gwaeddodd Tiana-Mori. 'Wyt ti'n dweud nad wyt ti ddim eisiau'n helpu i orchfygu ein gelynion?'

'Rydw i wedi addo. Felly rydw i'n mynd i helpu,' gwenodd y ddraig. 'Os bydd popeth yn mynd yn iawn yfory yna fydd yr Aromaniaid ddim yn elynion i chi byth mwy. Ac efallai wedyn y byddi di'n deall.' Yna i sŵn bonllefau'r plant a'r curo dwylo dyma'r ddraig yn codi a hedfan i awyr y nos.

Gwawriodd bore drannoeth yn llwydaidd. Roedd hi'n bwrw glaw mân. Gwrandawodd y ddraig yn astud ar Tiana-Rom.

'Dos o'n blaenau,' meddai'r pennaeth. 'Dychryn y gelyn. Gwna dy hun yn enfawr. Ymestyn dros wely'r afon a bydd yn bont i ni gael ei chroesi er mwyn i ni eu lladd i gyd!'

Ar y dechrau roedd popeth yn mynd yn dda. Brasgamodd y ddraig o flaen milwyr y Tianiaid. Roedd yr Aromaniaid yn crynu yn eu sgidiau. Ond pan gyrhaeddodd y ddraig ganol yr afon, stopiodd yn stond. Safodd rhwng y ddau lwyth. Ac meddai, 'Pobl Tiana! Pobl Aroman! Ar un adeg roeddech chi'n byw yn heddychlon. Gallwch ddal ati i fyw fel hyn! Mi ydw i am ddangos i chi sut i fyw yn heddychlon.'

'Heddwch?' gwaeddodd Tiana-Rom. 'A ninnau mor agos i fuddugoliaeth? Byth!'

173

Ac yn ei wylltineb saethodd Tiana-Rom un saeth – trawodd bennaeth yr Aromaniaid a lladdwyd ef yn y fan.

'Edrych!' gwaeddodd ar y ddraig. 'Roedd yr hen chwedlau yn iawn. Dyna pam rwyt ti wedi dod atom. Nid i greu heddwch ond i'n helpu i orchfygu'r gelyn.'

Roedd Tiana-Rom mor falch fel na welodd y saeth a saethwyd yn ôl – y saeth a fyddai'n siŵr o fod wedi mynd drwy ei galon pe na byddai rhywun wedi sefyll yn ei ffordd.

'Tiana-Mori!' gwaeddodd y pennaeth yn ei ddychryn. Ond roedd hi'n rhy hwyr. Dyna lle'r oedd ei unig ferch yn gorwedd yn farw yn ei freichiau.

'Y chwedlau!' rhuai'r ddraig. 'Aberth merch ifanc ddewr. Mi ydw i am ddangos i ti beth yn union ydi neges y chwedlau!'

Fel roedd y saethau'n gweu trwy'i gilydd a mwy a mwy o filwyr yn cael eu lladd llamodd y ddraig i fyny i'r awyr. Yn uwch ac uwch yr aeth hi nes oedd hi'n ddim ond smotyn bach, bach yn y cymylau duon. Yna plymiodd yn syth i lawr i'r ddaear, yn gyflymach na'r glaw – a glaniodd yn yr afon efo un sblash enfawr!

174

Roedd y sblash yn ddigon i daflu'r milwyr oddi ar eu traed. Ond ar ôl iddyn nhw godi ar eu traed i chwilio amdani roedd y ddraig wedi diflannu a'r afon yn rhedeg yn gyflym a llawn!

Pelydrai'r dŵr yn wyrdd ac aur. Daeth llais o'r dyfnderoedd. 'Does dim llawer o amser. Dowch at eich gilydd i'r afon. Golchwch y meirwon yn nyfroedd yr afon ac fe ddôn nhw'n fyw.'

A dyna wnaeth y llwythau. Tiana-Rom oedd y cyntaf yn cario Tiana-Mori. Yna aeth un o lwyth yr Aromaniaid â'u pennaeth. Ac yno, yn nyfroedd yr afon, daeth milwyr y ddau lwyth yn fyw unwaith eto!

Ond nid dyna i gyd. Tra roedden nhw'n cerdded yn nyfroedd yr afon, dyma bobl y Tianiaid a phobl yr Aromaniaid yn edrych ym myw llygaid ei gilydd. A daeth atgofion am y dyddiau da pan oedd yr afon yn llifo – y dyddiau pan oedd pawb yn cyd-fyw.

Ac felly y bu. Daeth aelodau'r ddau lwyth yn gyfeillion.

Dyma nhw'n dechrau cofleidio'i gilydd. Roedden nhw wedi ymgolli cymaint fel nad oedden nhw wedi sylwi fod pont yno. Copa o gyrn coch, yn union fel crib ceiliog, wedi tyfu o un ochr i'r afon i'r ochr arall.

Ymhellach ymlaen, wrth i'r ddau lwyth ddathlu'r heddwch, eisteddai Tiana-Mori ar y bont yn syllu i'r dŵr.

'Mi fydda i'n dy golli di,' meddai. 'Mae'n ddrwg gen i na wnes i wrando arnat ti. Ond rydw i'n deall rŵan. Rwy'n deall yn iawn. Mae mwy nag un ffordd i wneud popeth. I ennill calon y ddraig ac i ennill calon y bobl.'

'O, oes,' cododd y llais o'r afon. 'Ac mae mwy nag un ffordd o ennill brwydrau hefyd.'

Sut y Cafodd y Twrci ei Smotiau

Yn y jyngl yn Affrica mae'r Twrci Gwyllt yn byw. Mae wedi'i orchuddio â smotiau gwynion. Ond nid felly roedd o ers talwm. Bryd hynny roedd y Twrci Gwyllt yn ddu fel y fagddu.

Dyma sut y cafodd y Twrci ei smotiau.

Un noson pan oedd y Twrci yn crafu ei ffordd drwy'r jyngl sych a llychlyd, gwelodd Lew ifanc yn ymlwybro'n araf tuag at y Fuwch, ei ffrind gorau. Edrychai'r Llew yn llwglyd. Yn llwglyd iawn. A doedd gan y Fuwch ddim syniad fod y Llew tu ôl iddi. Felly, dyma'r Twrci'n gwneud y peth mwyaf dewr a mwyaf medrus y gallai'i wneud. Rhedodd rhwng y Llew a'r Fuwch, ei adenydd yn fflapio a'i gynffon yn llusgo'r llawr gan godi cymylau o lwch o'r llawr llychlyd.

Dechreuodd y Llew besychu a thisian a cheisio ysgwyd y llwch o'i lygaid. Clywodd y Fuwch ei sŵn a rhedodd i ffwrdd nerth ei thraed. Pan oedd y llwch wedi setlo gallai'r Llew weld yn glir unwaith eto. Ond roedd y Fuwch wedi hen fynd! Doedd dim golwg ohoni gan fod y llwch wedi gorchuddio ôl ei charnau.

Yr unig beth a welai'r Llew oedd ychydig o blu duon o gynffon y Twrci.

'Twrci!' rhuai'r Llew. A chofiodd beth oedd y Twrci wedi'i wneud.

Y noson wedyn, crafodd y Twrci ei ffordd i'r pwll dŵr. A dyna lle'r oedd y Llew unwaith eto, a'i gynffon yn chwipio o ochr i ochr, yn ymlwybro'n nes ac yn nes at y Fuwch. Yn nes o lawer na'r noson cynt.

Unwaith eto, roedd y Twrci'n benderfynol nad oedd y Llew am gael ei ffrind i swper. Felly, dyma fo'n rhedeg rhyngddyn nhw gan ysgwyd ei adenydd, a'i gynffon yn llusgo'r llawr ac yn codi'r llwch i bob man. Unwaith eto roedd y Llew yn pesychu a thisian – a methodd ddal ei swper.

'Twrci!' rhuai. Ond erbyn hyn roedd ef a'r Fuwch wedi rhedeg ymhell, bell i ffwrdd.

Ac felly'r noson wedyn, nid mynd ar ôl y Fuwch wnaeth y Llew. O na, fe aeth i hela'r Twrci.

A dyna lle'r oedd y Twrci'n arwain ei gywion bach yn ôl i'r nyth.

'Dim dianc y tro hwn!' rhuai'r Llew gan neidio i'r awyr a'i ewinedd yn barod i daro. Ond roedd y Twrci nid yn unig yn ddeallus, roedd hefyd yn sydyn. A chyn i'r Llew lanio arno roedd y Twrci wedi sgrialu o'i ffordd. Dechreuodd sgrechian ac ysgwyd ei adenydd er mwyn i'r cywion bach redeg i ddiogelwch.

Yna dyma fo'n dechrau pigo'r Llew. Ei ben i ddechrau. Yna'i ysgwyddau a'i gefn. Llamodd a neidiodd i fyny i'r awyr. A phan oedd y Llew wedi drysu'n lân dyma'r Twrci'n rhedeg i'r llwyni i wneud yn siŵr fod y cywion yn ddiogel.

Ar ei ffordd, aeth heibio'r Fuwch oedd yn pori tu ôl i goeden fawr ddeiliog.

'Tyrd yma'r hen ffrind!' galwodd y Fuwch. 'Tyrd rŵan!' A phan oedd y ddau'n ddiogel tu ôl i'r goeden fawr dyma'r Fuwch yn gostwng blaen ei chynffon er mwyn i'w llefrith dasgu dros

177

blu ei ffrind. Bellach doedd y Twrci ddim yn ddu fel y fagddu ond roedd smotiau gwyn dros ei gorff i gyd.

Fel roedd y Llew yn mynd heibio, curodd y Twrci ei adenydd. Gan ei fod yn edrych yn wahanol doedd y Llew ddim yn gwybod pwy oedd o!

'Wyt ti wedi gweld y Twrci?' gofynnodd. 'Mae'n aderyn mawr – yr un maint â ti – ond yn ddu fel y fagddu.'

Ysgydwodd y Twrci ei ben. Ond ddywedodd o yr un gair rhag ofn i'r Llew adnabod ei lais.

Rhuodd y Llew a charlamodd i ffwrdd gan adael y Twrci a'r Fuwch i chwerthin ymhlith ei gilydd.

'Gwranda,' meddai'r Fuwch. 'Tyrd â'r cywion yma i mi gael rhoi smotiau gwynion arnyn nhw hefyd.'

A dyna wnaeth y Twrci. A byth ar ôl hynny, mae'r Twrci Gwyllt nid yn unig yn ddeallus ac yn sydyn, ond fel arwydd ei fod yn ddewr a charedig mae'i blu wedi eu gorchuddio â smotiau gwynion.

Y Crwban a'r Llwynog

Dau ffrind go wahanol oedd y Crwban a'r Llwynog. Creadur deallus, sydyn a slic oedd y Llwynog. Solet, trwm ac araf oedd y Crwban. Ond roedd y ddau wrth eu boddau yn gwrando ar jôcs ei gilydd ac yn mwynhau cwmni ei gilydd, a doedd y ffaith eu bod yn wahanol ddim yn gwneud llawer o wahaniaeth rhyngddyn nhw. Un noson, pan oedden nhw'n sgwrsio ar lan yr afon, llamodd y Llewpard o'r llwyni!

Creadur prydferth, gosgeiddig a pheryglus oedd y Llewpard. Gwelodd y Llwynog ef ar unwaith a gan ei fod yn ddeallus a sydyn, rhuthrodd nerth ei draed o grafangau'r Llewpard. Ond doedd y Crwban druan ddim mor lwcus. Am ei fod yn drwm ac araf, yr unig beth allai ef ei wneud oedd tynnu ei ben a'i goesau i mewn i'w gragen gnapiog a gobeithio am y gorau. Cododd y Llewpard y Crwban i fyny o'r mwd ar lan yr afon. Dechreuodd grafu ei gragen gyda'i ewinedd miniog. Tu mewn i'r gragen roedd y Crwban yn crynu. Tra roedd y Llwynog yntau'n crynu tu ôl i'r goeden.

Dechreuodd y Llewpard gnoi'r gragen gyda'i ddannedd gwynion. Tu mewn i'r gragen crynai'r Crwban gan ofn. Crynai'r Llwynog hefyd. Roedd y gragen yn gnapiog. Roedd y gragen yn galed. Ond gwyddai'r Llwynog a'r Crwban na fyddai'r Llewpard fawr o dro yn cnoi ei ffordd i mewn i grombil y gragen.

Ac felly dyma'r Llwynog – oedd yn ddeallus, yn sydyn ac yn slic – yn galw ar y Llewpard o du ôl i'r goeden.

'Llewpard, Llewpard annwyl!' cyfarthodd. 'Nid

dyna'r ffordd i mewn i grombil y gragen. Rydw i'n arbenigwr ar bethau fel hyn. Os wyt ti'n dymuno, mi fedra i ddweud wrthyt ti sut i fwyta crwban.'

Stopiodd y Llewpard grafu a chnoi.

'Felly'n wir?' meddai.

A gofynnodd y Crwban yr un cwestiwn iddo'i hun y tu mewn i'w gragen. 'Felly'n wir?' meddyliodd. 'Ydi fy ffrind gorau yn mynd i ddweud wrth y Llewpard sut i fwyta Crwban?'

Cliriodd y Llwynog ei lwnc. 'Rŵan, dy broblem di ydi fod y gragen yn rhy galed. Mae'n rhaid i ti feddalu dipyn arni. A'r hyn sy'n gystal â dim i feddalu pethau ydi dŵr. Felly, yn syml, tafla'r Crwban i'r afon, a gadael i'r gragen feddalu ac wedyn fe elli di ei fwyta!'

Roedd y Llewpard yn brydferth, gosgeiddig a pheryglus. Ond doedd o ddim mor ddeallus â hynny. Felly gwnaeth yn union fel y dywedodd y Llwynog. Taflodd y Crwban i'r afon. Ar ôl i'r Crwban gyrraedd y gwaelod daeth ei goesau allan. Wedyn daeth ei ben allan a dechreuodd ymlwybro'n dawel ar hyd gwely mwdlyd yr afon.

'Am faint o amser sydd raid i mi aros?' gofynnodd y Llewpard, heb yn wybod fod ei ginio wedi hen fynd.

Edrychodd y Llwynog ar yr haul yn machlud trwy frigau'r coed. 'Hyd nes y bydd hi wedi tywyllu,' atebodd. 'Gorau'n y byd pan fydd hi'n dywyll, dywyll!'

Arhosodd y Llewpard ar lan yr afon tan hanner nos. Roedd o'n mynd yn fwy llwglyd ac yn fwy blin wrth y funud. O'r diwedd sylweddolodd nad oedd o byth yn mynd i gael ei ginio.

A beth am y Crwban a'r Llwynog? Roedd gan y ddau un jôc ychwanegol. Dyna lle buon nhw'n chwerthin a chwerthin a chwerthin.

181

Y Gwningen Garedig

Crynai'r Gwningen.

Pesychai'r Gwningen.

Roedd yr eira bron â chyrraedd ei thrwyn.

Rhwbiodd ei stumog wag. Roedd hi'n llwglyd, yn flinedig ac yn oer.

Daeth ar draws dwy feipen wrth ymyl bôn y goeden bîn.

Sbonciodd yn ei llawenydd. Cododd y ddwy feipen a ffwrdd â hi am adref.

Llowciodd y feipen gyntaf i gyd. Ond erbyn iddi ddod at yr ail roedd ei stumog yn llawn.

Rwy'n siŵr y byddai'r Asyn yn medru bwyta hon, meddyliodd y Gwningen. Sbonciodd yr holl ffordd i dŷ'r Asyn a chan nad oedd ef gartref gadawodd y feipen yn nysgl yr Asyn.

Roedd yr Asyn yntau'n chwilio am fwyd.

Crynai'r Asyn.

Pesychai'r Asyn.

Roedd yr eira bron â chyrraedd pen-gliniau'r Asyn.

Rhwbiodd ei stumog wag. Roedd o'n llwglyd, yn flinedig ac yn oer.

Gwelodd ddwy daten wrth ymyl y ffens yng nghae'r ffermwr.

Galwodd 'i-o' yn hapus, cododd y tatws a ffwrdd â fo adref.

Llowciodd yr Asyn y ddwy daten. Yna sylwodd fod meipen wedi'i gadael yn ei ddysgl.

Sut oedd y feipen wedi cyrraedd y ddysgl? Meddyliodd yr Asyn am funud. Ond erbyn hyn roedd yn rhy llawn i fwyta'r feipen felly meddyliodd am ei ffrind, y Ddafad.

Felly aeth yr Asyn â'r feipen i dŷ'r Ddafad. Gan nad oedd y Ddafad adref gadawodd y feipen yng ngwely gwellt y Ddafad.

Roedd y Ddafad hithau'n chwilio am fwyd.

Crynai'r Ddafad.

Pesychai'r Ddafad.

Roedd yr eira bron â chyrraedd cynffon wlanog y Ddafad.

Rhwbiodd ei stumog wag. Roedd hi'n llwglyd, yn flinedig ac yn oer.

Gwelodd, yng nghysgod y llwyn, fresychen wedi'i gorchuddio ag eira.

Brefodd yn hapus 'Hwre!' a chododd y fresychen a ffwrdd â hi am adref.

Llowciodd y fresychen. Yna gwelodd fod meipen wedi'i gadael ar ei gwely gwellt.

Nawr, sut oedd y feipen wedi cyrraedd yno? Pendronodd y Ddafad. Gan fod ei stumog yn llawn, meddyliodd am ei ffrind, y Wiwer.

Felly cariodd y Ddafad y feipen i dŷ'r Wiwer. Gan nad oedd y Wiwer adref gwthiodd y feipen i mewn i nyth y Wiwer yn y goeden.

Roedd y Wiwer, hefyd, yn chwilio am fwyd. (Yn union fel pawb arall!)

Crynai'r Wiwer.

Pesychai'r Wiwer.

Roedd yr eira erbyn hyn wedi codi at glustiau'r Wiwer.

Rhwbiodd y Wiwer ei stumog wag. Roedd hi'n flinedig, yn llwglyd ac yn oer.

Ac yna dyma hi'n arogli'r cnau oedd hi wedi'u cuddio yn y pridd.

Roedd hi'n gyffrous a dechreuodd ysgwyd ei chynffon drwchus, flewog.

Yna cariodd y cnau yn ôl i'w nyth.

Pan gyrhaeddodd adref gwelodd fod rhywun wedi gwthio meipen i'r twll yn y goeden. Doedd hi ddim yn medru mynd i mewn.

Nawr, sut oedd y feipen wedi cael ei gwthio i'r twll? Pendronodd y Wiwer. Ac yna wrth iddi lowcio'r cnau, meddyliodd am ei ffrind. Ffrind fyddai'n barod i fwyta'r bwyd.

Tynnodd y feipen o'r twll yn y goeden a'i llusgo yr holl ffordd drwy'r eira... i dŷ'r Gwningen!

Roedd y Gwningen yn chwyrnu cysgu. Gadawodd y Wiwer y feipen wrth ei hochr a sleifiodd i ffwrdd.

Deffrodd y Gwningen. Doedd hi bellach ddim yn flinedig nac yn oer. Ond roedd hi'n llwglyd iawn erbyn hyn.

Mae'n biti na fuaswn i wedi cadw'r feipen wedi'r cwbl, meddyliodd.

A phan agorodd ei llygaid, dyna lle'r oedd y feipen wrth ei hochr!

Nawr, sut y daeth y feipen i fan 'ma? Pendronodd y Gwningen. Yna llowciodd y feipen nes oedd ei stumog yn llawn.

Y Ceiliog Coch Dibynadwy

Doedd y Ceiliog Coch byth yn brydlon.
   Gwaith digon syml oedd ganddo.
   Codi'n fuan.
   Gwylio'r haul.
   Ac yna galw, 'Coc-a-dwdl-dŵ'.
   Ond doedd y Ceiliog Coch ddim yn gallu ymdopi â hyn.
   Doedd o ddim yn hoffi codi'n fore.
   Byddai'n syrthio i gysgu wrth wylio'r haul.

A dyna pam oedd ei alwad 'Coc-a-dwdl-dŵ' bob amser yn hwyr.

A doedd yr ieir eraill ddim am adael iddo anghofio hyn. Dyna lle'r oedden nhw'n clwcian a chlochdar pan oedd o'n hedfan i lawr o do'r sgubor bob bore.

A dyna oedd o'n feddwl oedden nhw'n ei wneud un bore braf, heulog.

'Mae'n ddrwg gen i,' meddai.

'Hwyr eto, rwy'n gwybod,' meddai gan agor ei big led y pen.

'Wnaiff o ddim digwydd byth eto,' addawodd.

Ond doedd neb yn cymryd dim sylw ohono. O'r diwedd, deallodd nad oedden nhw'n siarad amdano fo wedi'r cwbl.

'Wyt ti ddim wedi clywed?' clwciodd yr iâr fawr frown. 'Mae'r cawr mawr sy'n byw ar ben y mynydd wedi bod yn cerdded a sathru cnydau'r ffermwr! Mae o wedi dweud wrth y ffermwr mai'r unig ffordd i'w rwystro yw bod y ffermwr yn addo rhoi iâr iddo i'w fwyta bob dydd!'

'Mae'r ffermwr wedi rhoi sialens i'r cawr mawr,' clwciodd yr iâr fach felen. 'Os medr y cawr adeiladu grisiau i fyny ochr y mynydd a hynny mewn un noson, yna bydd y ffermwr yn ildio iddo ac yn rhoi iddo beth bynnag mae o eisiau. Os na fydd yn llwyddo, yna bydd y cawr mawr yn rhoi llonydd i ni.'

'A dyna pam yr ydyn ni'n dod ar dy ofyn di, y Ceiliog Coch,' clwciodd y drydedd iâr. 'Mae'r ffermwr a'r cawr mawr wedi penderfynu y bydd yr ornest yn dirwyn i ben pan fydd yr haul yn codi a'r Ceiliog yn canu. Dydyn ni ddim eisiau i'r cawr mawr gael mwy o amser nag sydd raid. Felly, am unwaith yn dy fywyd, paid â bod yn hwyr.'

Roedd y Ceiliog Coch eisiau dweud, 'Fedra i ddim gwneud hyn.'

Roedd o eisiau dweud, 'Chwiliwch am rywun arall.'

Roedd o eisiau bloeddio, 'Na, rhywun arall heblaw fi.'

Ond roedd un cilwg ar yr ieir yn ddigon i'w ddarbwyllo. Roedden nhw'n dibynnu arno. Ac roedd o'n benderfynol y tro hwn nad oedd o'n mynd i'w siomi.

Y noson honno, ar ôl i'r haul fachlud tu ôl i'r sgubor, roedd yr ornest ar ei hanterth. Gwyliai'r ieir yn betrusgar fel yr oedd y cawr mawr yn codi'r gris cyntaf a'i roi yn ei le. Roedd y cawr mawr yn erchyll. Yn sarrug a gwyrdd. Roedd un corn anferth yn tyfu allan o'i ben. Roedd o'n gryf. Yn anhygoel o gryf. Ond roedd ganddo dipyn o ffordd i fynd i fyny i ben y mynydd. Syrthiodd yr ieir i gysgu fesul un.

Roedd y Ceiliog Coch yn cuddio ar ochr y buarth. Gwyddai na allai godi mewn pryd. Gwyddai hefyd fod pawb yn dibynnu arno. Felly penderfynodd ei fod am gadw'n effro. Ac felly byddai'n effro a pharod pan fyddai'r haul yn codi.

Cerddodd yn ôl a blaen.

Neidiodd i fyny ac i lawr.

Canodd gân neu ddwy a chwaraeodd ambell gêm a thaflu dŵr oer ar ei wyneb i'w gadw ei hun yn effro. Cadwodd ei hun yn brysur, mor brysur fel na welodd y cawr mawr clyfar yn sleifio'n llechwraidd i'r buarth. Doedd o ddim wedi gweld y cawr mawr yn rhoi gorchudd brown ar ben pob iâr. A doedd o ddim wedi clywed y cawr mawr yn chwerthin efo fo'i hun, 'Fydd yna'r un o'r rhain yn medru clochdar pan fydd yr haul yn codi. Felly mi fydda i'n siŵr o ennill.'

Ond roedd un ar ôl oedd yn barod i glochdar – un â'i lygaid yn dechrau cau, a'i ben yn syrthio dro ar ôl tro ar blu ei frest. Ond eto roedd o'n effro fel roedd y grisiau cerrig yn mynd yn fwy ac yn fwy.

Ac fel roedd y pelydryn cyntaf yn ymddangos dros ochr y bryn...

Ac fel roedd y cawr mawr yn codi'r garreg olaf...

Ac fel roedd yn barod i chwerthin dros y lle am ei fod wedi bod mor fedrus ac yn barod i ddathlu ei fuddugoliaeth, ymlwybrodd y Ceiliog Coch ar ei draed a gwaeddodd, 'Coc-a-dwdl-dŵ!'

Gwaedd digon swrth a glywyd, 'Coc-a-dwdl-dŵ.'

Gwaedd ddistaw oedd 'Coc-a-dwdl-dŵ'.

Ond wedi'r cwbl roedd
hi'n 'Coc-a-dwdl-dŵ.'
Dyna ddeffrodd y ffermwr a'r
ieir i gyd. Dyna pryd y gwaeddodd y cawr
mawr,
'Naaaaaaa!'
Roedd y ffermwr wedi gwirioni'n lân.
Edrychai'r ieir i gyd mewn penbleth. Roedd hi'n dal yn
dywyll.
Gollyngodd y cawr mawr y garreg olaf a cherddodd dros y
mynydd, yn drist. A welwyd byth mohono wedyn.
Bu dathlu mawr, wrth gwrs. Yn y tŷ fferm ac ar y buarth hefyd!
Ac er nad ydi'r Ceiliog Coch wedi llwyddo i ganu 'coc-a-dwdl-
dŵ' ar amser byth wedyn does neb yn malio dim. Oherwydd
fe wnaeth ei orau glas pan oedd ei angen.

Y Gwningen a'r Cnydau

Roedd y Gwningen eisiau bwydo ei theulu.

Roedd hi eisiau tyfu bwydydd.

Ond doedd ganddi ddim tir.

Felly aeth i weld yr Arth. Roedd gan yr Arth acerı ar acerı. Gofynnodd a gâi hi ddefnyddio darn o'r tir.

'Dim problem,' meddai'r Arth, 'dim ond i ti roi siâr i mi o bopeth rwyt ti'n ei dyfu.'

'Faint wyt ti eisiau?' gofynnodd y Gwningen.

Gwenodd yr Arth. 'Rho i mi bopeth sy'n tyfu ar y pridd. Ac fe gei dithau gadw popeth sy'n tyfu o dan y pridd.'

Meddyliodd y Gwningen am funud. Yna gafaelodd ym mhawen fawr, frown yr Arth. 'Dyma daro bargen!' meddai.

Lledodd y wên ar wyneb yr Arth. Byddai'n cael popeth roedd y Gwningen wedi'i dyfu a'r Gwningen yn cael dim ond y gwreiddiau!

Ond roedd y Gwningen yn gwybod i'r dim beth oedd hi'n wneud. Galwodd ei phlant ati a dywedodd wrthyn nhw am ddechrau plannu. Ychydig fisoedd yn ddiweddarach galwodd yr Arth i weld y tyfiant ac i gasglu ei siâr.

'Er mwyn i ni ddeall ein gilydd,' meddai'r Gwningen fel roedden nhw'n cerdded drwy'r caeau. 'Rwyt ti'n cael popeth sy'n tyfu ar y pridd? A finnau'n cael popeth sy'n tyfu yn y pridd?'

'Dyna'r fargen!' gwenodd yr Arth.

Galwodd y Gwningen ei phlant ati, 'Iawn, felly, ewch i godi'r tatws!'

Llithrodd y wên oddi ar wyneb brown yr Arth. Felly roedd y Gwningen i gael y tatws i gyd. Doedd dim ar ôl i'r Arth ond y gwlydd diwerth!

Y flwyddyn wedyn aeth y Gwningen am dro i weld yr Arth unwaith eto. 'Mi hoffwn i blannu mwy o gnydau ar y darn tir,' meddai.

Gwenodd yr Arth unwaith eto. Ond doedd hi ddim yn mynd i gael ei thwyllo'r tro hwn. Estynnodd ei phawen fawr, frown ac meddai, 'Dim problem. Ond y flwyddyn hon, mi gymera i bopeth sydd dan y pridd ac fe gei di bopeth sydd uwchben y pridd!'

Meddyliodd y Gwningen am funud ac yna ysgydwodd bawen fawr, frown yr Arth. 'Cytuno,' meddai. A dyma'r Gwningen a'i phlant yn mynd ati i blannu.

Ychydig fisoedd yn ddiweddarach, pan oedd y cnydau wedi tyfu, daeth yr Arth heibio i nôl ei siâr.

190

Ond yr unig beth a welai oedd llwyth o wellt diwerth!

'Wnes i ddim dweud wrthyt ti?' meddai'r Gwningen. 'Mi benderfynais i blannu ceirch eleni. Mi wnes i dorri'r hyn oeddwn i eisiau o'r top. Fel y gwnaethon ni gytuno. Ac felly ti piau'r gweddill!'

Roedd yr Arth yn gandryll. Ond doedd hi ddim am ddangos hynny. Na. Brasgamodd am adref i gynllunio sut i gael y maen i'r wal ar y Gwningen.

Y flwyddyn ddilynol daeth y Gwningen draw unwaith eto. Ond cyn iddi ofyn roedd gan yr Arth ateb parod iddi.

'Dim problem,' gwenodd. 'Wrth gwrs fe gei di blannu ar fy nhir. Ond y flwyddyn hon rydw i eisiau pob dim uwchben y pridd A phob dim dan y pridd fel fy rhan o'r siâr.

Meddyliodd y Gwningen am funud. Yna estynnodd ei phawen. 'Cytuno,' meddai dan wenu, a ffwrdd â hi i blannu.

Roedd yr Arth wedi gwirioni'n lân efo'i chynllun. Doedd hi ddim yn gallu disgwyl i weld y planhigion yn tyfu. Felly ymwelodd â'r Gwningen wythnos neu ddwy cyn y cynhaeaf, i weld sut oedd y cynnyrch yn dod yn ei flaen.

Cafodd groeso gan y Gwningen a ffwrdd â nhw i'r cae. Pan welodd yr Arth beth oedd yn tyfu yno, rhoddodd un ochenaid fawr, gan fod y Gwningen wedi gwneud tro gwael â hi unwaith eto.

'Fel y cytunwyd,' gwenodd y Gwningen, 'fe gei di bopeth uwchben y pridd A phopeth yn y pridd. Ac mi wna i gadw'r india corn sy'n tyfu yn y CANOL!'

Y Wraig a'r Aderyn

Wac! Wac! Wac! Dyna lle'r oedd y wraig yn hacio'r goeden banana.

I fyny'n uchel yng nghanghennau'r goeden, roedd aderyn yn eistedd ar ei nyth.

'Stopiwch,' crefodd. 'Stopiwch ar unwaith!'

Ond yr unig beth a glywai'r wraig oedd sŵn rhyw aderyn swnllyd.

Felly, wac, wac, wac – daliodd ati i hacio'r goeden nes y syrthiodd i'r llawr a dod â'r nyth i lawr gyda hi.

'Rwyt ti wedi dinistrio fy nyth. Rwyt ti wedi torri fy wyau!' llefodd yr aderyn.

Ond yr unig beth a glywai'r wraig oedd sgrechian a gwichian. Felly taflodd y fwyell dros ei chefn a'i throi hi am adref.

Cyn bo hir cafodd y wraig fabi a gwahoddwyd y teulu draw i ddathlu'r enedigaeth. Roedd angen dŵr crisial i'r seremoni. Felly anfonodd y wraig ddau o'r teulu, bachgen a geneth, i'r jyngl i chwilio am ddŵr.

Pan gyrhaeddon nhw'r ffynnon, dyna lle'r oedd yr aderyn yn y goeden o'u blaenau. Dyma'r aderyn harddaf oedden nhw erioed wedi'i weld efo cynffon fel gwyntyll perlog a chopa o blu ar ei ben.

Fel roedden nhw'n edrych arno dechreuodd yr aderyn ddawnsio.

Dyma fo'n sboncio'n ôl a blaen. Codi ei ben i fyny ac i lawr. Ysgwyd ei gynffon. Troi rownd a

rownd a rownd. Fel roedd o'n dawnsio roedd o'n canu:

Gwyliwch fi'n dawnsio,
Gwrandewch arna i'n canu,
Arhoswch efo mi
Wrth ymyl y ffynnon ddŵr.

Felly arhosodd y plant. Yn wir, doedden nhw ddim yn gallu gwneud dim arall gan fod y dawnsio a'r canu wedi'u swyno!

Dechreuodd y wraig feddwl lle'r oedd y plant wedi mynd. Anfonodd ei brawd i chwilio amdanyn nhw. Daeth o hyd iddyn nhw wrth y ffynnon. Ond pan welodd yr aderyn hardd a chlywed ei gân roedd yntau hefyd wedi'i swyno ac ni allai symud oddi yno.

Anfonodd y wraig aelodau o'r teulu fesul un at y ffynnon. Ac o un i un roedden nhw i gyd wedi'u swyno gan yr aderyn. Doedden nhw ddim yn barod i ddychwelyd.

Yn y diwedd, doedd neb yn y tŷ ond y wraig a'i babi. Felly dyma hi'n gwneud yn siŵr fod y babi'n cysgu'n ddiogel yn ei wely a ffwrdd â hi i'r jyngl.

193

Pan welodd yr aderyn y wraig dyma fo'n stopio dawnsio a chanu a dyma fo'n hedfan i ffwrdd. A'r munud hwnnw daeth yr holl gefndryd a brodyr a chwiorydd a nithoedd a neiaint, ewythrod a modrybedd atynt eu hunain.

'Beth ydych chi wedi bod yn ei wneud?' gwaeddodd y wraig.

Ond yr unig beth oedden nhw'n gofio oedd dawns a chân yr aderyn.

Yn anfodlon, cododd y wraig ddŵr o'r ffynnon ac arweiniodd ei theulu yn ôl i'w chartref. Ond wrth iddyn nhw nesáu, clywodd pob un ohonyn nhw sŵn babi'n crio. Rhuthrodd pob un i'r tŷ a dyna lle'r oedd yr aderyn, i fyny'n uchel ar ben y to â'r babi yn ei grafangau!

'Os gweli'n dda!' llefodd y wraig. 'Paid â gwneud niwed i'r babi. Rho fo'n ôl i mi, os gweli'n dda!'

Ond wnaeth yr aderyn ddim canu. Wnaeth yr aderyn ddim dawnsio. Na. Dyma'r aderyn yn dechrau siarad. A gan fod y wraig yn gwrando'n astud y tro hwn, deallodd yn iawn beth oedd yr aderyn yn ei ddweud.

'Mi wnes i grefu arnat ti i beidio â thorri'r goeden,' meddai'r aderyn. 'Mi wnes i grefu arnat ti i beidio â gwneud niwed i'r nyth. Mi wnes i grefu arnat ti i beidio dinistrio'r wyau gwerthfawr, yn union fel yr wyt ti'n crefu arna i rŵan. Ond wnest ti ddim gwrando.'

'Rwy'n gwrando rŵan!' llefodd y wraig. 'Beth wyt ti eisiau i mi wneud?'

'Mi ydw i eisiau i ti ddeall,' eglurodd yr aderyn, 'bod gennym ni greaduriaid deimladau hefyd – adar, bwystfilod, popeth sy'n hedfan, yn ymlusgo neu'n crwydro drwy'r jyngl. Rydym ninnau'n caru ein cartrefi ac yn caru'n plant, yn union fel rwyt

ti'n gwneud. A fedrwn ni ddim gwylio pobl yn gwneud niwed a dinistrio.'

'Rwy'n deall rŵan. Rwy'n deall yn iawn,' atebodd y wraig. 'Rwy'n addo y bydda i'n garedig wrth greaduriaid y jyngl. Ond rho'r babi yn ôl i mi. Rwy'n erfyn arnat ti!'

Cododd yr aderyn o'r to. Am funud roedd yn edrych fel petai am hedfan i ffwrdd. Yna daeth i lawr at y wraig a gosod y babi wrth ei thraed.

'Diolch,' meddai'r wraig, a chododd y babi i'w breichiau a dechrau'i siglo yn ei breichiau.

Cododd yr aderyn ar ei adenydd ac i fyny â fo i'r awyr. Fel roedd yn hedfan, dechreuodd ganu unwaith eto:

Gwyliwch fi'n dawnsio.
Gwrandewch arna i'n canu.
Byddwch yn garedig
Wrth bob creadur byw.

Priodfab y Prif Dwrch Daear

Roedd gan y Prif Dwrch Daear ferch hardd a phrydferth. Pan ddaeth yn amser iddi briodi penderfynodd y Prif Dwrch Daear y byddai'n priodi y peth mwyaf yn y byd i gyd. Felly galwodd ynghyd yr holl dyrchod daear doethaf yn Japan i'w helpu i gael gafael ar ŵr iddi.

Dechreuodd y tyrchod grafu eu barfau tenau a chiledrych trwy eu llygaid gwan. Fe fuon nhw'n meddwl yn ddyfal. O'r diwedd safodd un twrch a siarad.

'Yr haul, heb os, yw'r peth mwyaf yn y byd,' meddai.

'Dyna'r ateb felly!' atebodd y Prif Dwrch. 'Bydd fy merch yn priodi'r haul!'

'Un munud,' meddai twrch arall gan godi ar ei draed llwydaidd. 'Ydi, mae'r haul yn fawr. Ond, o'i gwmpas, mae'r awyr. Felly yr awyr ydi'r peth mwyaf yn y byd i gyd.'

'Iawn felly!' mynnodd y Prif Dwrch. 'Bydd fy merch yn priodi'r awyr!'

'Un munud,' meddai twrch arall gan grafu ei drwyn hir. 'Mae'r awyr weithiau'n cael ei gorchuddio gan y cymylau. Felly, y cwmwl ydi'r peth mwyaf yn y byd i gyd.'

'Ardderchog,' gwaeddodd y Prif Dwrch. 'Bydd fy merch yn priodi'r cwmwl!'

'Aros am funud,' gwaeddodd twrch arall gan grafu ei ben. 'Ydw i'n iawn yn dweud

196

bod y gwynt cryf yn gallu chwythu'r cwmwl? Felly, heb os, y gwynt ydi'r peth cryfaf yn y byd i gyd!'

'Campus,' gwenodd y Prif Dwrch. 'Bydd fy merch yn priodi'r gwynt!'

'Ond po gryfaf yn y byd mae'r gwynt yn chwythu,' awgrymodd twrch arall, 'fedr o ddim symud y ddaear.' Felly, heb os, y ddaear ydi'r peth mwyaf yn y byd i gyd!'

'Dyna fo, mae wedi'i setlo,' mynnodd y Prif Dwrch. 'Bydd fy merch yn priodi'r ddaear!'

'Ydi, mae hyn yn wir,' meddai'r twrch hynaf a mwyaf doeth ohonyn nhw i gyd. 'Mae'r ddaear yn galed. Mae'r ddaear yn gryf. Ond beth sy'n gallu gwneud twll yn y ddaear? Twrch daear! Ac felly, heb os, y twrch daear ydi'r peth mwyaf yn y byd i gyd.'

A dyna sut y daeth merch y Prif Dwrch i briodi... twrch daear!

Y Crocodeil Caredig

'Wel, fechgyn, beth fuoch chi'n ei wneud heddiw?' Gofynnodd Mami Croc i'r crocodeiliaid bach.

'Bwyta dingo!' gwaeddodd Cedrig Croc.

'Bwyta dingo a'i fam!' ymffrostiodd ei frawd Cai.

Yna trodd Mami Croc at ei mab ieuengaf yn drist. Roedd hi wedi ceisio dwyn y bechgyn i fyny yn y ffordd orau posib. Ond, er gwaethaf yr holl ddweud am frathu, cnoi a llyncu, Cledwyn oedd yr unig un oedd wedi troi allan i fod yn un o'r crocodeiliaid mwyaf caredig yn y fro!

'Wel,' meddai Cledwyn dan ei wynt, 'mi ddois innau ar draws dingo hefyd!'

'Ie?' gofynnodd Mami Croc yn obeithiol.

'Ac roedd o'n crio,' meddai Cledwyn.

'Am dy fod di'n fawr ac yn annymunol?' ychwanegodd Mami Croc.

'Na,' petrusodd Cledwyn. 'Am ei fod o'n fach ac yn ofnus ac roedd rhywun newydd fwyta ei frawd a'i fam...

'Felly sychais ei lygaid efo'm hances ac mi es â fo gerfydd ei bawen i chwilio am ei dad.'

Dechreuodd Mami Croc grio.

Roedd y brodyr yn piffian chwerthin yn y gornel.

A dyma Tada Croc, oedd erbyn hyn yn edrych dros ei bapur newydd, yn dweud yr un peth ag y bydd yn ei ddweud bob nos.

'Ewch i'ch ystafell. A heno cyn mynd i'r gwely rydw i am i chi ysgrifennu gant o weithiau, CIG DINGOS I SWPER.'

Y noson wedyn, dyma Mami Croc yn gofyn eto, 'A beth fuoch chi'n ei wneud heddiw fechgyn?'

198

'Mi wnes i fwyta cangarŵ!' gwaeddodd Cedrig Croc.

'Mi wnes i fwyta cangarŵ a'i nai!' ymffrostiodd ei frawd Cai.

A daeth Cledwyn heibio.

'Wel,' meddai Cledwyn dan ei wynt, 'mi wnes innau weld cangarŵ hefyd.'

'Ie?' meddai Mami Croc gan groesi ei bysedd.

'Ac mi fuaswn wedi'i fwyta a'i neiaint a'i nithoedd, oni bai...'

'Ond i'r Heliwr ddod heibio a'th rwystro?' gobeithiodd Mami Croc.

'Ond i don anferth dy olchi i ffwrdd?' chwarddodd Cedrig.

'Ond i ti anghofio dy gyllell a dy fforc?' awgrymodd Cai.

'Ond i'r cangarŵ daro bawd ei droed a dyma ti'n teimlo i'r byw drosto,' ochneidiodd Tada Croc.

'Sut gwnaethoch chi ddyfalu?' atebodd Cledwyn Croc. 'Roedd dagrau'n llenwi ei lygaid. Dyma fi'n tynnu plaster o'r bag a'i helpu ar ei ffordd adref ac fe ges i baned o de efo'i nain.'

Dechreuodd Mami Croc grio.

Dechreuodd y brodyr chwerthin dros y lle.

Pwyntiodd Tada Croc i fyny'r grisiau.

'CIG CANGARŴ MEWN CAWL,' gwaeddodd. 'Dau gant o weithiau. Fe'ch gwelaf yn y bore.'

A dyna ddigwyddodd weddill yr wythnos.

'CIG COALA I'R CIBAB.'

'GOANA I ADDURNO.'

'PLATYPWS I BICLO.'

Gwawriodd bore Sadwrn ac roedd Cledwyn Croc yn benderfynol nad oedd o'n mynd i fod yn gyfeillgar. Aeth allan yn blygeiniol, cyn bod neb arall wedi deffro, a hynny i godi dychryn ar bawb a phopeth.

A dau funud yn ddiweddarach, llwybreiddiodd yr Heliwr i mewn i'r tŷ a dychryn y teulu oedd yn chwyrnu cysgu, a'u taflu nhw i gyd i mewn i'r tryc!

Ond yn y cyfamser doedd Cledwyn ddim yn cael llawer o lwc.

Rhuodd ar y cangarŵ.

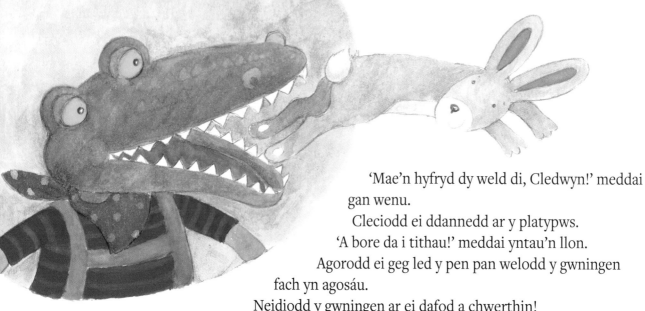

'Mae'n hyfryd dy weld di, Cledwyn!' meddai gan wenu.

Cleciodd ei ddannedd ar y platypws.

'A bore da i tithau!' meddai yntau'n llon.

Agorodd ei geg led y pen pan welodd y gwningen fach yn agosáu.

Neidiodd y gwningen ar ei dafod a chwerthin!

'Dydw i byth am fod yn annymunol!' meddai. A gan ei fod yn syllu ar y llawr cerddodd yn syth i ochr tŷ. Tŷ yr Heliwr!

Yr Heliwr oedd gelyn pob crocodeil. Felly dyma gyfle i wneud rhywbeth hollol, hollol annymunol.

Mi allwn i ddryllio'r lle'n yfflon! meddyliodd Cledwyn. A dysgu gwers i'r Heliwr!

Ond pan aeth i mewn roedd yn edrych fel petai rhywun wedi gwneud llanast yn y lle'n barod!

Roedd tuniau wedi hanner eu bwyta ar hyd y lle. Dillad budron ymhob man. A llwch ar y dodrefn i gyd.

Doedd 'na ddim gobaith i wneud y lle ddim gwaeth. Ond, o edrych o'i gwmpas, gallai feddwl am sawl ffordd o wneud y lle'n well.

Cafodd hyd i hen sgubell a mop cras a dechreuodd lanhau.

Bu'n golchi, yn sgrwbio a glanhau. Daeth o hyd i bictiwr o fam yr Heliwr oedd wedi'i guddio dan bentwr o lestri budron. Felly glanhaodd y llun a'i osod ar y bwrdd wrth ochr tusw o flodau gwyllt. Ac fel roedd ar fin gorffen cyrhaeddodd y tryc o flaen y tŷ.

Doedd unman i fynd i guddio, felly dringodd Cledwyn y Crocodeil i mewn i'r cwpwrdd.

Agorodd gil y drws i sbecian ar ymateb yr Heliwr.

Gobeithiai y byddai'r Heliwr yn cael ei synnu.

Gobeithiai y byddai'n ddiolchgar.

Ond doedd o ddim wedi breuddwydio beth oedd o'n mynd i'w weld. Dyna lle'r oedd ei deulu ei hun wedi'u clymu ar ben arall i raff enfawr!

Os oedd amser i fod yn annymunol – dyma'r amser! Ond cyn i Cledwyn y Crocodeil fedru llamu allan o'r cwpwrdd dyma'r Heliwr yn dechrau crio.

Syllodd ar y pictiwr o'i fam. Gafaelodd yn dynn ynddo rhwng ei fysedd crynedig.

'Mi ydw i'n dy golli di, Mam. Ydw wir. Rydw i wedi bod allan yn hela'r crocodeiliaid yn y corstiroedd yn rhy hir. Mi ydw i wedi penderfynu dod draw i'th weld. Nid yfory. Nid yr wythnos nesaf. Ond heddiw. Fe all y Crocodeiliaid yma aros. Mae Wili Bili'n dod adref!'

Ar hynny, cipiodd y blodau gwyllt. Stwffiodd y pictiwr i boced ei grys a rhuthrodd drwy'r drws.

Pan glywodd Cledwyn y Crocodeil y tryc yn tanio, neidiodd allan o'r cwpwrdd at ei deulu. Ar y dechrau, roedden nhw wedi synnu'i weld, ac yna dyma nhw'n edrych o gwmpas yr ystafell.

'Wedi bod yn glanhau?' gofynnodd Cedric Croc.

'Ac wedi bod yn golchi?' gofynnodd ei frawd Cai.

Edrychodd Cledwyn Croc ar y llawr. 'Wel...' meddai.

'Wel, da iawn chdi, ddyweda i,' gwaeddodd Tada Croc. 'Mae'n ymddangos dy fod di wedi achub y dydd!'

Felly cychwynnodd y teulu am adref. A'r noson honno bu'n rhaid i'r brodyr hynaf ysgrifennu, dri chant o weithiau:

MAE'N IAWN I'R CROCODEIL FOD YN GAREDIG YN AWR AC YN Y MAN – WEL, YN ARBENNIG PAN FO'R TEULU WEDI CAEL EU DAL GAN YR HELIWR NAD OEDD WEDI GWELD EI FAM ERS TRO BYD.

201

Pam Nad Oes gan y Crwban Wallt

Dydi pawb ddim yn gwybod hyn. Ond un tro roedd gan y Crwban lond pen o wallt du.

Weithiai byddai'n cribo'i wallt i fyny, yn donnau bownciog duon.

Weithiau byddai'n cribo'i wallt yn ôl efo llond llaw o jél. Yn union fel gwallt Elvis.

A thro arall byddai'n gadael i'w wallt dyfu'n hir. Yr holl ffordd i lawr ei ysgwyddau at ei gragen.

Roedd y Crwban wedi gwirioni efo'i wallt. Yn wir, yr unig beth a hoffai'n well na'i wallt oedd ei frecwast.

Un noson, arhosodd y Crwban yn nhŷ ei fam yng nghyfraith. Y bore wedyn tynnodd ei ben allan o'i gragen. Dechreuodd arogli rhywbeth oedd yn gwneud i'w fol rymblan a'i wefusau lafoerio. Uwd – llond sosban o uwd chwilboeth – yn ffrwtian yn y gegin.

Efallai nad ydych chi'n hoffi uwd. Efallai eich bod yn troi'ch trwyn ar uwd gludiog, lympiog. Ond roedd y Crwban yn hoffi uwd. Nid uwd yr Alban efo menyn a halen. Nid uwd America chwaith – yn felys efo resins a siwgr brown tywyll. Na, roedd Crwban wedi gwirioni efo Uwd Crwbanod a hwnnw'n crensian efo trychfilod yr afon ac ambell frwynen fwdlyd.

Felly carlamodd y Crwban am ei frecwast. Ond rhaid oedd iddo roi trefn ar ei wallt du, prydferth. Doedd dim amser i gribo'i wallt i fyny'n donnog. A doedd ganddo ddim jél. Felly cribodd ei wallt i fyny ar dop ei ben, a'i ddal efo clipiau, a'i stwffio o dan ei het fawr lipa.

'Mi griba i 'ngwallt wedyn,' addawodd iddo'i hun. 'Ar ffurf cynffon merlen efallai!' A ffwrdd â fo at y bwrdd.

Tybed wnaeth y Crwban ddweud 'Bore da!' wrth rywun?

Tybed wnaeth o ofyn sut noson oedden nhw wedi'i gael?

Tybed wnaeth o gymryd amser i blygu'i ben ac offrymu gweddi o ddiolch?

Na, wnaeth o ddim. Dim ond cythru i'r bowlen a slochian yr uwd i gyd mewn un llwnc. Brwyn mwdlyd, y trychfilod o'r afon, y cwbl!

Ac yna, wrth gwrs, roedd y Crwban yn awchu am fwy. Nid ychydig bach mwy. Ond y cwbl i gyd!

Felly dyma fo'n dechrau hel esgusodion. 'O diar, rydw i wedi colli ychydig o'r trychfilod ar fy nghragen!' Sleifiodd i'r gegin i'w lanhau. Ond tra roedd o yno dyma fo'n mynd yn syth am y crochan chwilboeth oedd yn llawn o uwd.

Buasai wedi llyncu'r cwbl yn y fan a'r lle, ond clywodd sŵn traed rhywun arall yn dod i'r gegin.

'Ga i dy helpu di!' galwodd ei fam yng nghyfraith. 'Dydyn ni ddim eisiau i'r trychfilod dŵr staenio dy gragen di!'

Dychrynodd y Crwban drwyddo. Roedd o'n awchu am yr uwd oedd ar ôl yn y crochan. Ond roedd amser yn brin. Felly dyma fo'n arllwys yr uwd i mewn i'w het fawr lipa. Ac fel roedd ei fam yng nghyfraith yn rhoi ei throed yn y gegin dyma fo'n taro'r het yn ôl ar ei ben.

'O, dwi'n gweld dy fod di wedi'i lanhau yn barod,' meddai ei fam yng nghyfraith. 'A dim staeniadau chwaith. Ardderchog! Nawr, tyrd yn ôl at y bwrdd. Mae gen i bethau i'w gofyn i ti.'

Ymlwybrodd y Crwban yn ôl at y bwrdd. A'i ben yn berwi! Roedd o eisiau mynd oddi yno cyn gynted ag oedd modd. Ond roedd ei fam yng nghyfraith yn mynd ymlaen ac ymlaen â'i chwestiynau. Sut mae dy wraig? A sut mae'r plant? A sut mae'r cymdogion?

O'r diwedd, fedrai'r Crwban ddim dal y gwres ddim mwy. Neidiodd i fyny oddi wrth y bwrdd a charlamodd tua'r drws.

'Mae'n rhaid i mi fynd!' ymddiheurodd. 'Mi wna i egluro eto. Sori fy mod i'n bwyta a rhuthro.'

Brysiodd allan o'r tŷ, i lawr y stryd ac arhosodd mewn cilfan ar ochr y stryd.

O'r diwedd roedd ar ei ben ei hun. Gafaelodd yn yr het oddi ar ei ben.

Roedd yr uwd yn dal yno. Yn arnofio efo'r brwyn a thrychfilod yr afon. Ond roedd rhywbeth arall yn arnofio ar wyneb y dŵr. Pob blewyn o wallt du prydferth y Crwban!

Edrychodd y Crwban ar ei het a dechreuodd grio.

Roedd yr uwd wedi'i ddifetha.

Doedd ganddo ddim blewyn o wallt.

Biti ei fod wedi bod mor farus.

A dyna pam, medden nhw, mae crwbanod yn foel hyd y dydd heddiw.

Jac Mawr, Jac Bach a'r Aderyn

Roedd Jac Mawr a Jac Bach yn teimlo'n drist. Roedd y fferm wedi mynd â'i phen iddi a'r cnydau wedi methu. Roedd y ddau yn eithriadol o dlawd.

'Does gynnon ni ddim arian,' ochneidiodd Jac Mawr.

'Na dim bwyd, chwaith!' ychwanegodd Jac Bach.

Felly dyma nhw'n mynd i lawr i lan yr afon i bysgota.

Ond doedd hyd yn oed y pysgod ddim yn brathu. Felly aeth Jac Mawr a Jac Bach adref yn waglaw.

'Dydyn ni ddim wedi dal dim!' ochneidiodd Jac Mawr.

'Dim un pysgodyn,' ychwanegodd Jac Bach. 'Mi hoffwn i petaem ni wedi dal dim ond un. Yna byddai gennym rywbeth i swper.'

A dyna pryd y gwelson nhw'r aderyn. Aderyn mawr prydferth yn clwydo ar ben to eu tŷ bychan tlodaidd.

'Dyma'r aderyn mwyaf rydw i wedi'i weld,' meddai Jac Mawr.

'A'r un harddaf,' ychwanegodd Jac Bach.

'Dyna garedig,' meddai'r aderyn. Cododd ar ei adenydd a hedfan i ffwrdd o'r golwg.

'Rwy'n siŵr fod yr aderyn yna wedi siarad efo ni,' meddai Jac Mawr.

'Rwyt ti'n iawn,' atebodd Jac Bach.

A chyn iddyn nhw ddweud dim mwy roedd yr aderyn wedi dychwelyd efo pysgodyn mawr yn ei big.

'Mi wnes i glywed eich dymuniad,' meddai'r aderyn. 'Mae gen i glyw da! Ac mi fydda i'n ddigon hapus i ddod â physgodyn i chi bob dydd, os ydych chi'n dymuno. Dim ond i chi adael i mi glwydo ar ben to eich tŷ.'

'Byddai
hynny'n help mawr i ni,'
meddai Jac Mawr.

'Tu hwnt o garedig,' cytunodd Jac Bach.

Felly bob diwrnod, am y mis dilynol, daeth yr aderyn
mawr, prydferth â physgodyn mawr, tew i'r tŷ.

Ac roedd Jac Mawr a Jac Bach yn cael mwy na digon i'w fwyta.

Ond roedd eu cymydog, Alwyn Annymunol, yn mynd yn fwy a mwy
eiddigeddus bob dydd.

'Dydi'r bechgyn yma'n gwneud dim byd,' cwynai ei wraig. 'Ac eto mae'r aderyn
yn dod â physgodyn mawr, tew iddyn nhw bob dydd. Mi fuaswn i wrth fy modd yn
cael aderyn tebyg iddo. Mi fuaswn i'n dal fy ngafael ynddo a châi o ddim mynd i
unman.' Dyna pryd y meddyliodd Alwyn Annymunol am gynllun annymunol.

'Mi ydw i'n mynd i ddwyn yr aderyn. Dyna beth wna i. Mi ofynna i i 'nghefndryd
ddod i helpu. A fi fydd piau yr aderyn a'r pysgod i gyd.'

Dyma Alwyn Annymunol yn galw ar ei holl gefndryd annymunol. Dyna lle'r oedd
Sam Sleifiwr a Llew Llipryn, Ffred Ffyrnig a Cai Cranc, Siôn Slapiwr a Siarl Swancyn a
Boli'r Bwli Mawr Drwg.

Y noson honno, dyma nhw'n ymlusgo drwy'r gwrych ac i fyny at dŷ Jac Mawr a
Jac Bach. Yna, dyma nhw'n dringo i fyny i'r to lle roedd yr aderyn mawr prydferth yn
clwydo.

Gafaelodd Alwyn Annymunol yng nghoes yr aderyn, ond wnaeth yr aderyn ddim
symud. Agorodd ei lygaid a syllu ar Alwyn Annymunol.

'Wel, ynteu,' meddai'r aderyn, er mawr syndod i Alwyn Annymunol, 'mae'n amlwg
dy fod wedi cael dy ddymuniad.'

'Dymuniad?' gofynnodd Alwyn Annymunol. 'Pa ddymuniad?'

'Y dymuniad y soniaist amdano wrth dy wraig,' meddai'r aderyn. 'Mae gen i glyw
da. Dywedaist petai gen ti aderyn fel fi na fuaset ti byth yn gadael iddo fynd. Dyma'r
adeg wedi dod i dy ddymuniad ddod yn wir.'

A'r munud hwnnw dyma'r aderyn yn codi ar ei adain a hedfan i fyny i'r awyr. Dyna

lle'r oedd Alwyn Annymunol yn ceisio ei ddal yn llonydd ond roedd yr aderyn yn rhy gryf iddo. Cododd Alwyn Annymunol i fyny efo fo i'r awyr.

Doedd Alwyn Annymunol ddim yn hoffi uchelderau. Ond pan geisiodd ddod yn rhydd o grafanc yr aderyn, fedrai o ddim. Roedd ei ddwylo'n sownd. Yn wir, roedd ei ddymuniad wedi dod yn wir.

'Helpwch fi, fechgyn,' gwaeddodd ar ei gefndryd. 'Gafaelwch yn fy nghoes ac fe dynnwn yr aderyn i lawr i'r ddaear efo'n gilydd!'

Felly dyma Sam Sleifiwr yn cythru yng nghoes Alwyn Annymunol a chythrodd Llew Llipryn yng nghoes Sam Sleifiwr ac yn y blaen. Ond y munud roedd y cefndryd wedi gafael anodd iawn oedd gollwng yn rhydd wedyn! A dyna lle'r oedd rhes o gefndryd yn rhegi a grwgnach ac yn hongian o goes yr aderyn.

Deffrodd yr holl sŵn Jac Mawr a Jac Bach. Dyma nhw'n mynd allan yn hanner cysgu o'r tŷ.

'Mae'n debyg i farcud anferth!' meddai Jac Mawr.

'Barcud anferth, swnllyd!' meddai Jac Bach.

Yna aeth y ddau yn ôl i'r gwely.

Bore wedyn dyna lle'r oedd yr aderyn prydferth yn ôl ar ben y to. Cafodd Jac Mawr a Jac Bach yr hanes i gyd. A phan ofynnwyd beth oedd diwedd y stori dyma'r aderyn yn dechrau chwerthin.

'Roeddwn i'n gwybod y buasai'n siŵr o ddigwydd yn hwyr neu'n hwyrach,' meddai. 'Roedd y bechgyn atgas yna wedi blino dal eu gafael. Felly dyma un ohonyn nhw'n dymuno y buaswn yn gadael iddyn nhw fynd. Sibrwd wnaeth o. Dim ond sibrwd. Ond mae gen i glyw da. Felly fe gafodd ei ddymuniad a dyma'u gollwng nhw i'r gors filltiroedd i ffwrdd oddi yma. Fyddan nhw ddim yn ein haflonyddu am amser maith. Fuasai rhywun yn dymuno cael pysgodyn?'

'Buaswn wir!' meddai Jac Mawr.

'A finnau!' ychwanegodd Jac Bach.

Cododd yr aderyn mawr prydferth ar ei adain ac i fyny â fo i'r awyr.

Sut y Collodd y Gwningen ei Chynffon

Amser maith yn ôl yn hanes y byd, roedd gan y Gwningen gynffon wen hir!

Weithiau byddai'n llusgo ar y llawr tu ôl iddi.

Weithiau byddai'n sefyll i fyny i'r awyr.

Ond bob tro, byddai'n dilyn y Gwningen i ba le bynnag y byddai'n mynd.

Un diwrnod, roedd y Gwningen angen croesi drosodd i ynys fechan draw dros y moroedd.

Cyrliodd ei chynffon fel sbring ac eisteddodd ar lan y môr, yn neidio o gwmpas ac yn meddwl. Ond er iddi neidio a meddwl yn galed doedd hi ddim yn medru meddwl am ffordd i groesi'r dŵr.

Yna, nofiodd Siarc heibio. Yn sydyn cafodd y Gwningen syniad. Syniad bach snechlyd, oherwydd roedd y Gwningen yn dipyn o dwyllwr.

'Esgusoda fi, Siarc,' galwodd. 'Roeddwn i'n eistedd yma, yn neidio ac yn meddwl. Dyma fi'n dechrau pendroni. Faint o ffrindiau sydd gan siarc?'

'Ffrindiau?' atebodd y Siarc. 'Cannoedd ar gannoedd, am wn i.'

'Mae hyn yn dipyn o syndod i mi!' meddai'r Gwningen. 'Roeddwn i'n meddwl fod siarcod yn anifeiliaid unig a rheibus.'

'Camgymeriad digon cyffredin,' gwenodd y Siarc, a'i ddannedd gwynion yn pefrio ym mhelydrau'r haul.

'Na, rydym ni'n greaduriaid digon cyfeillgar. Mi fyddwn ni'n dangos ein hochr reibus pan fydd rhywbeth yn codi'n gwrychyn. Gad i mi ddangos i ti.'

A'r munud hwnnw dyma'r Siarc yn diflannu dan y dŵr. Ond, pan ddaeth i fyny eilwaith, doedd o ddim ar ei ben ei hun. Roedd cannoedd o siarcod yn gwenu o'i gwmpas a'r môr yn llawn ohonyn nhw.

'Syndod mawr!' meddai'r Gwningen. 'Cymaint o ffrindiau! Ga i eu cyfrif nhw?'

'Wrth gwrs,' gwenodd y Siarc. 'Gwna fel y mynni. Bydd hyn yn cadarnhau yr hyn ddywedais i.'

Felly dechreuodd y Gwningen gyfri'r siarcod. Sbonciodd ar eu pennau, fesul un, gan gyfrif wrth fynd yn ei blaen.

Sbonciodd ar ddeg siarc, ugain siarc a thri deg siarc.

Sbonciodd ar ddeugain siarc, pum deg siarc a chwe deg siarc.

Sbonciodd ar saith deg, wyth deg a naw deg siarc.

Sbonciodd ar gant o siarcod ac ymlaen â hi nes cyrraedd tri chant o siarcod.

Ac yna, sbonciodd ar yr ynys!

'Felly, ydw i wedi dweud y gwir?' gofynnodd y Siarc, oedd wedi nofio wrth ochr y Gwningen, drwy'r amser.

'Yn hollol!' chwarddodd y Gwningen.

'Ond pam mae hyn yn ddigri?' gofynnodd y Siarc.

Chwarddodd y Gwningen eilwaith. Ac yna, gan na allai gadw hyn iddi hi ei hun, aeth ymlaen i egluro.

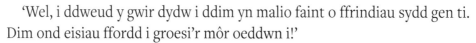

'Wel, i ddweud y gwir dydw i ddim yn malio faint o ffrindiau sydd gen ti. Dim ond eisiau ffordd i groesi'r môr oeddwn i!'

Dechreuodd y Gwningen gerdded i fyny o'r traeth a'i chynffon hir wedyn yn llusgo tu ôl iddi. Ond wnaeth y Siarc ddim symud. Na, doedd o ddim yn hoffi cael ei wneud yn ffŵl ac roedd yn flin efo'r Gwningen. Felly, fel roedd y Gwningen yn troi oddi wrtho dyma'r Siarc yn llamu o'r dŵr. Gan ddangos ei ddannedd miniog dyma fo'n brathu cynffon hir y Gwningen i ffwrdd.

'Aaaw!' sgrechiodd y Gwningen, gan redeg nerth ei thraed i'r goedwig – a'i chynffon erbyn hyn fawr mwy na chudyn bychan gwyn.

Ond tybed fu hyn yn wers iddi? Oedd hi'n barod i chwarae mwy o driciau?

Oedd yn wir.

Pan ddaeth yr amser iddi adael yr ynys, eisteddodd y Gwningen ar y traeth unwaith eto. Arhosai i weld a fyddai pysgodyn gwahanol yn dod heibio – pysgodyn efo mwy o ffrindiau na dannedd!

Y Mochyn Daear oedd yn Debot

Carlamodd y mochyn daear i fyny ac i lawr y bryn. Rowliodd, powliodd, a thaflodd ei hun ar y gwair llyfn gan edrych i fyny i'r awyr. Diwrnod braf o wanwyn oedd hi ac roedd o'n benderfynol o fwynhau pob munud.

Ac yna chwyrliodd magl yr heliwr, oedd wedi'i chuddio yn y gwair, o gwmpas ei goes a'i adael yn berffaith lonydd. Roedd y mochyn daear druan wedi'i ddal!

Tincial-tincial, Clang-clang. A dyna lle roedd tincer ar ei ffordd heibio a'i lestri yn taro'n erbyn ei gilydd ar ei gefn.

'Helpwch fi! Helpwch fi, os gwelwch yn dda!' llefai'r mochyn daear. Roedd gan y tincer biti drosto. Dyma fo'n agor y fagl a rhyddhau'r mochyn daear yn y fan.

Carlamodd y mochyn daear i fyny ac i lawr unwaith eto. 'Sut medra i dalu'n ôl i ti?' gofynnodd i'r tincer. 'Mi wna i rywbeth i ti. Dim ond i ti ofyn.'

'Does dim angen i ti dalu'n ôl,' gwenodd y tincer. 'Dos adref a mwynha'r diwrnod braf yma. Mae hynny'n ddigon o dâl i mi.' A ffwrdd â fo. Tincial-tincial, Clang-clang.

Ond roedd y mochyn daear yn benderfynol o dalu'n ôl am ei garedigrwydd. Ac fel roedd y tincer

yn cerdded i ffwrdd, cafodd syniad. Ysgydwodd ei drwyn. Caeodd ei lygaid. Ysgydwodd ei gorff. Gwnaeth ddymuniad. A dyma fo'n troi yn debot! Doedd ganddo fawr o syniad sut y digwyddodd hyn. Ond dyna lle'r oedd o. Tebot mochyn daear prydferth. Patrymau du a gwyn drosto. Cynffon mochyn daear fel dolen, a thrwyn mochyn daear fel pig, a phedair coes porslen.

Rhedodd ar ôl y tincer. Ond heb yn wybod iddo llamodd i ganol y llestri oedd ar ei gefn a gafaelodd yn dynn – Tincial-tincial, Clang-clang – yr holl ffordd i dŷ'r tincer.

Pan oedd y tincer yn dadlwytho'r llestri, cafodd dipyn o sioc pan welodd y tebot yn eu canol.

'Ble cest ti hwn?' gofynnodd ei wraig.

'Does gen i ddim syniad,' meddai'r tincer. 'Ond mae o'n brydferth iawn, yn tydi? Pam na wnei di baned i ni?'

A dyna ddigwyddodd. Rhoddodd y tebot ar y bwrdd. Berwodd y dŵr a'i dywallt i'r tebot. Ac yna – o diar! – dechreuodd y tebot neidio o gwmpas yr ystafell.

'Poeth! Poeth! Rhy boeth o lawer!' gwichiodd y tebot. Felly dyma wraig y tincer yn ei godi i fyny a thywallt y dŵr a galw ar ei gŵr, y tincer.

'Mae 'na ysbryd yn y tebot yma!' cwynodd. 'Mae'n rhaid i ti fynd â fo'n ôl i ble cest ti o!'

'Na! Na!' meddai'r tebot. 'Nid ysbryd ydw i. Y fi ydi'r mochyn daear wnest ti achub ar ochr y bryn. Mi wnes i droi fy hun yn debot er mwyn talu'n ôl i ti.'

'Dwyt ti'n da i ddim felly,' cwynodd gwraig y tincer. 'Pa werth ydi tebot na fedrith o ddim dal dŵr poeth?'

'Wn i beth,' meddai'r tebot. 'Rydw i'n dal i fod yn fochyn daear. Mi fedra i rowlio, siglo a dawnsio. Beth am i ni wneud syrcas? A fi'n seren y sioe!'

'Mi fedra i wneud y llenni,' cynigiodd gwraig y tincer.

'Ac mi alla innau adeiladu'r llwyfan,' meddai'r tincer. 'Ie, pam lai! Diolch i ti Debot y Mochyn Daear.'

Felly dyma wnïo'r llenni ac adeiladu'r llwyfan a rhoi posteri i fyny yn y pentref: 'Dowch i weld y Tebot Rhyfedd.'

Roedd y bobl yn chwilfrydig wrth gwrs. Roedden nhw'n barod i dalu pris go dda i weld y Tebot Rhyfedd a chawson nhw mo'u siomi. Dyna lle'r oedd y tebot yn bwrw tin-dros-ben. Yn neidio'n ôl wysg ei gefn. Ac i goroni'r cwbl dyma'r tebot yn cerdded ar raff gan ddal parasol coch yn ei geg – neu yn hytrach – yn ei big!

Cymeradwyodd y bobl. Bloeddiodd y bobl. Roedden nhw wedi dod yno o bobman. Ac ymhen dim roedd y tincer yn ŵr cyfoethog iawn.

'Rwyt ti wedi talu'n ôl i mi mwy nag oeddwn yn ei haeddu,' meddai wrth y tebot ryw ddiwrnod. 'Rwy'n siŵr ei bod hi'n amser i ti fynd adref yn ôl.'

'Rwyt ti'n garedig,' meddai'r tebot. Yna gyda siglad a winc, ysgytiad a dymuniad trodd ei hun yn ôl i fod yn fochyn daear. Sut y gwnaeth o hyn? Doedd o ddim yn gwybod. Ond ar ôl iddo orffen, ffarweliodd a charlamu'n ôl i fyny'r bryncyn.

A bu'r tincer a'i wraig a'r mochyn daear, nad oedd o'n debot ddim mwy, fyw yn hapus weddill eu dyddiau.

Y Math o Lew Llwglyd

Unwaith roedd math o lew llwglyd, a'i stumog yn grymial yn ddistaw, yn union fel llew bach.

Aeth y llew i chwilio am rywbeth i'w fwyta. Sbeciodd heibio carreg enfawr. Gwelodd deulu o foch daear yn cael picnic.

Dydw i ddim digon llwglyd i fwyta mochyn daear cyfan, meddyliodd y llew llwglyd. Ond byddai hanner mochyn daear yn gwneud tamaid i aros pryd.

Yna dechreuodd ei stumog rymial unwaith eto. Ond yn uwch y tro hwn. Trodd y moch daear i edrych arno.

'Edrychwch!' gwaeddodd y mochyn daear lleiaf. 'Mae llew wedi dod draw i gael picnic!'

'Paid â bod yn swil,' meddai gwraig y mochyn daear. 'Tyrd i ymuno efo ni!'

Doedd y llew llwglyd ddim yn gwybod beth i'w feddwl. Dechreuodd ei stumog rymial yn uwch. Felly penderfynodd ymuno â'r moch daear. Ac os byddai wedi blino ar y picnic byddai'n gallu gwneud pryd o'r moch daear!

Daeth y moch daear â chadair glan y môr a bwrdd bychan i'r llew. Ac arllwys gwydraid o lemonêd a phedwar ciwb o rew a gwelltyn hyblyg.

Dyma rywun yn gweiddi, 'Swper!' a dyma'r moch daear i gyd yn rhedeg i'r babell.

214

Erbyn hyn roedd y llew llwglyd yn llew llwglyd iawn ac roedd grymial ei stumog yn uwch ac yn uwch.

Rhoddodd y moch daear y sedd orau iddo a phentyrru brechdanau blasus o'i flaen. Roedd deintbig, efo arwydd bychan arno, wedi'i osod ar ben y frechdan uchaf ar bob plât.

Edrychodd pawb ar y llew llwglyd. Edrychodd y llew llwglyd ar yr arwyddion.

'Persli' oedd yr arwydd cyntaf. Rhoddodd y llew ei bawen ar ei geg. Dydi hyd yn oed llewod llwglyd ddim yn bwyta persli.

'Berw' oedd yr ail arwydd. Rhoddodd y llew ei bawen ar ei geg unwaith eto. Dydi hyd yn oed llewod llwglyd ddim yn bwyta berw.

Roedd un arwydd ar ôl. Cymerodd y llew un anadliad dwfn a dechreuodd ddarllen yr arwydd. 'Meillion' oedd wedi'i ysgrifennu arno. Meddyliai'r llew y byddai'n beichio crio. Beth allai'i wneud? Roedd yn llwglyd. Ond dydi llewod ddim yn bwyta persli na berw na meillion. Mae llewod yn bwyta cig. Fel antelopiaid a byfflos a... moch daear. Ond roedd y moch daear wedi bod mor garedig wrtho. Sut y gallai eu bwyta a sbwylio eu picnic?

A dyna pryd yr ogleuodd y llew llwglyd rywbeth arall. 'Beth ydi'r arogl?' gofynnodd.

Ogleuodd y mochyn daear lleiaf yr awyr. 'Mae'n ogleuo fel rhywbeth yn cael ei goginio,' meddai. 'Mae jacaliaid yn cael picnic dros y bryn. Efallai fod yr arogl yn dod oddi yno.'

Safodd y llew llwglyd ar ei draed mor sydyn fel bu bron i'w ben fynd drwy'r babell. 'Mae'n ddrwg gen i,' ymddiheurodd. 'Mae'n rhaid i mi fynd. Diolch am bnawn hyfryd yn eich cwmni.'

A rhuthrodd y llew llwglyd i chwilio beth oedd yr arogl hyfryd. Erbyn hyn roedd y llew yn llwglyd iawn, iawn. Roedd ei stumog yn rhuo fel mae stumog llew llwglyd yn gallu'i wneud.

Beth sy'n cael ei goginio, tybed? meddyliodd. Antelop? Camel? Stiw eliffant? Cyrhaeddodd bicnic y jacaliaid ac edrychodd ar yr ych tewaf, mwyaf blasus a welodd erioed!

Dyna lle'r oedd dau jacal yn ei droi a'i drosi ar y cigwain a'i orchuddio â saws barbiciw.

'Esgusodwch fi,' gofynnodd y llew llwglyd. 'Ga i ymuno efo chi i gael picnic?' Wnaeth y jacaliaid ddim gwenu na dweud 'Helo'. Wnaethon nhw ddim edrych arno hyd yn oed.

'Dos i sefyll i'r ciw,' cyfarthodd un o'r jacaliaid. 'Draw wrth ymyl y bwrdd yn fan acw.'

Cerddodd y llew a'i stumog yn dal i ruo i gynffon y ciw. Dyna lle'r oedd y jacaliaid yn gwthio a hyrddio'r naill a'r llall. Mewn dim o amser roedd y llew yntau'n cael ei wthio a'i hyrddio hefyd. Penelin yn ei gefn. Pen-glin i fyny ei drwyn. Ond o'r diwedd llwyddodd i ymlusgo allan o'r ciw gyda chyllell, fforc a phlât a stecen dew o gig ychen!

Eisteddodd wrth y bwrdd, ond cyn iddo gael cyfle i godi ei gyllell dechreuodd hen jacal llwyd ysgyrnygu a gweiddi, 'Fy nghadair i ydi hon! Rydw i wedi arfer dod i bicnic y jacaliaid ers hanner can mlynedd. Rydw i'n eistedd yn fan 'ma BOB AMSER!'

Cododd y llew llwglyd ei blât a symud rhwng dwy jacal atgas. Dyna lle'r oedden nhw'n chwifio eu bagiau llaw dan chwyrnu a brathu bob yn ail. Cyn i'r llew fedru symud roedd un o'r bagiau llaw wedi taro'i blât nes oedd o'n codi i'r awyr. A dyna lle'r oedd y llew llwglyd yn gwylio ei stecen yn syrthio'n fflat ar y llawr.

Plygodd i lawr a chododd y stecen. Erbyn hyn roedd ei ginio yn smonach brown mwdlyd. 'Ydych chi'n gwybod beth ydych chi?' rhuodd. 'Dydach chi'n ddim ond criw o ANIFEILIAID!'

Fe'i gwadnodd hi am ei fywyd a ffwrdd â fo dros y bryn.

Bellach yn llew llwglyd iawn, iawn, iawn, aeth ar ei union i mewn i'r babell fawr ac ymuno efo'r moch daear.

A dyma 'na ruo, rhuo mor uchel a rheibus nes bod yr anifeiliaid i gyd wedi stopio i wrando. Dilynwyd y rhuo gan sŵn rhedeg, byrddau'n cael eu hyrddio a llestri'n torri. Yna, aeth pob man yn ddistaw.

Dyma'r anifeiliaid eraill i gyd yn treulio munud neu ddau yn meddwl am y moch daear druan a sut roedden nhw wedi dod yn rhan o ginio'r llew.

Yn y cyfamser, yn y babell, dyna lle'r oedd y llew hapus wedi cael llond ei fol, yn gorwedd yn ôl yn ei gadair ac yn llyfu blaenau ei bawennau.

'Dydw i erioed wedi clywed stumog yn grymial mor uchel yn fy mywyd,' meddai'r mochyn daear lleiaf. 'Roeddwn i mor falch bod gynnon ni ddigon o frechdanau. Ond mae'n ddrwg gen i ein bod wedi gwneud cymaint o sŵn a ffwdan i gael y pryd bwyd yn barod.'

'Dim ond gobeithio fod ein gwestai wedi mwynhau ei hun,' gwenodd gwraig y mochyn daear. 'Ac o edrych arno mae'n amlwg ei fod wedi mwynhau pob munud. Wyt ti eisiau rhywbeth arall?' gofynnodd i'r llew.

Dyma'r llew yn rholio ei bawen dros ei stumog ddistaw. 'Oes, os gwelwch yn dda,' gwenodd. 'Mae gen i le i un arall o'r brechdanau meillion.'

Y Gwely Mawr Meddal ac Esmwyth

Rhoddodd Mam-gu Dani yn y gwely. Yn ei wely mawr, meddal ac esmwyth.

Ond pan gaeodd y drws ar ei hôl – yn araf a distaw – dyma'r colfach ar y drws yn dechrau gwichian!

Deffrodd Dani dan ochneidio!

'O diar,' meddai Mam-gu. 'Mi wn i be wnawn ni. Mi adawn ni i'r gath fach gysgu efo ti, dim ond y tro yma. Mi fydd hi'n gwmpeini i ti!'

Rhoddodd Mam-gu Dani yn y gwely unwaith eto. Yn ei wely mawr, meddal ac esmwyth. Gyda'r gath fach wedi cyrlio'n dorch wrth ei draed.

Ond pan gaeodd y drws ar ei hôl – ei gau yn araf a distaw – dyma'r colfach ar y drws yn dechrau gwichian!

Deffrodd Dani dan ochneidio!

Neidiodd y gath fach ar ei thraed, 'Miaw!'

'O diar,' meddai Mam-gu. 'Mi wn i beth wnawn ni. Mi adawn i'r ci gysgu efo ti. Dim ond am y tro yma. Bydd o'n gwmpeini i ti!'

Felly aeth Mam-gu â Dani i'r gwely unwaith eto. Yn ei wely mawr, meddal ac esmwyth.

Efo'r gath fach wedi cyrlio'n dorch wrth ei draed.

A'r ci'n gorwedd ar ei hyd wrth ei ochr.

Ond pan gaeodd y drws – ei gau mor araf ac mor ddistaw – dyma'r colfach ar y drws yn dechrau gwichian.

Deffrodd Dani dan ochneidio!

Neidiodd y gath gan weiddi 'Miaw!'

Llamodd y ci gan gyfarth 'Bow-wow!'

'O diar,' meddai Mam-gu. 'Mi wn i beth wnawn ni. Mi gaiff y mochyn gysgu efo ti. Dim ond am y tro yma. Bydd o'n gwmpeini i ti!'

Felly dyma Mam-gu yn rhoi Dani yn ei wely. Yn ei wely mawr, meddal ac esmwyth.

Gyda'r gath fach wedi cyrlio'n dorch wrth ei draed.

A'r ci yn gorwedd wrth ei ochr.

A'r mochyn wrth ochr ei obennydd.

Ond pan gaeodd y drws – ei gau mor ddistaw ac mor araf – dyma'r colfach ar y drws yn dechrau gwichian!

Deffrodd Dani dan ochneidio.

Neidiodd y gath, 'Miaw!'

Llamodd y ci, 'Bow-wow!'

Rholiodd y mochyn drosodd, 'Oinc!'

'O diar,' meddai Mam-gu. 'Mi wn i beth wnawn ni. Mi wnawn ni adael i'r ferlen gysgu efo ti am y tro. Dim ond i fod yn gwmpeini i ti!'

Felly dyma Mam-gu yn rhoi Dani yn ei wely unwaith eto. Yn ei wely mawr, meddal ac esmwyth.

Efo'r gath wedi cyrlio'n dorch wrth ei draed.

A'r ci yn gorwedd wrth ei ochr.

A'r mochyn wrth ochr ei obennydd.

A'r ferlen wedi gwasgu rhyngddyn nhw i gyd.

Ond pan gaewyd y drws – ei gau mor ddistaw ac mor araf – dyma'r colfach ar y drws yn dechrau gwichian!

219

Deffrodd Dani dan ochneidio!
Neidiodd y gath, 'Miaw!'
Llamodd y ci, 'Bow-wow!'
Rholiodd y mochyn drosodd, 'Oinc!'
A phranciodd y ferlen i fyny ac i lawr gan weryru.
A syrthiodd y gwely mawr, esmwyth a gwlanog i'r llawr.
'O diar,' meddai Mam-gu, 'dydi hyn ddim yn ddigon da!'
Anfonodd y gath fach i'r gegin.
Cerddodd y ci allan i'r buarth.
Perswadiodd y mochyn i fynd yn ôl i'r twlc.
Tywysodd y ferlen yn ôl i'r sgubor.
Ac aeth Mam-gu ati i gyweirio'r gwely meddal ac esmwyth.
Edrychodd ar y drws.
Edrychodd ar y colfach rhydlyd.
Aeth i'r sied a daeth yn ôl â chan o olew.
Chwistrellodd yr olew ar y colfach. Yna am y tro olaf rhoddodd Dani yn ei wely. Yn y gwely mawr, meddal ac esmwyth.

A phan gaeodd y drws – ei gau mor araf ac mor ddistaw – doedd y colfach ar y drws ddim yn gwneud sŵn o gwbl.

A syrthiodd Dani i gysgu'n sownd.

Bachgen y Gneuen Fwnci

Penderfynodd Penri a'i dad fynd i bysgota.

Dyma bacio'r gêr pysgota a'r abwyd a thaflu eu gwialenni pysgota dros eu hysgwyddau. Ond fel roedden nhw'n mynd i lawr am yr afon, dyma fam Penri yn gofyn i dad Penri ddod draw i'r gegin. Ac yno y buon nhw'n siarad a siarad.

A dyna lle'r oedd Penri'n dal i ddisgwyl.

Gan ei fod wedi blino disgwyl, dyma fo'n penderfynu gwneud rhywbeth gwahanol. Dyma fo'n penderfynu troi ei hun yn gneuen fwnci!

Does neb yn gwybod sut y gwnaeth o hynny. Roedd y cyfan yn ddirgelwch.

Ond roedd hi'n dalent arbennig. Doedd neb yn amau hynny.

Felly dyma Penri'n cau ei lygaid. Dyma fo'n gwasgu ei wyneb. Ac ymhen dim, roedd Penri yn gneuen fwnci, tu mewn i blisgyn cneuen fwnci.

Eisteddodd yno am ychydig, yn ddiddos ac yn debyg i gneuen fwnci. Ar hyn, daeth iâr heibio dan glwcian. Gwelodd y gneuen fwnci ar y llawr a chyn i Penri droi'n ôl yn fachgen, llowciodd yr iâr y gneuen fwnci.

A dyna lle'r oedd: Penri yn y plisgyn. Penri yn yr iâr. A rhieni Penri yn dal i siarad yn y gegin.

Ymhen dim llwybreiddiodd y llwynog cyfrwys heibio. Ac fel llwynog gwerth ei halen dyma fo'n gwneud beth mae llwynogod yn ei wneud orau. Llyncodd yr iâr i gyd ar un llowciad.

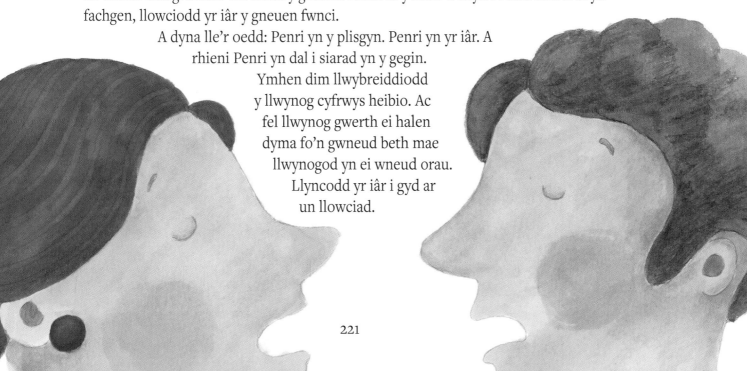

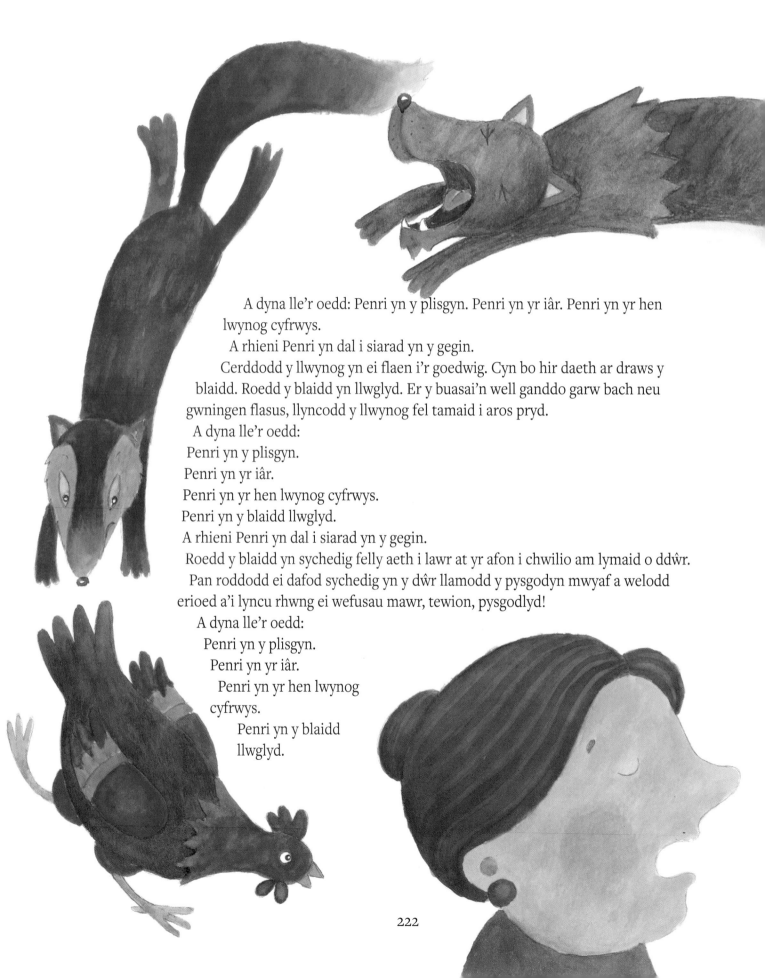

A dyna lle'r oedd: Penri yn y plisgyn. Penri yn yr iâr. Penri yn yr hen lwynog cyfrwys.

A rhieni Penri yn dal i siarad yn y gegin.

Cerddodd y llwynog yn ei flaen i'r goedwig. Cyn bo hir daeth ar draws y blaidd. Roedd y blaidd yn llwglyd. Er y buasai'n well ganddo garw bach neu gwningen flasus, llyncodd y llwynog fel tamaid i aros pryd.

A dyna lle'r oedd:

Penri yn y plisgyn.

Penri yn yr iâr.

Penri yn yr hen lwynog cyfrwys.

Penri yn y blaidd llwglyd.

A rhieni Penri yn dal i siarad yn y gegin.

Roedd y blaidd yn sychedig felly aeth i lawr at yr afon i chwilio am lymaid o ddŵr.

Pan roddodd ei dafod sychedig yn y dŵr llamodd y pysgodyn mwyaf a welodd erioed a'i lyncu rhwng ei wefusau mawr, tewion, pysgodlyd!

A dyna lle'r oedd:

Penri yn y plisgyn.

Penri yn yr iâr.

Penri yn yr hen lwynog cyfrwys.

Penri yn y blaidd llwglyd.

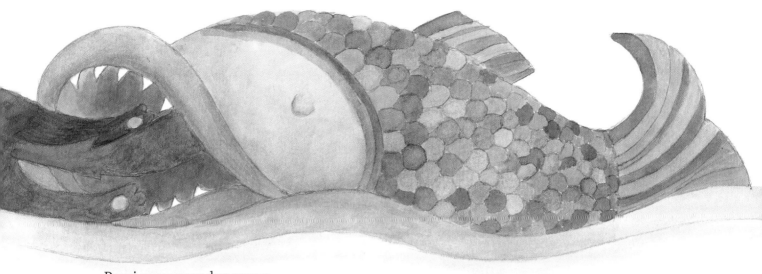

Penri yn y pysgodyn mawr.

A rhieni Penri yn dal i siarad yn y gegin.

O'r diwedd daeth y sgwrs i ben.

Roedd mam Penri wedi cael dweud ei dweud. A thad Penri hefyd. Felly aeth allan i chwilio am Penri. Roedd y gêr pysgota a'r abwyd a'r wialen bysgota tu allan i ddrws y gegin. Ond doedd dim siw na miw o Penri.

Wedi blino disgwyl aeth tad Penri i lawr i lan yr afon ar ei ben ei hun.

Clymodd yr abwyd ar y bachyn.

Taflodd y lein bysgota i'r dŵr.

A beth afaelodd yn yr abwyd ond y pysgodyn mwyaf a welodd erioed.

Tynnodd a thynnodd tad Penri. O'r diwedd, tynnodd y pysgodyn mwyaf a welodd erioed i lan yr afon.

Rhoddodd ei law yng ngheg y pysgodyn er mwyn tynnu'r bachyn. Neidiodd y blaidd allan!

Agorodd y blaidd ei geg a dechrau udo. Daeth y llwynog allan!

Agorodd y llwynog ei geg i anadlu a neidiodd yr iâr allan!

Pesychodd yr iâr – a daeth y gneuen fwnci allan!

Y munud y gwelodd tad Penri'r gneuen fwnci, nodiodd ei ben a gwenodd.

Oherwydd roedd o'n gwybod fod gan Penri dalent arbennig. Ac felly dyma fo'n gwneud fel roedd wedi gwneud bob amser pan fyddai Penri wedi cuddio'i hun yn y gneuen fwnci.

Dyma fo'n gafael yn y gneuen a'i thaflu i fyny i'r awyr a dweud mor uchel ag y gallai, 'Mae hi'n amser i wneud menyn cnau mwnci!'

Yr eiliad y clywodd Penri hyn, trodd yn ôl yn fachgen unwaith eto. 'Dwi'n teimlo'n llwglyd,' meddai tad Penri.

'A finnau hefyd,' meddai Penri.

Dyma nhw'n gafael yn y pysgodyn mawr ac ymlafnio am adref. A phan oedden nhw'n ei goginio yn y badell ffrio enfawr, dywedodd Penri yr hanes i gyd wrth ei rieni:

Penri yn y plisgyn.
Penri yn yr iâr.
Penri yn yr hen lwynog cyfrwys.
Penri yn y blaidd llwglyd.
Penri yn y pysgodyn anferth.
Penri adref unwaith eto'n ddiogel.
A rhieni Penri yn gwrando'n astud yn y gegin.

Yr Aderyn Rhyfeddol

Roedd tair chwaer yn gweithio'n ddiwyd yn y caeau. Roedden nhw'n plannu a chwynnu a helpu dros y cynhaeaf, er eu bod yn chwiorydd ifanc iawn. Ond beth arall fedren nhw ei wneud? Roedd eu rhieni wedi marw. Roedden nhw'n dlawd ac yn llwglyd. Doedd eu hewythr barus ddim yn barod i wneud dim i'w helpu.

Un pnawn, fel roedden nhw'n gorffen eu gwaith am y dydd, dyma'r tair chwaer yn dod ar draws aderyn bach oedd wedi'i anafu. Dyna lle'r oedd o'n chwifio, curo a chlepian ei adenydd ar y llawr. Roedd y tair chwaer yn teimlo i'r byw dros yr aderyn bach a dyma nhw'n ei godi a'i gario'n ofalus i'w cartref. Aethon nhw ati i adeiladu cawell o frigau. A dyna lle buon nhw'n gofalu amdano o ddydd i ddydd a'i nyrsio'n ôl yn iach.

'Cececo. Cececo.' Dyna'r sŵn oedd yr aderyn bach yn ei wneud ar ôl gwella. A dyna roddodd y chwiorydd yn enw arno – Cececo.

Un noson, fel roedd y chwiorydd yn paratoi i fynd i'r gwely, dyma Cececo yn gwneud rhywbeth rhyfedd iawn. Wnaeth o ddim rhoi ei ben yn ei blu. Wnaeth o ddim dweud, 'Cececo.' Na, edrychodd i fyw llygaid y chwiorydd a dechrau siarad!

'Gadewch i mi gysgu yn eich basged fwyaf heno,' meddai Cececo. 'Ac mi wna i bryd o fwyd i chi.'

Llygadrythodd y chwiorydd ar yr aderyn. Roedden nhw wedi dychryn cymaint o glywed yr aderyn yn siarad, dyma nhw'n ufuddhau iddo heb ofyn dim. Ond erbyn y bore, roedden nhw wedi dychryn mwy byth. Roedd Cececo yn ôl yn ei gawell. A dyna lle roedd y fasged yn llawn o bysgod wedi'u coginio a reis cynnes!

'Edrychwch!' meddai Cececo. 'Dyma fi wedi paratoi pryd o fwyd i chi! Fe wnaf yr un peth unwaith eto os rhowch fi yn y fasged.'

Wnaeth y chwiorydd ddim meddwl am eiliad sut y gallai'r aderyn baratoi cymaint o fwyd. Dim ond llowcio'r pysgod a'r reis. Doedden nhw erioed wedi bwyta cymaint! Y noson honno, llenwodd Cececo y fasged unwaith eto. A dyna ddigwyddodd noson ar ôl noson.

Erbyn hyn roedd Cececo'n paratoi cymaint o bysgod a reis fel na allai'r chwiorydd ei orffen. 'Fyddai'n bosib i ti baratoi reis heb ei goginio?' gofynnodd y chwaer fwyaf call. 'Fe fydden ni'n gallu ei storio wedyn ac efallai ei rannu a'i roi i'n cymdogion tlawd.'

Ufuddhaodd Cececo'n ddigon hapus. Aeth ati i baratoi digon o reis ar gyfer y chwiorydd a hefyd eu holl ffrindiau tlawd. Aeth y stori amdanyn nhw drwy'r pentref i gyd. A dyna pryd y daeth eu hewythr barus heibio.

'Rwyf ar ddeall fod gennych chi aderyn rhyfeddol!' meddai. 'Ac mae'n paratoi mwy o reis nag ydych yn medru ei ddefnyddio. Fuasech chi'n malio petawn i'n mynd â fo efo mi adref am ddiwrnod neu ddau?'

Edrychodd y chwiorydd y naill ar y llall. Dyna benderfyniad anodd iawn. Doedd eu hewythr erioed wedi dangos unrhyw garedigrwydd tuag atyn nhw. Ond a oedd hynny'n golygu nad oedden nhw i fod yn garedig efo fo?

Yn y diwedd dyma gytuno i roi benthyg yr aderyn iddo. 'Mae gynnon ni fwy na digon o fwyd,' medden nhw. 'Rydym ni'n ddigon hapus i rannu'n lwc dda efo ti.'

Rhoddodd yr ewythr barus Cececo yn ei gawell a'i gario adref.

Aeth un diwrnod heibio. A'r ail. A'r trydydd. Roedd gan y chwiorydd ddigonedd i'w fwyta. Ond roedden nhw'n colli eu ffrind yn arw. Felly draw â nhw i dŷ eu hewythr a churo'r drws.

'Esgusodwch ni,' medden nhw, 'gawn ni Cececo'n ôl rŵan?'

'Dydw i ddim yn meddwl,' oedd ateb yr ewythr barus.

'Pam?' gofynnodd un o'r chwiorydd. 'Am dy fod eisiau mwy o reis?'

'Na' cuchiodd yr ewythr barus. 'Am fy mod i wedi bwyta'r aderyn.'

Y munud hwnnw dyma'r tair yn beichio crio.

'Stopiwch y nadu yna,' gwaeddodd yr ewythr. 'Dyna roedd yr aderyn gwirion yna'n ei haeddu. Rhoddais o yn y fasged am ddwy noson ar ôl ei gilydd. Y fasged fwyaf fedrwn i gael gafael ynddi. A ges i reis? Na, dim gronyn. A'r unig beth oedd o'n ei wneud oedd mynd ymlaen ac ymlaen i ddweud fy mod i wedi'ch anwybyddu chi. Felly dyma fi'n rhoi taw ar ei glebran a'i fwyta i frecwast. A brecwast digon symol oedd o hefyd!'

Yna dyma'r ewythr barus yn mynd i'r gegin. Casglodd esgyrn Cececo a'u rhoi efo'r cawell yn ôl i'r chwiorydd.

'Dyma chi,' crechwenodd. 'Edrychwch. Dyma sydd ar ôl!'

Aeth y chwiorydd adref yn drist gan wylo'r holl ffordd. Doedden nhw ddim yn gwybod beth oedd yn mynd i ddigwydd iddyn nhw na beth fyddai'n digwydd pan fyddai'r reis wedi gorffen. Yr unig beth ar eu meddyliau oedd Cececo druan.

Felly dyma nhw'n dychwelyd adref. Y peth cyntaf wnaethon nhw oedd claddu'r esgyrn. Dyma nhw'n rhoi'r esgyrn yn y cawell a rhoi'r cawell yn y twll. Dyma nhw'n gorchuddio'r twll efo'r pridd a rhoi'r fasged ar y top. A dan wylo dyma nhw'n mynd i'r gwely.

Ar ôl deffro bore drannoeth dyma'r
tair chwaer yn mynd i'r ardd i weld bedd Cececo.
Ond doedd y bedd ddim yno! Yn y lle'r oedd y bedd roedd
coeden fechan yn tyfu efo'r canghennau'n llawn dail. Ac yn hongian
o'r canghennau roedd modrwyau arian a mwclis euraidd a phob math o
drysorau disglair. Doedd y chwiorydd erioed wedi gweld y fath beth.
Fyddai'r chwiorydd byth yn dlawd eto!
Ond i goroni'r cwbl, pan fyddai'r gwynt yn chwythu drwy'r
canghennau, byddai cân, 'Cececo. Cececo', i'w chlywed. Gwyddai'r
chwiorydd bod eu ffrind yn dal efo nhw.

Y Gath, y Llygod a'r Caws

Un tro, daeth dwy lygoden fach ar draws darn anferth o gaws.

'Y fi piau hwn!' meddai'r llygoden lwyd. 'Fi welodd o gyntaf!'

'Chdi?' gofynnodd y llygoden frown. 'Mae'n rhaid i mi anghytuno. Y fi piau'r caws!'

A dyna lle buon nhw'n gwichian a chripian a ffraeo am awr a mwy.

'Dydi hyn ddim yn mynd i weithio,' meddai'r llygoden lwyd, o'r diwedd. 'Onid ydi hi'n well i ni ei dorri?'

'Ac mae'n siŵr mai ti fydd yn ei dorri,' meddai'r llygoden frown. 'Rwy'n deall yn iawn dy driciau di.'

'Wel, fuaswn i ddim cisiau i ti wneud,' gwgodd y llygoden lwyd. 'Mi fyddet ti'n siŵr o dorri'r darn mwyaf i ti dy hun.'

Yn sydyn, ymddangosodd llais arall. 'Efallai y galla i fod o help.'

A phan drodd y llygod dyna lle'r oedd cath fawr goch!

Doedd dim amser i redeg i ffwrdd. Dim lle i guddio. Dyna

229

lle'r oedd y llygod, yn sefyll yn stond, yn crynu gan ofn.

'Does dim rhaid i chi ofni,' gwenodd y gath. 'Mi ydw i yma i helpu. Wnewch chi ddim credu hyn, ond mi ydw i, o dro i dro, yn hoff iawn o gaws. Felly, mi ydw i'n deall eich problem i'r dim. Pam na wnewch chi adael i mi rannu'r caws?'

Edrychodd y llygod ar ei gilydd. Roedd yn ymddangos yn ffordd ddigon teg. Ac i ddweud y gwir doedd ganddyn nhw ddim llawer o ddewis.

'Iawn,' meddai'r llygoden lwyd.

'Dim ond i ti fod yn deg,' ychwanegodd y llygoden frown.

Gwenodd y gath unwaith eto. Yna gydag un ewin miniog torrodd y darn caws yn ddau. Ond ar ôl iddi dorri'r caws roedd un darn yn fwy na'r llall.

'Y fi piau'r darn mwyaf!' gwichiodd y llygoden lwyd.

'O na'n wir!' gwichiodd y llygoden frown. A dechreuodd y ddwy ddadlau unwaith eto.

'Mae'n wir ddrwg gen i,' ymddiheurodd y gath. 'Mae'n amlwg fy mod i wedi gwneud pethau'n waeth. Ylwch, dowch i mi wneud pethau'n iawn.'

A dyma hi'n crafu darn i ffwrdd o'r darn mwyaf – a'i roi yn ei cheg!

'Mmm,' meddai'r gath. 'Bendigedig. Mae hwn yn gaws blasus iawn!'

'Ond dydi hyn ddim yn iawn!' cwynodd y llygoden lwyd. 'Rwyt ti wedi torri gormod o ddarn. Rŵan mae'r darn arall yn fwy!'

'Fy narn i, wyt ti'n feddwl!' gwichiodd y llygoden frown. 'Doeddet ti ddim eisiau'r darn hwnnw. Cofio?'

'Mi ydw i ei eisiau fo rŵan am ei fod o'n fwy!' meddai'r llygoden lwyd.

A bu'n rhaid i'r gath ymyrryd unwaith eto.

'Rŵan, rŵan,' meddai dan ganu grwndi. 'Mae'n rhaid gwneud pethau'n iawn.' A dyma hi'n mynd ati i grafu mwy o'r darn mwyaf a'i roi yn ei cheg!

'Hufennog iawn,' mewiodd. 'Mor gryf a blasus.'

Ond doedd y llygod ddim yn hapus y tro hwn chwaith. Ddim yn hapus o gwbl. Erbyn hyn roedd y darn arall yn fwy.

Ymlaen ac ymlaen yr aeth y dadlau. A'r un modd y crafu a'r bwyta a'r canu grwndi. Ac o dipyn i beth roedd y gath yn llowcio'r caws. Ac o'r diwedd, doedd dim ar ôl ond un cegaid arall.

'Un munud!' gwaeddodd y llygoden lwyd. 'Mae'r caws bron wedi mynd i gyd!'

'Cywir!' meddai'r llygoden frown. 'Felly y fi piau'r darn olaf yna!'

'O na, nid felly'n sicr!' gwichiodd y llygoden lwyd.

Dim ond gwenu wnaeth y gath.

'Rwy'n gweld beth ydach chi'n feddwl,' meddai. 'Dim ond darn bach ydio'n te? Go brin ei fod yn werth ymladd drosto.'

Ar hyn dyma hi'n trywanu'r darn â'i hewin miniog ac yn syth i'w cheg!

Daliodd y ddwy lygoden eu gwynt mewn braw!

'Rwyt ti wedi bwyta'r cwbl!' meddai'r ddwy. 'A dydyn ni ddim wedi cael dim!'

'Dim ond dadlau,' meddai'r gath. 'Ac mi fuasech wedi cael llawer mwy petai'r ddwy ohonoch wedi bod yn llai barus. Ac wedi trio ychydig caletach i ddod i ddeall eich gilydd.'

'Dydi hyn ddim yn deg!' gwichiodd y llygoden lwyd. 'Rwyt ti wedi'n twyllo.'

'Araf deg rŵan,' rhuodd y gath. 'Dim ond gwneud yn ôl f'addewid wnes i. A petawn i yn chi, mi fuaswn yn ddiolchgar na wnes i mo'ch llyncu chi'ch dwy ar un cegaid!'

Yna dyma hi'n glanhau ei hewinedd a llyfu ei gwefusau a ffwrdd â hi.

A dyma'r llygoden lwyd a'r llygoden frown yn ymlwybro'n drist adre'n ôl.

Y Geifr a'r Hiena

Un tro, ar fryncyn gwelltog, roedd tair gafr yn byw.

Sicsic oedd y fwyaf.

Roedd Micmic bron yr un faint.

A'r lleiaf oedd Jwrebon.

Un diwrnod, aeth y tair gafr am dro drwy'r dyffryn creigiog a draw i'r cae ar y bryncyn nesaf. Dyna lle buon nhw'n pori drwy'r dydd. Fel roedd yr haul yn machlud dyma droi am adref.

Sicsic oedd yn arwain y ffordd – gan mai hi oedd y fwyaf.

Dyna lle'r oedd Micmic wrth ei sodlau – gan ei bod bron yr un maint.

A Jwrebon yn llusgo ymhell tu ôl – gan mai hi oedd y lleiaf.

Dyma nhw'n gwasgu heibio'r creigiau mawrion a llamu dros y dyffrynnoedd dyfnion.

Pan ddaeth Sicsic heibio'r tro olaf ar y ffordd dyna lle'r oedd yr hiena mawr llwglyd yn ei hwynebu!

'Mae gen i dri chwestiwn i ti, afr,' udodd yr hiena.

'Ffwrdd â ti, syr,' crynodd Sicsic.

'Beth ydi'r pethau yna ar dy ben di?' gofynnodd yr hiena.

'Cyrn, syr,' crynodd Sicsic.

'Beth ydi'r darn yna ar dy gefn di?'

'Fy nghot o wlân, syr.'

'Felly, pam wyt ti'n crynu?' udodd yr hiena.

'Oherwydd mi ydw i ofn i ti fy mwyta, syr,' llefodd Sicsic.

'Cinio blasus!' glafoeriodd yr hiena. Yna, gyda'i bawen tarodd Sicsic i'r llawr.

Y munud hwnnw, daeth Micmic rownd y gornel.

'Mae gen i dri chwestiwn i ti, afr!' udodd yr hiena.

'Gofyn felly, syr,' crynodd Micmic.

'Beth ydi'r pethau yna ar dy ben?' gofynnodd yr hiena.

'Cyrn, syr,' crynodd Micmic.

'Beth ydi'r darn yna ar dy gefn?'

'Fy nghot o wlân, syr.'

'Felly, pam wyt ti'n crynu?' udodd yr hiena.

'Oherwydd mi ydw i ofn i ti fy mwyta, syr,' llefodd Micmic.

'Brecwast blasus!' glafoeriodd yr hiena. Yna gyda'i bawen tarodd Micmic hefyd.

Ond petai Jwrebon wedi bod yn fwy ac wedi bod yn gyflymach a phetai heb fod yn llusgo ymhell tu ôl, yna buasai hithau wedi troi rownd y gornel eiliad yn ddiweddarach.

Ond hi oedd yr afr leiaf, a'r un fwyaf araf deg. Felly cafodd amser i feddwl am gynllun!

Cuddiodd rownd y gornel, fel nad oedd yr hiena yn ei gweld o gwbl. Yna gwaeddodd yn y llais dyfnaf a mwyaf erchyll a glywyd erioed: 'Mae gen i dri chwestiwn i ti, hiena!'

233

Roedd yr hiena wedi drysu'n lân. Y fo oedd yn dweud y geiriau hynny!

'Gofyn felly, syr,' udodd yr hiena.

'Beth ydi'r pethau yna ar fy mhen?' gofynnodd Jwrebon.

Roedd yr hiena yn fwy dryslyd fyth. 'Dy gyrn?' dyfalodd.

'Na'r ffŵl!' rhuodd Jwrebon. 'Dyma fy nau gleddyf miniog!'

'Ail gwestiwn. Beth ydi'r darn yma ar fy nghefn?' gofynnodd Jwrebon.

'Dy got wlân?' crynodd yr hiena.

'Cot?' udodd Jwrebon. 'Paid â bod mor wirion. Dyma fy nharian gadarn.'

Tarian? meddyliodd yr hiena. Cleddyfau? Ac roedd yn dechrau ofni.

'Ac yn olaf!' udodd Jwrebon. 'Un cwestiwn olaf. Pam ydw i'n crynu?'

'Am dy fod ofn, syr?' crynodd yr hiena.

'Oherwydd fy mod yn crynu o wylltineb!!' rhuodd Jwrebon. 'Ac fedra i ddim disgwyl i ddod rownd y gornel yma a'th daro i'r llawr!'

Doedd yr hiena ddim yn gallu disgwyl chwaith. Rhedodd i ffwrdd!

Anghofiodd y cwbl am ei frecwast a'i ginio a rhedodd nerth ei draed yn ôl i'w ogof.

Dawnsiodd Jwrebon yn hapus rownd y gornel. Deffrodd Sicsic. Deffrodd Micmic. Ac aeth y tair gafr yn ôl i bori unwaith eto ar y bryncyn gwelltog.

Y Brain Deallus

Roedd y Frân Fawr a'r Frân Fach yn sychedig iawn.

Doedd hi ddim wedi bwrw glaw ers misoedd. Roedd y byd i gyd yn sych fel anialwch. Roedd pobman yn sych grimp.

Gwelodd y Frân Fawr botel. Potel wydr glir yng nghornel dywyll y buarth. Yng ngwaelod y botel roedd tipyn bach o ddŵr! Dim llawer. Ond digon i'r ddwy gael llymaid i'w yfed.

Gwthiodd y Frân Fach ei phig i mewn i'r botel. Ond dechreuodd wylo.

'Mae'r dŵr yn rhy isel yn y botel!' wylodd. 'Wna i byth ei gyrraedd.'

'Petaen ni'n dal y botel ar ei hochr,' atebodd y Frân Fawr, 'bydd y dŵr yn llifo ohoni ac yn mynd i mewn i'r tir sych cyn i ni gael cyfle i'w yfed.'

Gwelodd y Frân Fawr garreg fechan – carreg fechan ddisglair – ar ganol y buarth. Cafodd syniad.

Sbonciodd i ganol y buarth, cododd y garreg fechan yn ei phig a sbonciodd yn ôl i'r cysgod yng nghornel dywyll y buarth.

Winciodd ar y Frân Fach ac meddai, 'Gwylia hyn!'

Gyda'r garreg fechan yn ei phig, rhoddodd ei phig i mewn yn y botel. Gollyngodd y garreg i mewn i'r dŵr a dechreuodd y dŵr godi!

Syllodd y Frân Fach i mewn i'r botel.

'Mae 'na un garreg fechan i lawr yng ngwaelod y botel,' meddai. 'Ond mae'r dŵr yn dal rhy isel i mi ei gyrraedd.'

'Yna bydd raid i ni ollwng mwy o gerrig i mewn,' meddai'r Frân Fawr. Cododd garreg arian. Cododd garreg wen ddisglair hefyd.

Gyda'r cerrig yn ei phig, rhoddodd ei phig i mewn yn y botel. Gollyngodd y cerrig fesul un a chododd y dŵr yn uwch ac yn uwch!

'Un garreg fechan. A dwy arall. Dyna dair carreg fechan,' meddai'r Frân Fach. 'Mae hynna'n well o lawer. Ond mae'r dŵr yn dal yn rhy isel.'

'Wel, mi wnawn ni ychwanegu ychydig mwy,' meddai'r Frân Fawr. Daeth o hyd i garreg frown. A charreg werdd. A charreg wen.

Gyda'r cerrig yn ei phig, rhoddodd ei phig yn y botel. Gollyngodd y cerrig i'r dŵr a chododd y dŵr yn uwch!

'Tair carreg ychwanegol,' meddai'r Frân Fach. 'Dyna chwech i gyd. Ond mae'r dŵr yn dal yn rhy isel. Ga i ollwng y cerrig y tro hwn?'

'Wrth gwrs!' meddai'r Frân Fawr.

Felly dyma'r Frân Fach (oedd yn sychedig iawn erbyn hyn) yn dod o hyd i bedair carreg fechan. Un goch. Ac un borffor. Ac un felyn. Ac un las.

Gyda'r cerrig yn ei phig, rhoddodd ei phig yn y botel. Gollyngodd y cerrig bychain i mewn i'r botel a chododd y dŵr yn uwch!

'Chwe carreg fechan a phedair arall. Dyna ddeg o gerrig bychain,' meddai'r Frân Fawr. 'Mi ydyn ni wedi llwyddo o'r diwedd!'

A dyna ddigwyddodd. Pan roddodd y Frân Fach ei phig yn y botel roedd yn gallu cyrraedd y dŵr!

Felly dechreuodd y Frân Fach yfed. A'r Frân Fawr hefyd. A dyma'r ddwy yn hedfan i ffwrdd gan adael y botel wydr a deg o gerrig bychain disglair.

Y Mwncïod a'r Mangoau

Un tro, ar lan yr afon fawr, daeth mwnci bach o hyd i goeden mango.

Dechreuodd fwyta'r mango – Mmm! – blasus iawn. Melys a llawn o sudd ac yn fwy blasus na dim arall oedd wedi'i flasu erioed.

Dyma'r mwnci bach yn croesi'r afon a mynd â'r mango i Frenin y Mwncïod. A phan ddechreuodd Brenin y Mwncïod flasu'r mango – Mmm! – roedd yntau hefyd o'r farn ei fod yn flasus dros ben. Felly dyma Frenin y Mwncïod, ynghyd â llawer o fwncïod eraill, yn croesi'r afon i gyfeiriad y goeden mango.

Dyna lle buon nhw'n casglu'r mangoau drwy'r bore a'r pnawn tan yr hwyr. Wedyn dyma nhw'n cyrlio i fyny yn y canghennau a chysgu'n drwm. Roedden nhw wedi llwyddo i fwyta cryn dipyn o fangoau. Ond roedd digon ar ôl. Tra roedden nhw'n cysgu, syrthiodd un o'r mangoau i'r afon ac arnofio i lawr yr afon i deyrnas y bobl.

Y bore wedyn pan oedd Brenin y Bobl yn ymolchi yn yr afon, arnofiodd y mango heibio iddo. Doedd y brenin erioed wedi gweld mango o'r blaen. Roedd yn edrych yn flasus iawn. Felly cododd y mango o'r dŵr a'i roi i un o'r gweision.

'Bwyta hwn!' gorchmynnodd. 'Ydi o'n dda? Ydi o'n ddrwg? Ai gwenwyn ydi o? Rho wybod i mi!'

Dechreuodd y gwas fwyta'r mango ac – Mmm! – roedd o'n flasus dros ben!

'Mae'r ffrwyth yn felys ac yn llawn sudd!' meddai wrth y brenin, 'Mae'n fwy blasus na dim ydw i erioed wedi'i fwyta!'

Felly dyma Frenin y Bobl yn cymryd tamaid ac – Mmm! – roedd yntau'n cytuno ei fod yn flasus hefyd!

'Galw fy milwyr!' gorchmynnodd. 'Mae'n rhaid i ni fynd i fyny'r afon i chwilio am fwy o'r ffrwythau blasus hyn.'

Felly dyma Frenin y Bobl, ei weision a'i filwyr yn cerdded i chwilio am y goeden mango. Pan welodd Brenin y Mwncïod nhw'n dod, arweiniodd y mwncïod eraill i fyny i ganghennau uchaf y goeden mango. A'u rhybuddio i gadw'n llonydd a distaw.

Bu'r gweision yn casglu'r mangoau drwy'r bore a'r pnawn. Fel roedd hi'n dechrau tywyllu, dyma un o'r milwyr yn sylwi ar gynffon mwnci bach, yn hongian o'r gangen uchaf.

Pan ddywedodd wrth Frenin y Bobl, gwenodd y brenin. 'Bydd mwnci wedi'i rostio yn bryd blasus efo'r ffrwyth,' meddai. 'Cymerwch eich saeth a saethwch y mwnci!'

Cyn pen dim roedd saethau'n sgrialu drwy ganghennau'r goeden mango. Gwyddai Brenin y Mwncïod nad oedd ond un peth i'w wneud. Ef oedd y mwnci mwyaf o ddigon. Llamodd o ganghennau'r goeden mango, dros yr afon fawr, i goeden yr ochr arall. Yna rhwymodd un gangen o

gwmpas un o'i goesau a llamodd yn ôl dros yr afon.

Roedd am wneud pont o'r gangen fel y gallai'r mwncïod ddianc. Ond roedd y gangen yn rhy fyr. Yr unig ffordd y gallai'r bont gyrraedd oedd iddo ddefnyddio ei gorff ei hun a gafael yn un o ganghennau y goeden mango.

Felly, roedd Brenin y Mwncïod ei hun yn rhan o'r bont a galwodd ar y mwncïod i ddringo dros ei gefn i gyrraedd yr ochr arall.

'Mae yna ormod ohonom ni!' galwodd y mwnci bach. 'Mi fyddan ni'n siŵr o dorri dy gefn di!'

'Gwnewch fel dwi'n dweud!' gorchmynnodd Brenin y Mwncïod.

Felly, â'r saethau yn sgrialu o bob cyfeiriad, dringodd y mwncïod fesul un dros gefn y brenin yn ddiogel i'r ochr arall.

Edrychai Brenin y Bobl mewn rhyfeddod. Yna gorchmynnodd i'w filwyr roi eu bwâu i lawr.

'Ewch i nôl y mwnci yna i mi!' gorchmynnodd, gan bwyntio at Frenin y Mwncïod. Ond, erbyn i'r milwyr ei gario ato, roedd Brenin y Mwncïod bron â marw. Fel roedd y mwnci bach wedi dweud, roedd pwysau'r mwncïod eraill wedi torri asgwrn ei gefn.

Cymerodd Brenin y Bobl Frenin y Mwncïod yn ei freichiau a gofyn un cwestiwn syml iddo, 'Pam? Pam wnest ti hyn?'

Roedd ateb Brenin y Mwncïod yn fwy syml fyth.

'I achub fy mhobl,' sibrydodd. 'Maen nhw'n fwy pwysig i mi nag unrhyw fango. Yn fwy pwysig na dim arall yn y byd.'

Caeodd Brenin y Mwncïod ei lygaid a bu farw.

Edrychodd Brenin y Bobl ar ei bobl ei hun – ar ei weision a'i filwyr. Gorchmynnodd iddyn nhw adael y mangoau a'i ddilyn ef yn ôl i deyrnas y bobl. Ac yno, yn ei balas ei hun, adeiladodd Brenin y Bobl fedd i Frenin y Mwncïod, fel na allai byth anghofio sut y dylai gwir frenin drin ei bobl.

Awgrymiadau ar sut i ddefnyddio'r straeon

Nid traffig un ffordd ydi dweud stori. Ar y gorau, math o ddeialog ydyw sy'n digwydd rhwng y storïwr a'r gwrandäwr. Un ffordd o annog hyn mewn grŵp mawr ydi rhoi tasg benodol i'r gwrandawyr i chwarae eu rhan yn y stori. Dyma ychydig o argymhellion i gael grwpiau o blant (neu oedolion) i gymryd rhan yn y storïau. Maent yn ymddangos yn ddigon syml ond efallai y bydd rhaid i chi arwain y plant i ymarfer eu cyfraniadau.

Bydd rhai o'r argymhellion hyn yn sicr o weithio hefyd pan fyddwch yn dweud y stori wrth un neu ddau o blant (er, efallai na fyddwch yn barod i ddweud stori rhy gyffrous cyn mynd i'r gwely!). Gobeithio y bydd rhai o'r awgrymiadau hyn yn esgor ar fwy o syniadau gennych chi.

Y peth pwysig ydi cael digon o hwyl ac os nad ydi ambell syniad yn gweithio, rhowch gynnig ar rywbeth arall. Os y byddwch chi'n mwynhau eich hun yna bydd y gwrandawyr yn siŵr o fwynhau hefyd.

Awgrymaf rai geiriau, dywediadau a chysyniadau i'w trafod cyn mynd ati i ddarllen y stori.

Y Llygoden a'r Llew

Daliwch eich dwylo o flaen eich wyneb, (fel petaech yn mynd i chwarae piano), yna siglwch eich bysedd a mynd 'gwich, gwich, gwich'. Ceisiwch gael pawb i wneud hyn pan fo'r llygoden fach yn sgrialu mynd o'r chwith i'r dde i gyrraedd pen ei thaith. Gallant hefyd gymryd arnynt eu bod yn cnoi a brathu pan fo'r llygoden yn rhyddhau'r llew.

Geiriau/dywediadau: *y llygod yn sgrialu, haerllug, mwng cyrliog.*
Cysyniadau: *y bach yn helpu'r mawr, y gwan yn helpu'r cryf, dewrder, cymwynasgarwch, cadw at eich gair.*

Jac Wirion

Casglu celfi ar gyfer y stori. Darn arian (ar gyfer yr arian), cwpan, mwg neu botel ddŵr (ar gyfer y jwg) siwmper (ar gyfer y gath), esgid a charrai (ar gyfer y cig oen), a gofyn am ddau wirfoddolwr – un i chwarae rhan yr asyn (bachgen fel arfer) ac un i chwarae rhan yr eneth brydferth yn y pentref (geneth fel arfer!). Bydd yr asyn yn mynd 'io-o' pan grybwyllir yr asyn a'r ferch yn mynd 'W-la-la' pan grybwyllir yr eneth hardd.

Ar yr amseroedd priodol bydd y storïwr yn taflu'r geiniog i'r awyr a'i gollwng, cymryd arno ei fod yn tywallt llefrith o'r jwg i'w boced, dal y siwmper ar ei ben a'i thaflu i'r awyr (yn ôl i'w pherchennog fel arfer), tynnu'r esgid ar hyd y llawr a chario'r mul ar ei gefn. (Cofiwch fod angen oedolyn arall yn yr ystafell oherwydd ystyriaethau Iechyd a Diogelwch ac Amddiffyn Plant.)

Geiriau/dywediadau: *y bachgen esgeulus yn gwrando ar ei fam, ochenaid, piffian chwerthin.*
Cysyniadau: *trafod yr annisgwyl, parchu, ufudd-dod.*

Yr Eneth oedd yn Chwarae efo'r Sêr

Gall pob un gymryd rhan yn y stori hon (hyn yn bwysig iawn i'r rhai dan chwech oed) neu gallwch rannu'r criw i grwpiau llai a rhoi un gweithgaredd i bob grŵp.

Gall hyn fod yn weithgaredd bywiog iawn. Felly, gofyn i bob un sefyll ar ei draed. Gallant gymryd arnynt eu bod yn nofio efo'r eneth, dawnsio efo'r tylwyth teg (hwmian tiwn wrth ddawnsio), marchogaeth ar gefn y Pedair Coes (meimio marchogaeth a gweryru a sŵn carnau), sblash-sblash ar gefn Dim Coes o Gwbl. Cymryd arnynt eu bod yn dringo ar gefn y gwylanod (gwneud sŵn y gwylanod) ac yna dawnsio efo'r cymylau.

Geiriau/dywediadau: *y llyn yn crychu, adlewyrchiad, gweryru, carnau, rhawn y ceffyl.*
Cysyniadau: *breuddwydio, dyfalbarhad, penderfyniad.*

Noson o Dri Mis

Rhannu'r criw yn ddau. Un grŵp i chwarae rhan y wiwer fach resog, a'r grŵp arall i chwarae rhan yr arth. Dysgu'r grŵp cyntaf i wneud sŵn gwichlyd ac adrodd llinell yr wiwer fach, 'Un diwrnod, un noson.' Dysgu'r grŵp arall i adrodd llinell yr arth, 'Diwrnod am dri mis, noson am dri mis,' mewn llais chwyrnllyd, isel. Eu dysgu i ymuno efo'r gwahanol anifeiliaid ac iddyn nhw gael cyfle i roi eu syniadau yn ystod yr ymryson. Os gwnewch chi hyn mewn ffordd rhythmig bydd pawb yn siŵr o ymuno. Eu gwahodd i lefaru'n uwch ac yn uwch fel y blaidd, neu chwarae rhan y blaidd.

Geiriau/dywediadau: *uchel ei chloch, corflaidd (coyote), wiwer fach resog (chipmunk).*

Cysyniadau: *dod i benderfyniad, dysgu pwyso a mesur, parchu dymuniad.*

Arion a'r Dolffin

Rhannu'r criw yn dri grŵp. Y grŵp cyntaf i weiddi, 'Bang!' Yr ail grŵp i weiddi, 'Bŵm!' A'r grŵp olaf i weiddi 'Aaaa!' Galw arnynt i weiddi yn y mannau cywir yn y stori pan mae Arion yn canu'r delyn. Gellir defnyddio sŵn 'Aaaaa' i gyfleu cri'r gwylanod a'r morwyr ofnus.

Geiriau/dywediadau: *cantor, teyrnwialen frenhinol, clustfeinio, cerflunwyr.*

Cysyniadau: *y da yn goddiweddyd y drwg, cenfigen.*

Y Gwningen a'r Teigr yn Achub y Byd

Rhannu'r criw i ddau grŵp: Teigr a'r Gwningen. Y teigrod i ruo gyda'r storïwr yn y tri disgrifiad cyntaf ac efallai dweud 'Do' (fel Homer Simpson) ar ddiwedd y pedwerydd disgrifiad. Mae'r cwningod yn swatio ar ddiwedd y disgrifiad cyntaf, rhoi gwên hapus ar ddiwedd yr ail, a rhoi eu dwylo ar eu pennau (fel clustiau cwningen) ar ddiwedd y trydydd.

Pan mae'r Teigr yn ymlid y Gwningen, gall pob un redeg yn ei unfan. A phan mae'r Gwningen yn rhoi ei phawennau ar y graig, bydd grŵp y Cwningod yn rhoi eu breichiau ar led. Yna pan mae'r Teigr yn cael ei dwyllo, bydd grŵp y teigrod yn gwneud yr un peth.

Geiriau/dywediadau: *rheibus, tamaid blasus, ceunant, penbleth.*

Cysyniadau: *y bach yn twyllo'r mawr, y gwan yn gryfach na'r cryf, dyfalbarhad, gostyngeiddrwydd.*

Y Bugail a'r Dywysoges Glyfar

Rhannu'r criw yn dri a dysgu sŵn anifail i bob grŵp: trydar aderyn y to, sgraffinio'r wiwer, a chrawcian y frân. Y grwpiau i wneud y synau yn y lleoedd priodol. Efo'r plant ieuengaf gall pob un wneud y gwahanol synau.

Gyda chriw hŷn, gellir dewis tri gwirfoddolwr i chwarae rhan yr archynwyr: un 'doeth' (cyfle iddo ef/hi ddweud rhywbeth clyfar), un 'cryf' (gofyn iddo ef/hi ddangos ei gyhyrau), un 'hardd' (dweud rhywbeth fel 'O, am ddel').

Geiriau/dywediadau: *trafod gwahanol ieithoedd, doethineb.*

Cysyniadau: *dysgu bod yn garedig, trafod y cysyniad o'r annisgwyl, dyfalbarhad, penderfyniad.*

Y Crwban yn Bwydo'r Anifeiliaid

Gall pob un chwarae rhan yr anifeiliaid. Dal eich breichiau o gwmpas eich pen i ddynodi'r mwng. Eich dwylo ar ochr eich pen i ddynodi clustiau'r gwningen. Dal un fraich o flaen eich wyneb fel trwnc yr eliffant. A chodi gwddf eich siwmper at flaen eich trwyn i ddynodi crwban y dŵr. Gwneud hyn pan fydd y gwahanol anifeiliaid yn ymddangos yn y stori yn enwedig pan maen nhw'n rhedeg i fyny ac i lawr y mynydd. Pan maen nhw'n taro'n erbyn nyth y morgrug, pob un i ysgwyd ei ben ac edrych yn syfrdan. Gall pob un ynganu'r enw 'Wngelema' efo'r hen ŵr mewn llais crynedig.

Geiriau/dywediadau: *sych grimp, newynu, coeden gnotiog, crasboeth.*

Cysyniadau: *dysgu parchu barn a dymuniad eraill, cydnabod cyfraniad pawb, dysgu cydweithio.*

Poli a'r Llyffant

Rhannu'r criw yn dri neu bedwar grŵp. Dysgu pob un i ddweud 'crawc-crawc' fel y llyffant. Gall pob grŵp wneud synau gwahanol – uchel, isel, cwynfanus, neu'n wirion. Defnyddio un grŵp pan fo'r 'crawc-crawc' yn ymddangos yn y stori. Bydd pob grŵp ar flaenau'u traed i weld pa bryd y bydd eu tro nhw.

Geiriau/dywediadau: *llysfam, rhidyll, maleisus, milain, llysferch, crechwenu, g'lana chwerthin, llysnafeddog.*

Cysyniadau: *dysgu cadw addewidion, dewrder, cryfder.*

Y Gwningen a'r Teigr yn mynd i Bysgota

Pawb i chwarae rhan y Teigr. Maen nhw'n grymial ac yn rhuo yn ystod y stori.

Geiriau/dywediadau: *ar len y dŵr, adlewyrchiad, rhedeg am eu hoedl.*

Cysyniadau: *peidio bod yn fyrbwyll a barus, doethineb.*

Y Carw Bach Doeth

Gofyn am bum darn arian gan y gwrandawyr (gwell cael rhai'n barod wrth gefn). Cyfrif yr arian pan fo'r carw bach yn gwneud hyn yn y stori. Eu gollwng ar arwynebedd caled er mwyn cael sŵn priodol neu eu gollwng ar blât.

Geiriau/dywediadau: *Carw Maint Llygoden (Mouse Deer), synnwyr cyffredin, ymddiried, cenfigen, uwch ben ei ddigon.*

Cysyniadau: *doethineb, gosod esiampl, barusrwydd.*

Y Pedwar Ffrind

Gan sefyll yn eich unfan dangoswch i'r gwrandawyr sut i hedfan efo'r gigfran, cnoi fel y llygoden fawr, nofio a cherdded yn araf fel crwban y dŵr, rhedeg neu wthio'n erbyn y rhwyd fel yr afr. Yna gallwch eu rhannu'n bedwar grŵp (gyda phob un yn gwneud y gweithrediadau gyda'i gilydd fel mae'r achub yn digwydd) neu gael pob un i wneud y gweithrediadau yn eu trefn. Ailadrodd y gweithrediadau yn yr ail achubiaeth.

Geiriau/dywediadau: *y dorlan, archwilio, hel ein traed.*

Cysyniadau: *dyfalbarhad, cydweithio, cyfeillgarwch.*

Y Llo Tarw Dewr

Y criw i chwarae rhannau'r teigr, y llewpard a'r ddraig – yn chwyrnu a chrafangu yn hanes y ddau gyntaf, rhuo ac ysgwyd eu pennau ar gyfer y ddraig.

Geiriau/dywediadau: *wfftiodd y tarw, meipen, gorchfygu, arfbais.*

Cysyniadau: *dewrder, dysgu rhannu, dyfalbarhad, ymddiriedaeth.*

Teigr yn Sownd

Hanner y grŵp i chwarae rhan y Gwningen ac ailadrodd, 'Hei, Twll Bach Clyd. Ho, Twll Bach Clyd. Wyt ti'n hapus, Twll Bach Clyd?' ar eich ôl. Yr hanner arall i chwarae rhan y Teigr. Cymryd arnyn nhw wthio i mewn i'r twll bach clyd ac yna ailadrodd ateb gwirion y Teigr.

Geiriau/dywediadau: *swatio, chwerthin o'i hochr hi.*

Cysyniadau: *dewrder, amynedd, caredigrwydd.*

Y Llygoden Fach Fedrus

Gall pob un ddilyn gweithrediadau'r llygoden o'r stori 'Y Llygoden a'r Llew' (stori 1). Arwain y criw i ddweud 'gwich, gwich, gwich' bob tro mae'r llygoden yn dringo, gwibio neu'n sgrialu o gwmpas desg Cadog a phan mae hi'n rhedeg i ffwrdd efo'i edafedd wedi'i glymu rownd ei choes.

Geiriau/dywediadau: *dilyn trywydd, pin ysgrifennu o bluen gŵydd, erlid i ffwrdd.*

Cysyniadau: *ymddiriedaeth, parchu, tynerwch, rhannu.*

Y Mochyn Coed Rhyfeddol

Bydd angen ychydig o gyfarpar: ychydig o ddarnau arian (eu benthyca gan y criw os yn bosib), darn hir o ddefnydd (neu siwmper gan un o'r criw) a mochyn coed (angen dod â hwn eich hun) a'i guddio nes y bydd yn ymddangos yn y stori. Defnyddiwch y cyfarpar yn y lleoedd priodol yn ystod y stori.

Hanner y grŵp i chwarae rhan gwraig y maer ac i ail-ddweud 'Dos i ffwrdd!' Y gweddill i chwarae rhan y wraig dlawd ac ailadrodd 'Sut medra i dy helpu?' ar eich ôl. Ar ddiwedd y stori, arwain gwraig y maer i mewn gan disian cyhyd ag y medrwch chi.

Geiriau/dywediadau: *mochyn coed (pigwn), llaw grebachlyd, cau'r drws yn glep.*

Cysyniadau: *gwerthfawrogi, cymwynasgarwch, caredigrwydd, cyfeillgarwch, diolchgarwch.*

Aderyn y To Cyfrwys

Gall pob un ymuno yn synau'r gwahanol greaduriaid yn ystod y stori: 'Clomp, clomp, clomp' yr eliffant, 'Splash, splash, splash' y crocodeil a 'Twit, twit, twit' y cywion bach. Gallwch, os dymunwch, rannu'r criw yn grwpiau bach ar gyfer pob sŵn.

Geiriau/dywediadau: *gwylltio'n gacwn, sarhau, gwinwydden, tynnu torch.*

Cysyniadau: *diffyg parch, ymddiriedaeth, doethineb, cyfrwystra.*

Sioni Simpil

Rhannu'r criw yn dri grŵp – un ar gyfer y brawd hŷn, un ar gyfer yr ail frawd a'r llall ar gyfer Sioni.

Pan mae'r brodyr yn darganfod y morgrug mae'r grŵp cyntaf yn ailadrodd llinell y brawd hŷn, 'Mae morgrug yn anghynnes,' ar eich ôl. Mae'r ail grŵp yn ailadrodd llinell yr ail frawd, 'Dydyn nhw'n dda i ddim ond i'w sathru.' Yna gan ddefnyddio llais gwirion, mae'r trydydd grŵp i ailadrodd llinellau Sioni, frawddeg ar ôl brawddeg gyda phwyslais arbennig ar ei ddisgrifiad o'r morgrug.

Defnyddiwch y patrwm hwn ar gyfer yr hwyaid a'r gwenyn hefyd.

Geiriau/dywediadau: *simpil, berwi o forgrug, cuchio, bwyd maethlon.*

Cysyniadau: *parchu, cenfigen, dyfalbarhad, ymddiriedaeth, amynedd.*

Y Broga Tywod Hunanol

Gofyn i'r criw wneud synau yfed pan mae'r Broga yn yfed o'r pwll, o'r merllyn a'r llyn.

Geiriau/dywediadau: *merllyn, graean, bandicŵt (perthyn i'r cangarŵ).*

Cysyniadau: *hunanoldeb, diffyg parch at eraill.*

Priodferch y Llygoden

Bydd y criw yn actio'r lleuad, y cwmwl, y gwynt a'r mynydd. Pan mae'r llygod yn cyfarfod y lleuad, maen nhw'n dal eu breichiau ar siâp cilgant a dweud 'Lleuad' neu 'Lloer' mewn llais dirgel. Pan maen nhw'n cyfarfod y cwmwl maen nhw'n neidio i fyny ac i lawr a dweud 'Gwlanog' mewn llais uchel. Pan maen nhw'n cyfarfod y gwynt, maen nhw'n dweud 'Wwww' a chwifio eu breichiau o gwmpas. Ac wrth ddod at y mynydd maen nhw'n dal eu breichiau ar siâp V ac mewn llais dwfn yn dweud 'MYNYDD!' Gall hyn weithio hefyd efo grŵp ar gyfer pob 'cymeriad'.

Geiriau/dywediadau: *gwrywaidd, oriog, gwynt yn ubain, chwilfrydig, ymddiried ynddo.*

Cysyniadau: *dyfalbarhad, amynedd, penderfyniad, llawenydd.*

Y Don Anferth

Gall y criw fod yn bentrefwyr yn chwarae eu rhan yn y stori. Rhannwch nhw i grwpiau bychain – hen ddynion, dynion ifanc, mamau a neiniau, babanod a bechgyn a genethod – sy'n dweud 'Helo' yn y lleoedd priodol (ar wahân i'r baban sy'n dweud 'Waaaaaa!'). Fe allan nhw hefyd wneud synau 'parti'. A churo'u traed ar y llawr fel maen nhw'n dringo'r rhiw.

Fe allan nhw chwarae rhan y don, curo eu traed ar y llawr, yn ysgafn i ddechrau pan mae'r hen ŵr yn gweld y don ac yna'n fwy a mwy swnllyd fel mae'r don yn taro'n erbyn y pentref.

Geiriau/dywediadau: *ffagl, cnydau, dim enaid byw.*

Cysyniadau: *meddwl am eraill, parchu, dewrder, gofal, penderfyniad.*

Y Teigr a'r Storm

Rhannu'r criw yn dri grŵp – un i guro'u traed ar y llawr fel Mrs Cwningen, un arall i hwtian fel y Dylluan a'r llall i udo fel y Ci.

Geiriau/dywediadau: *corwynt, pitran-patran, gwynt yn ubain, storm ar ein gwarthaf.*

Cysyniadau: *dewrder, cydweithrediad, penderfyniad, sefyll dros yr hyn rydych yn ei gredu.*

Y Corrach Maint Pen-glin

Y criw i gymryd arnynt i fod y dyn maint pen-glin. Pob un i lowcio'r ceirch, a rhedeg fel ceffyl, cnoi'r glaswellt a phuo fel y tarw ac yna dringo i fyny'r goeden i eistedd efo'r dylluan.

Geiriau/dywediadau: *murddun, puo.*

Cysyniadau: *bod yn anniddig ac anghyffyrddus, dyfalbarhad, cydweithio, cryfder.*

Y Bobyddes Ddawnus

Rhannu'r criw yn bedwar grŵp a dod â nhw i mewn ar yr amseroedd penodol yn gwneud cymaint o sŵn ag a fedran nhw. Mae'r 'bowlen a llwy' yn gwneud sŵn cymysgu ac yn mynd 'clonc, clonc, clonc'. Mae'r gath yn mynd 'Ow, ow, ow!' a'r ci yn mynd, 'Bow, wow, wow!' A'r babi'n gweiddi, 'Wa, wa, wa!' Gellir defnyddio'r bechgyn i chwarae rhan y bowlen a'r llwy, y genethod y gath, yr athrawon benywaidd i chwarae rhan y ci a'r athrawon gwrywaidd (dim ond un neu ddau ohonyn nhw fel arfer) i chwarae rhan y babi. Mae hyn i gyd yn sbort.

Geiriau/dywediadau: *meddwl am gynllun, llwch hud, cynhwysion, diasbedain, cytew.*

Cysyniadau: *parchu dymuniad, dewrder, parod i rannu, cydweithio, cryfder.*

Sut y Cafodd y Cangarŵ ei Gynffon

Mae pob un yn neidio i fyny ac i lawr fel plant y cangarŵ – pan maen nhw'n cael eu cyflwyno a phan mae'r bandicŵt yn eu herlid. Gellir cael criw i wneud symudiadau tynnu torch, pan maen nhw'n tynnu'n erbyn y bandicŵt.

Geiriau/dywediadau: *bandicŵt (anifail o Awstralia sy'n perthyn i'r cangarŵ), pwrs y fam, chwythu'i blwc.*

Cysyniadau: *cenfigen, penderfyniad, dyfalbarhad, dewrder.*

Y Ffermwr Barus

Dewiswch unigolyn sy'n gallu canu i chwarae rhan Tywysoges y Llyn. Dysgu tôn syml, draddodiadol neu dôn bop os mynner. Pawb arall (y gwartheg) i roi eu bysedd fel cyrn ar ochr eu pennau. Pan mae'r dywysoges yn canu yn y stori, fe all y gweddill symud i'r dôn a chymryd arnyn nhw i'w dilyn i ble bynnag mae'n mynd.

Geiriau/dywediadau: *tŷ anniben, pesgi, beudy, gyrr.*

Cysyniadau: *barusrwydd, colli cyfle, gwrthod gwrando.*

Yr Aderyn Hael

Pob un i gerdded fel yr aderyn yn y stori fel mae'n mynd o le i le – ei ben-gliniau'n honcian, ei ben yn siglo a dwylo'n llusgo tu ôl fel cynffon.

Geiriau/dywediadau: *lluniaidd a gosgeiddig, gwddf esgyrnog, dawn, llygadrythu.*

Cysyniadau: *dyfalbarhad, dewrder, dangos trugaredd a thosturi.*

Y Teigr yn Bwyta'r Mwnci

Hanner y grŵp yn chwarae rhan y mwnci gan sgrechian a honcian yn ystod y stori. Yr hanner arall i chwarae rhan y Teigr gan wneud symudiadau o daflu'r mwnci i'r awyr, a phoeri, hisian ac udo pan mae'n bwyta ffrwyth y tamarind.

Geiriau/dywediadau: *coeden tamarind – ffrwythau chwerw, ddim yn malio.*
Cysyniadau: *cyfrwystra, dyfalbarhad, dewrder, diolchgarwch.*

Tom Ddiog

Gofyn i'r criw gymryd arnyn nhw eu bod yn morthwylio a gwneud sŵn clic-clac y coblyn wrth ei waith. Gwneud hyn ar y dechrau pan mae Tom yn chwilio am y coblyn – hyd nes y bydd yn cythru iddo – a hefyd ar y diwedd. Arwain Tom at y plant sy'n eistedd, aros wrth ymyl un ohonyn nhw a gofyn iddyn nhw ddal eu siwmper yn yr awyr. Anfon Tom allan o'r ystafell am ychydig. Yn y cyfamser, pob un i dynnu eu siwmperi a'u dal i fyny – yna dod â Tom yn ôl i'r ystafell ar gyfer diwedd syfrdanol y stori.

Geiriau/dywediadau: *coblyn, cawg o aur, diffyg.*
Cysyniadau: *dyfalbarhad, cadw addewid.*

Y Mynach Bodlon

Y stori hon yn gweithio'n dda efo ychydig gyfarpar. Rhoi gwisg efo penwisg ('hoody') fel mae'r garddwr yn gwneud. Gollwng darnau o arian pan fo'r garddwr yn rhoi ateb i'r cwestiwn cyntaf. Curo'r llawr pan fo'r garddwr yn ateb yr ail gwestiwn. Yna taflu'r penwisg yn ôl pan fo'r garddwr yn ateb y cwestiwn olaf. Er mwyn cael y criw i gyd i ymateb gallan nhw ailadrodd y tri chwestiwn ar eich ôl, pan maen nhw'n ymddangos yn y stori.

Geiriau/dywediadau: *llond dy groen, dwnsiwn, urddwisg, cwfl.*
Cysyniadau: *ymddiriedaeth, cymwynasgarwch, amynedd, diolchgarwch.*

Olle a'r Ellyll

Defnyddio'r penwisg o'r stori flaenorol ar gyfer hon hefyd. Yn gyntaf, gofyn i'r criw wneud wynebau a synau ellyllaidd. Gwasgu eich llaw ar eich trwyn neu rhoi eich bysedd ar eich aeliau a'u hysgwyd. Gwneud llinell ddychmygol o glust i glust a gwenu'n hyll. Ysgwyd eich llaw chwith ac udo fel blaidd. Gellir ailadrodd y digwyddiadau hyn bob tro mae'r stori'n dweud, 'Doedd Olle erioed wedi gweld ellyll.'

Gwisgo'r penwisg a chymryd arnoch fod yn ellyll a lapio darn o ddefnydd ar eich pawen fel blaidd. A phan mae'r ellyll yn chwerthin ar y diwedd, taflwch eich pen yn ôl a chwerthin dros y lle. Yna poeri a thagu pan mae'r bara'n cael ei wthio i'w geg.

Geiriau/dywediadau: *cwfl, hen ŵr musgrell, gwingo, gwên faleisus.*
Cysyniadau: *dysgu bod yn ddiogel, cyfrwystra, ymddiriedaeth.*

Y Dyn Dur

Pob aelod i chwarae rhan Joe Magarac, gan ailadrodd y digwyddiadau ar eich ôl. Curo'r llawr 'Bwm, bwm, bwm,' gan wneud chwerthiniad rymblan a grymial ac 'i-o' fel yr asynnod. Cymryd arnyn nhw eu bod yn llowcio glo ac yfed cawl dur a glanhau eu dannedd efo cŷn, codi'r darnau rheilffordd a chodi a gwasgu'r dur yn eu dwylo i wneud y trawstiau. Pan mae'r gweithwyr yn chwilio drwy'r felin am Joe, fe gân nhw i gyd chwerthin efo chi.

Geiriau/dywediadau: *trawst o ddur, sylweddau, gobeithion yn chwilfriw, gwneud iawn.*
Cysyniadau: *hunanoldeb, siomedigaeth, diffyg parch, meddwl am eraill.*

Y Ffermwr Cyfrwys

Gall criw ddringo'r polyn efo'r Ffermwr Yasohachi. Gwneud symudiadau dringo – gan symud o safle eistedd, cwrcwd a sefyll – ac yna'r cwbl yn syrthio i lawr.

Geiriau/dywediadau: *caled a charegog, ymgrymu, deuparth, cerdded yn dalog, cydbwysedd.*
Cysyniadau: *cyfrwystra, dyfalbarhad.*

Y Teigr yn Ceisio Twyllo

Y storïwr i chwarae rhan y teigr a dau blentyn i chwarae rhan yr ogof gan wneud bwa gyda'u breichiau uwch eich pen. Plentyn arall i chwarae rhan y garreg fawr gan sefyll o'ch blaen. Y gweddill i gymryd arnyn nhw eu bod yn anifeiliaid eraill gan wthio a rhuo yn eu seddi. Yna newid y symudiadau pan fo'r crwban yn ymddangos yn y diwedd.

Geiriau/dywediadau: *daeargryn, ochneidio, bygythiadau, datrys y broblem, wedi pwdu.*
Cysyniadau: *dewrder, cymwynasgarwch, doethineb, cyfrwystra, dod i benderfyniad.*

Y Ddau Frawd

Y criw i chwarae rhan y gwenyn yn y nyth, yn gwneud synau suo a chwifio'u dwylo pan grybwyllir enwau'r gwenyn neu'r nyth.

Geiriau/dywediadau: *dichellgar, diffeithiwch, llwyni ymledol, hael.*
Cysyniadau: *cyfeillgarwch, gonestrwydd, maddeuant.*

Kayoku a'r Crychydd

Mae hon yn stori ddwys, felly mae unrhyw chwarae gwirion yn mynd i darfu. Ond fe all y criw wneud synau'r crychydd, galwad hir, alaethus 'aaw-aaw', ar y dechrau ac ar y diwedd pan mae'r crychydd yn hedfan i ffwrdd.

Geiriau/dywediadau: *crychydd (crane), yn y cyffiniau, blinder i'w llygaid.*
Cysyniadau: *gofal, caredigrwydd, haelioni, ymddiriedaeth, parchu dymuniad.*

Y Ddwy Chwaer

Rhannu'r criw yn ddau. Un grŵp i chwarae rhan y ferch garedig, gan ailadrodd ei geiriau caredig a'i symudiadau ar eich ôl. Y grŵp arall i chwarae rhan y ferch angharedig, eto gan ailadrodd y geiriau a'r symudiadau. Beth am gael dau fag – un wedi'i lenwi â blodau plastig a thlysau rhad a'r llall efo nadroedd a llyffantod rwber – i'w taflu ar y llawr ar yr amseroedd cywir.

Geiriau/dywediadau: *anghwrtais, cuddwisg, rhuddemau.*
Cysyniadau: *ufudd-dod, diffyg parch, diffyg tynerwch, colli cyfle.*

Y Bwystfilod Hunanol

Rhannu'r criw yn dri grŵp – un ar gyfer pob anifail. Mae grŵp y Llew yn rhuo, yr Hiena yn cipial, a grŵp Fwltur yn gwawchio. Dod â nhw i gyd at ei gilydd i gnoi'r antelop ar y dechrau. Yna dod â nhw i mewn pan mae'r anifeiliaid yn disgrifio'u cwynion, pan maen nhw'n ymladd, ac yna, fesul un pan maen nhw'n bwyta ar y diwedd.

Geiriau/dywediadau: *tramgwyddo, llygadrythu, croendenau, ymrafael, byw'n gytûn, amneidio.*
Cysyniadau: *cyfeillgarwch, cyd-fyw, hunanoldeb.*

Y Llyffant Penderfynol

Pob un i ymuno â geiriau'r llyffant: 'Dydw i ddim yn mynd i roi'r gorau iddi. Mi ydw i'n mynd i ddal ati.' Fe gân nhw hefyd symud eu breichiau a'u coesau i wneud symudiadau padlo, gan fod yn fwy a mwy difrifol a swnllyd fel mae'r llyffant yn ymladd am ei fywyd. Bydd cyfle iddyn nhw ymuno yn y geiriau, 'Sblasio a strempio, neidio a chrawcio.'

Geiriau/dywediadau: *dŵr lleidiog, nerth yn pallu, corddi'r hufen.*
Cysyniadau: *dyfalbarhad, dewrder, amynedd, penderfyniad.*

Y Lleidr a'r Mynach

Dewis tri gwirfoddolwr – un i fod yn fynach, un i fod yn lleidr a'r llall i fod yn siopwr. Chwiliwch am glamp o lyfr a'i basio o un i un ar yr amseroedd penodol.

Geiriau/dywediadau: *cleddyf o'r wain, llychlyd, rhythu, mewn hwyliau drwg.*

Cysyniadau: *meddwl am eraill, ymddiriedaeth, teimlo euogrwydd, maddeuant, dewrder, gostyngeiddrwydd.*

Y Llwynog a'r Frân

Beth am i chi fod yn llwynog a'r gwrandawyr i chwarae rhan y frân, yn crafu eu pennau pan fydd y frân yn ddryslyd, yn gwenu pan mae hi wedi'i swyno, ac weithiau'n ofnus, ond drwy'r adeg yn cau eu cegau'n dynn. Yna gofynnwch iddyn nhw roi gwaedd aflafar pan mae'r frân yn dechrau canu.

Geiriau/dywediadau: *ysgyrnygu, lletchwith, trwsgl, gosgeiddig, llowcio.*

Cysyniadau: *cyfrwystra, dyfalbarhad, cenfigen.*

Llygoden y Ddinas a Llygoden y Wlad

Pawb i wneud sŵn car a throi llyw dychmygol. Gwneud sŵn 'bib-bib' pan mae car y Llygoden yn mynd drwy'r ddinas, yna 'hmm' distaw pan mae'n cyflymu drwy gyrion y ddinas, ac yna 'rhu' gyddfol pan mae'r Llygoden yn gwibio drwy'r wlad.

Gellir eu rhannu i dri grŵp – un i wneud sŵn cathod, y llall i wneud sŵn cŵn yn cyfarth a'r llall i wneud sŵn y trap yn cau.

Geiriau/dywediadau: *ymlwybrodd, amryliw, mynd ar garlam, troi a throsi.*

Cysyniadau: *hapusrwydd, penderfyniad, naws lle.*

Pam mae Cath yn Syrthio ar ei Thraed

Gellir dysgu cyfrif yn y stori hon. Dysgu'r plant i gyfrif a gwneud synau cyn mynd at y stori. Pan mae'r Eryr yn ymddangos, annog pawb i godi un bys o bob llaw a 'sgrechian'. Ar gyfer y Neidr gwneud siâp 'sero' efo'r bawd a'r bys cyntaf a hisian. Pry cop – wyth bys a sŵn sgrialu. Yr Oposwm – un bys a dylyfu gên. Y Morgrugyn – chwe bys ac ochenaid. Cath – pedwar bys ar siâp pawen a sŵn 'miaw'.

Geiriau/dywediadau: *y neidr yn nadreddu, hongian gerfydd ei gynffon.*

Cysyniadau: *dewrder, dyfalbarhad, caredigrwydd.*

Jac Mawr, Jac Bach a'r Mul

Pawb i ddweud, 'Dyma'r peth gwirionaf a welais yn fy mywyd!' mewn pum llais gwahanol – llais yr hen wraig, yr hen ŵr, yr eneth, y bachgen a'r maer. Ymarfer y gwahanol leisiau cyn adrodd y stori.

Neu gellwch rannu i bum grŵp, un ar gyfer pob llais.

Geiriau/dywediadau: *rhythu, heini, dad-wneud y clymau, seibiant bach.*

Cysyniadau: *dyfalbarhad, amynedd, dysgu gwrando, dod i benderfyniad.*

Cyngor y Llew

Y plant i ddynwared y llew yn rhuo, yn chwyrnu ac yn ffroeni.

Geiriau/dywediadau: *cael mwy na'i siâr, yn goroesi, mwng y llew, sarrug.*

Cysyniadau: *diffyg ymddiriedaeth, cenfigen.*

Y Ci a'r Blaidd

Pob un i ddynwared y ci. Chwyrnu pan mae'n chwyrnu. Llowcio'r bwyd ci (gydag Mmm swnllyd ar y diwedd!). Cyrlio i fyny a syrthio i gysgu wrth ei ochr a gwneud sŵn ci yn rhochian. Gorwedd o flaen y tân a gwneud sŵn y ci yn hapus. A synau cyfarth hapus pan oedd yn chwarae gyda'r ffermwr. Pan sonnir am goler y ci pawb i afael yn ei goler ei hun. A phan sonnir am y gadwyn pawb i geisio symud ymlaen ond yn cael ei dynnu'n ôl gan y gadwyn.

Ymarfer gwahanol symudiadau cyn dweud y stori.

Geiriau/dywediadau: *llwybreiddiodd, anghwrtais, swatio, danteithion.*

Cysyniadau: *cenfigen, doethineb, rhyddid, penderfyniad.*

Y Parot Caredig

Pawb i adrodd llinell gyntaf y penillion am y parot a gwneud synau gwichlyd y parot.

Geiriau/dywediadau: *ysglyfaeth, bwa saeth, hurt bost, gwarchodwyr.*

Cysyniadau: *doethineb, ail gyfle, penderfyniad, bod yn garedig.*

Y Crwban a'r Sgwarnog

Rhannu'r grŵp yn ddau. Un grŵp i chwarae rhan yr ysgyfarnog – dwylo yn codi o'u clustiau, dangos eu dannedd, a tharo'r llawr gyda'u traed bob tro mae'r ysgyfarnog yn rhedeg. Y grŵp arall i chwarae rhan y crwban – codi eu siwmperi i fyny at eu trwynau fel cragen, a symud eu dwylo a'u traed yn araf, araf. Neu fe all pawb chwarae rhan yr ysgyfarnog a'r crwban.

Geiriau/dywediadau: *cant a mil o weithiau, pen ei dennyn, cymeradwyaeth, crechwenu.*

Cysyniadau: *dyfalbarhad, penderfyniad.*

Pam mae Cŵn yn Ymlid Cathod a Chathod yn Ymlid Llygod

Rhannu'r grŵp yn dri – cŵn, cathod a llygod. Grŵp y cŵn i gyfarth, udo, ysgwyd eu cynffon, crafu a sgraffinio. Grŵp y cathod i ymestyn, canu grwndi a mewian. A grŵp y llygod i wichian a chnoi a chnoi.

Geiriau/dywediadau: *ymlid, gorchymyn, gwahardd.*

Cysyniadau: *dod i benderfyniad, diffyg parch, parchu dymuniad.*

Y Gwningen a'r Llwyn Mwyar Duon

Pob un i ymuno â'r gwningen a dweud, 'Ond plîs, plîs, paid â nhaflu i i'r llwyn mwyar duon.' Defnyddio llais gwichlyd os yn bosib. Y grŵp i sgrechian a gweiddi efo'r gwningen pan mae hi yng nghanol y llwyn mwyar duon.

Geiriau/dywediadau: *ling di long, lobsgóws, cilwg, cigwain, tafell o fara, syrthio'n glewt.*

Cysyniadau: *dyfalbarhad, amynedd, penderfyniad.*

Fy Mrawd y Crocodeil

Rhannu'r grŵp yn dri. Un i chwarae rhan y crocodeil, yn crechwenu ac yn agor ei geg led y pen, a'i chau dan chwyrnu. Y grŵp arall i chwarae rhan y ceiliog, yn clwcian pan fo enw'r ceiliog yn cael ei grybwyll a dweud mewn llais ceiliog, 'Fy mrawd, os gweli'n dda wnei di achub fy mywyd i. Dos i chwilio am rywbeth arall i swper.' A'r trydydd grŵp i chwarae rhan yr hwyaden gan ddweud mewn llais hwyaden, 'Fy mrawd, os gweli'n dda wnei di achub fy mywyd i. Dos i chwilio am rywbeth arall i swper.'

Geiriau/dywediadau: *bwrw bygythion, llofruddio, cryn benbleth.*

Cysyniadau: *methu cyd-fyw, cydweithio, dyfalbarhad, dod i benderfyniad, cymod.*

Y Broga Balch

Rhannu'r grŵp yn bedwar. Y grŵp cyntaf i ymffrostio, 'Mi fedra i neidio'n uwch na ti!' tra'n neidio i'r awyr. Yr ail grŵp i ymffrostio, 'Mi fedra i ladd mwy o bryfed na ti!' tra'n tynnu eu tafod allan fel llyffant yn barod i lyncu'r pry. Y trydydd grŵp i ymffrostio, 'Mi fedra i nofio ymhellach na ti!' tra'n nofio fel llyffant. A'r pedwerydd grŵp i ymffrostio, 'Mi fedra i wneud fy hun yn fwy na ti!' gan anadlu'n drwm. Ac yna pob un i anadlu'n drwm efo'r broga balch.

Geiriau/dywediadau: *ymffrostio, brolio, edrych ym myw llygad, ysgyfaint.*

Cysyniadau: *amharod i wrando, penderfynol.*

Y Carw Bach Clyfar

Pawb i wneud sŵn eliffant, mochyn a mwnci ar ddechrau'r stori.

Geiriau/dywediadau: *bychan a bregus, cwilsyn miniog, rhythu, newid ei gynlluniau.*

Cysyniadau: *dyfalbarhad, penderfyniad, cyfrwystra.*

Y Morgrugyn a'r Sioncyn Gwair

Pawb i ddylyfu gên ac yna mewn llais cysglyd i ddweud geiriau'r Sioncyn gyda'r storïwr, 'Tyrd i eistedd efo mi am funud neu ddau!' Bydd angen dweud y geiriau mewn llais crynedig y tro olaf. Mae'n rhaid iddyn nhw ateb, 'Fedra i ddim' efo'r Morgrugyn mewn llais main hefyd.

Gellir rhannu'r grŵp yn ddau, un i chwarae rhan Sioncyn a'r llall y Morgrugyn.

Geiriau/dywediadau: *caws llyffant, gwargam, ymlafnio, iasol.*

Cysyniadau: *dyfalbarhad, penderfyniad, doethineb.*

Jac Mawr, Jac Bach a Ffermwr Ffowc

Y grŵp i ddynwared Ffermwr Ffowc yn gweiddi a bustachu yn rhan gyntaf y stori gan wneud synau ceir a synau nofio yn yr ail ran, a sŵn crio a dolefain yn y rhan olaf.

Geiriau/dywediadau: *synau, edrych yn amheus, pythefnos, dolefus, siw na miw.*

Cysyniadau: *caredigrwydd, dyfalbarhad, amynedd, gwrthod gwrando, barus.*

Tri Diwrnod y Ddraig

Pawb i ruo 'Y Chwedlau!' efo'r ddraig. Ac wedyn i neidio i fyny ac i lawr fel y plant ar fol y ddraig.

Geiriau/dywediadau: *byw yn heddychlon, aberthu, goresgyn, wfftiodd.*

Cysyniadau: *penderfyniad, cyd-fyw, dewrder, ymddiriedaeth.*

Sut y Cafodd y Twrci ei Smotiau

Rhannu'r grŵp yn ddau. Un grŵp i chwarae rhan y llew – yn ymlusgo a llamu a rhuo a phesychu, a'r grŵp arall i chwarae rhan y twrci – yn crafu ac ysgwyd ei adenydd a dweud gobl-gobl-gobl.

Geiriau/dywediadau: *yn ddu fel y fagddu, carnau, ymlwybro, tasgu.*

Cysyniadau: *caredigrwydd, penderfyniad, dyfalbarhad, cyfeillgarwch.*

Y Crwban a'r Llwynog

Pawb i chwarae rhan y crwban, yn tynnu eu siwmperi i fyny at eu trwynau pan mae'n diflannu i mewn i'w gragen, yn crynu pan fo'r Llewpard yn ceisio turio i'r gragen ac yna'n diflannu pan mae'n cyrraedd gwely'r afon.

Geiriau/dywediadau: *gosgeiddig, cragen gnapiog, crombil y gragen.*

Cysyniadau: *cyfeillgarwch, gofal, penderfyniad.*

Y Gwningen Garedig

Pawb i grynu a phesychu a cherdded drwy'r eira gan wneud symudiadau a synau fel y Gwningen (yn neidio a'u dwylo i fyny ar eu clustiau), Yr Asyn (i-o, dwylo ar eu clustiau hefyd), Y Ddafad (yn brefu 'me'), a'r Wiwer (llaw yn chwifio fel cynffon yn y tu ôl).

Geiriau/dywediadau: *bresych, cynffon drwchus, flewog, petrusgar.*

Cysyniadau: *caredigrwydd, dewrder, gofal am eraill.*

Y Ceiliog Coch Dibynadwy

Pawb i alw 'coc-a-dwdl-dŵ' efo'r ceiliog.

Geiriau/dywediadau: *ymdopi, led y pen, darbwyllo, cilwg.*

Cysyniadau: *diffyg ymddiriedaeth, dibynadwy.*

Y Gwningen a'r Cnydau

Paratoi tri chyfarpar ar gyfer y stori hon. Defnyddio tri darn mawr o bapur neu gardfwrdd. Plygu'r darn cyntaf yn ei hanner. Tynnu llun tatws ar y rhan isaf a gwlydd ar y rhan uchaf. Plygu'r ail ddarn yn ei hanner. Tynnu llun coesau'r ceirch yn y rhan isaf a'r ceirch yn y rhan uchaf. Rhannu'r trydydd yn ddraeanau. Coesau'r india corn yn y rhan isaf a'r dail yn y rhan uchaf a'r india corn yn y canol. Defnyddiwch y lluniau yn ystod y stori.

Geiriau/dywediadau: *taro bargen, gwlydd, cnydau, candryll. cynhaeaf, ochenaid.*
Cysyniadau: *dyfalbarhad, cyfrwystra.*

Y Wraig a'r Aderyn

Dewiswch ddau neu dri grŵp i ddawnsio fel yr aderyn. Gallwch ddysgu dawns iddynt neu adael iddynt hwy ddyfeisio dawns eu hunain. Gadewch iddyn nhw ddawnsio pan mae'r aderyn yn dawnsio.

Geiriau/dywediadau: *hacio, crefu, gwyntyll, swyno, yn rhwystredig.*
Cysyniadau: *diffyg parch, dangos trugaredd, goddefgarwch.*

Priodfab y Prif Dwrch Daear

Arwain y grŵp i chwarae rhan yr haul (gwneud cylch â'u breichiau a gweiddi 'Haul'), yr awyr (chwifio dwylo yn yr awyr a gweiddi 'Awyr'), y cymylau (pwyntio i fyny i'r awyr a dweud 'Cymylau'), y gwynt (chwifio breichiau yn ôl a mlaen a dweud 'Wooo'), a'r ddaear (taro'r traed yn drwm ar y llawr a dweud mewn llais dwfn 'Daear').

Geiriau/dywediadau: *ciledrych, llygaid gwan, meddwl yn ddyfal.*
Cysyniadau: *dod i benderfyniad.*

Y Crocodeil Caredig

Rhannu'r criw yn bump grŵp. Un grŵp yn gweiddi, 'Cig Dingos i Swper.' Yr ail grŵp i weiddi, 'Cig Cangarŵ mewn Cawl.' Y trydydd grŵp, 'Cig Coala i'r Cibab' a'r pedwerydd grŵp, 'Goana i Addurno.' A'r grŵp olaf i weiddi, 'Platypws i Biclo.'

Geiriau/dywediadau: *ymffrostio, dyfalu, plygeiniol, dryllio'r lle'n yfflon, gwneud llanast.*
Cysyniadau: *caredigrwydd, dyfalbarhad, cryfder.*

Pam Nad Oes gan y Crwban Wallt

Pob un i wneud sŵn rymblan efo'r crwban. Yna synau glafoerio efo'r crwban. Pob un i wneud sŵn wrth lowcio'r uwd. Ac yna un ochenaid fawr pan mae'r crwban yn edrych i mewn i'w het ar y diwedd.

Geiriau/dywediadau: *tonnau bowndiog duon, glafoerio, slochian, awchu am fwy, staenio.*
Cysyniadau: *hunanoldeb.*

Jac Mawr, Jac Bach a'r Aderyn

Rhannu'r grŵp yn ddau. Y grŵp cyntaf i ail-ddweud geiriau Jac Mawr mewn llais dwfn ar eich ôl chi a'r grŵp arall i ail-ddweud geiriau Jac Bach mewn llais gwichlyd.

Efallai y gellid cael un i chwarae rhan yr aderyn a'r lleill i chwarae rhan y cefndryd 'drwg' ac iddyn nhw afael yn nwylo'i gilydd o gwmpas yr ystafell.

Geiriau/dywediadau: *mynd â'i ben iddi, yn waglaw, eiddigeddus, annymunol, cythru.*
Cysyniadau: *eiddigedd, dyfalbarhad, penderfyniad.*

Sut y Collodd y Gwningen ei Chynffon

Pob un i ddefnyddio'i fraich fel cynffon cwningen – ei llusgo tu ôl a'i hysgwyd; ei dal i fyny'n syth i'r awyr; gwneud iddi neidio i fyny ac i lawr. A phan mae hi'n cael ei brathu – troi'r llaw yn ddwrn.
Dysgu cyfrif a phawb i gyfri'r siarcod fesul deg.

Geiriau/dywediadau: *snechlyd, tipyn o dwyllwr, codi gwrychyn.*
Cysyniadau: *cyfrwystra, amynedd.*

Y Mochyn Daear oedd yn Debot

Rhannu'n dri grŵp. Y grŵp cyntaf i wneud synau, 'Tincial-tincial' a 'clang-clang'. Yr ail grŵp i weiddi, 'Poeth, poeth, rhy boeth o lawer!' efo'r mochyn daear. A'r trydydd grŵp i glapio a gweiddi efo'r dorf.
Geiriau/dywediadau: *tincer, chwilfrydig.*
Cysyniadau: *ymddiriedaeth, diolchgarwch, chwilfrydedd, parchu dymuniad.*

Y Math o Lew Llwglyd

Pawb i ruo efo stumog y llew, a gwneud sŵn mawr fel mae'r llew yn mynd yn fwy llwglyd.
Geiriau/dywediadau: *tamaid i aros pryd, arllwys, deintbig, amheuthun, cigwain, ysgyrnygu, ei gwadnu hi.*
Cysyniadau: *cyfeillgarwch, parod i rannu, gwerthfawrogi.*

Y Gwely Mawr Meddal ac Esmwyth

Pawb i wichian efo'r drws, crio efo Dani, mewian efo'r gath, cyfarth efo'r ci, rhochian efo'r mochyn a gweryru efo'r ferlen. A chwyrnu efo Dani pan mae'n syrthio i gysgu.
Geiriau/dywediadau: *colfach, gweryru, twlc, cyweirio'r gwely, chwistrellu.*
Cysyniadau: *caredigrwydd, gofal, goddefgarwch, dyfalbarhad.*

Bachgen y Gneuen Fwnci

Mae 'na gorws i'r stori fel mae'n mynd ymlaen. Dysgu'r synau a'r symudiadau cyn mynd at y stori.
    'Penri yn y gneuen fwnci': gwasgu eu hwynebau neu orchuddio dwrn â'r llaw arall. 'Penri yn yr iâr': gwneud sŵn clwcian. 'Penri yn yr hen lwynog cyfrwys': sŵn cyfarth y llwynog. 'Penri yn y blaidd llwglyd': udo. 'Penri yn y pysgodyn mawr': sŵn llyncu. Rhieni Penri yn dal i siarad yn y gegin : gwneud dwylo'n siarad.
Geiriau/dywediadau: *dirgelwch, tamaid i aros pryd, dweud ei dweud, ymlafnio.*
Cysyniadau: *penderfyniad, dyfalbarhad.*

Yr Aderyn Rhyfeddol

Pawb i wneud sŵn yr aderyn 'Cececo Cececo'. A phawb i ddweud yr enw pan ddaw yn y stori.
Geiriau/dywediadau: *ei ben yn ei blu, llygadrythu, beichio crio, i goroni'r cwbl.*
Cysyniadau: *gofal, dysgu rhannu, barusrwydd, gwerthfawrogi.*

Y Gath, y Llygod a'r Caws

Pawb i chwarae rhan y llygod yn gwichian a checru ymhlith ei gilydd fel llygod.
Geiriau/dywediadau: *ymddiheuro, ymyrryd, dal eu gwynt.*
Cysyniadau: *dysgu rhannu'n deg, cyfrwystra.*

Y Geifr a'r Hiena

Rhannu'n dri grŵp. Y grŵp cyntaf i ddweud, 'Cyrn, syr.' A gwneud cyrn ar eu pen gyda'u bysedd. Yr ail grŵp, 'Fy nghot o wlân, syr.' A lapio eu dwylo o gwmpas eu cyrff. Y trydydd grŵp, 'Oherwydd mi ydw i ofn i ti fy mwyta, syr.' A phob un i gnoi a gwneud sŵn gyda'u dannedd. A dweud y geiriau yn sŵn yr aaaafr. Arwain y grŵp i ddweud y geiriau hyn pan mae'r ddwy afr yn ateb yr hiena.
Geiriau/dywediadau: *troi am adref, glafoerio.*
Cysyniadau: *cyfrwystra.*

Y Brain Deallus

Defnyddio'r stori i ddysgu cyfrif – adio'r cerrig sy'n mynd i'r botel. Gellir defnyddio marblis neu gerrig mân a'u gollwng i'r dŵr i weld y dŵr yn codi wrth ddweud y stori.

Geiriau/dywediadau: *yn sych grimp.*

Cysyniadau: *dyfalbarhad, penderfyniad.*

Y Mwncïod a'r Mangoau

Holi am hoff fwydydd y plant. Rhannu efo'r plant eich hoff fwydydd chi a rhwbio'ch bol a dweud 'Mmm'. Y plant i feddwl am eu hoff fwydydd a rhwbio eu boliau, 'Mmm'. Hwythau i wneud sŵn 'Mmm' pan mae'n digwydd yn y stori.

Geiriau/dywediadau: *mango, saethau'n sgrialu, bwâu.*

Cysyniadau: *penderfyniad, dewrder, gostyngeiddrwydd, gofal.*

Gair gan yr awdur

Chwedlau o wahanol wledydd ydi'r mwyafrif o'r straeon hyn. Maen nhw wedi cael eu hadrodd o genhedlaeth i genhedlaeth. Mae gwahanol eiriau a chystrawennau wedi'u defnyddio fel mae'r straeon wedi esblygu. Efallai y byddwch am ddarllen gwahanol fersiynau o'r straeon, felly dyma gydnabod y ffynonellau er bod y straeon i'w gweld mewn sawl casgliad.

Noson o Dri Mis o 'One Night, One Day' yn *Tales of the Nimipoo* gan E.B. Heady, World Publishing Co, New York. **Arion a'r Dolffin** o 'The Boy and the Dolphin' yn *Old Greek Fairy Tales* gan R. Lancelyn Green, G. Bell & Sons Ltd, London. Straeon **Y Gwningen a'r Teigr** o *The Tiger and the Rabbit and Other Tales* gan P. Belpre, J.B. Lippincott & Co. **Y Bugail a'r Dywysoges Glyfar** o 'Timo and the Princess Vendla' a **Y Mochyn Coed Rhyfeddol** o 'The Two Pine Cones' yn *Tales from a Finnish Tupa* gan J. Lloyd Bowman a M. Blanco, A. Whitman & Co, Chicago. **Y Crwban yn Bwydo'r Anifeiliaid** o 'Uwungelema' ac **Aderyn y To Cyfrwys** o 'The Strongest Sparrow in the Forest' yn *African Fairy Tales* gan K. Arnott, Frederick Muller Ltd, London. **Y Carw Bach Doeth** o 'King Solomon, the Merchant and the Mouse Deer' yn *Java Jungle Tales* gan H. DeLeeuw, Arco Publishing, New York. **Y Pedwar Ffrind** o 'The Goat, the Raven, the Rat and the Tortoise' yn *Animal Folk Tales* gan B. Kerr Wilson, Hamlyn Publishing Group, London. **Y Llo Tarw Dewr** o 'A Little Bull Calf' yn *The Gypsy Fiddle* gan J. Hampden, World Publishing Co, New York. **Y Llygoden Fach Fedrus** o 'St Cadog and the Mouse' yn *Welsh Legendary Tales* gan E. Sheppard-Jones, Nelson, Edinburgh. **Y Broga Tywod Hunanol** o 'The Thirsty Sand Frog' a **Sut y Cafodd y Cangarŵ ei Gynffon** yn *Djugurba: Tales from the Spirit Time*, Australian National University Press, Canberra. **Priodferch y Llygoden** o *Fairy Tales of India* gan L. Turnbull, Criterion Books, New York. **Y Don Anferth** o *Gleanings in Buddha Fields* gan Lafcadio Hearn, Houghton Mifflin Co, Boston. **Y Corrach Maint Pen-glin** o 'The Knee-High Man' yn *The Stars Fell on Alabama* gan C. Carmer, Farrar and Rinehart, New York. **Y Bobyddes Ddawnus** o 'The Woman Who Flummoxed the Fairies' yn *Heather and Broom* gan S.N. Leodhas, Holt, Rinehart and Winston, New York. **Y Ffermwr Barus** o 'The Marvellous Cow of Clyn Barfog' yn *Elves and Ellefolk* gan N.M. Belting, Holt, Rinehart and Winston, New York. **Tom Ddiog** o 'The Field of Boliauns' yn *Fairy Tales from the British Isles* gan A. Williams-Ellis, Frederick Warne & Co, London. **Y Mynach Bodlon** o 'The Gardener, the Abbot and the King' yn *Bungling Pedro and Other Majorcan Tales* gan A. Mehdevi, Alfred A. Knopf, New York. **Olle a'r Ellyll** o 'The Old Troll of the Big Mountain' yn *The Faber Book of Northern Folktales* gan K. Crossley-Holland, Faber & Faber, London. **Y Dyn Dur** o *Joe Magarac and His USA Citizen Papers* gan I. Shapiro, University of Pittsburgh Press, Pittsburgh.

Y Ffermwr Cyfrwys o 'Crafty Yasohachi Climbs to Heaven' a **Kayoku a'r Crychydd** o 'The Cloth of a Thousand Feathers' yn *Men from the Village Deep in the Mountains*, wedi'u cyfieithu gan G. Bang, Collier Macmillan Publishers, London. **Y Ddau Frawd** o 'The Golden Gourd' yn *South American Wonder Tales* gan F. Carpenter, Follett Publishing Company, New York. **Y Bwystfilod Hunanol** o 'Why the Lion, the Vulture and the Hyena Do Not Live Together' yn *Olode the Hunter and Other Tales from Nigeria* gan H. Courlander, Harcourt, Brace & World Inc, New York. **Y Llyffant Penderfynol** o 'The Wise Frog and the Foolish Frog' yn *Tales of Central Russia* gan J. Riordan, Kestrel Books, London. **Y Lleidr a'r Mynach** o *The Desert Fathers*, wedi'u cyfieithu gan H. Waddell, Collins Publishers, London. **Bachgen y Gneuen Fwnci** a **Y Gwely Mawr Meddal ac Esmwyth** o *10 Small Tales*, Celia Barker Lottridge, Margaret K. McElderry Books, New York, 1994. **Y Llwynog a'r Frân, Y Crwban a'r Sgwarnog, Jac Mawr, Jac Bach a'r Mul, Jac Mawr, Jac Bach a Ffermwr Ffowc** a **Y Ci a'r Blaidd** o *Aesop*, neu o *The Fables of La Fontaine*, Richard Scarry, Doubleday and Company Inc., Garden City, New York, 1963. **Y Geifr a'r Hiena** o *Arab Folktales*, ed. Inea Bushnaq, Pantheon Books, New York, 1986. **Priodfab Y Prif Dwrch Daear** o *Asian-Pacific Folktales and Legends*, ed. Jeannette Faurot, Touchstone, New York, 1995. **Jac Mawr, Jac Bach a'r Aderyn** o *A Book of Cats and Creatures*. **Llygoden y Ddinas a Llygoden y Wlad, Y Broga Balch, Y Morgrugyn a'r Sioncyn Gwair** a **Y Brain Deallus** o *Folk Lore and Fable*, The Harvard Classics, ed. Charles W. Eliot, P.F. Collier and Son Company, New York, 1909. **Pam mae Cath yn Syrthio ar Ei Thraed** a **Pam mae Cŵn yn Ymlid Cathod a Chathod yn Ymlid Llygod** o *The Folktale Cat*, Frank de Caro, Barnes and Noble Books, New York, 1992. **Y Crwban a'r Llwynog** o *Folktales from India*, A.K. Ramanujan, Pantheon Books, New York, 1991. **Y Carw Bach Clyfar** a **Yr Aderyn Rhyfeddol** o *Indonesian Fairy Tales*, Adele deLeeuw, Frederick Muller Limited, London. **Y Mwnciod a'r Mangoau** o *The Jataka Tales*. **Sut y Collodd y Gwningen ei Chynffon** a **Y Ceiliog Coch Dibynadwy** o *Little One-Inch and Other Japanese Children's Favorite Stories*, ed. Florence Sakade, Charles E. Tuttle Company, Rutland, Vermont, 1984. **Y Gwningen Garedig** o *The Rabbit and the Turnip*, tr. Richard Sadler, Doubleday and Company Inc., Garden City, New York, 1968. **Sut y Cafodd y Twrci ei Smotiau** a **Y Wraig a'r Aderyn** o *Tales from the African Plains*, Anne Gatti, Pavilion Books, London, 1994. **Y Gwningen a'r Llwyn Mwyar Duon** a **Y Gwningen a'r Cnydau** o *A Treasury of American Folklore*, ed. B.A. Botkin, Crown Publishers, New York, 1944. **Y Gath, Y Llygod a'r Caws** o *A Treasury of Jewish Folklore*, ed. Nathan Ausubel, Crown Publishers, New York, 1975. **Cyngor y Llew, Pam Nad Oes gan y Crwban Wallt** a **Y Parot Caredig** o *West African Folk Tales*, Jack Berry, Northwestern University Press, Evanston, Illinois, 1991. **Fy Mrawd y Crocodeil** o *Zoo of the Gods*, Anthony S. Mercatante, Harper and Row, New York, 1974.